中華書局

大故宮

奉天承運

閻崇年 著

目錄

壽康宮（任超攝）

皇太極半身像

9

《和孝公主朝服像》軸

唐英督燒的多種釉彩大瓶

燒製精美的景德鎮御窯瓷器

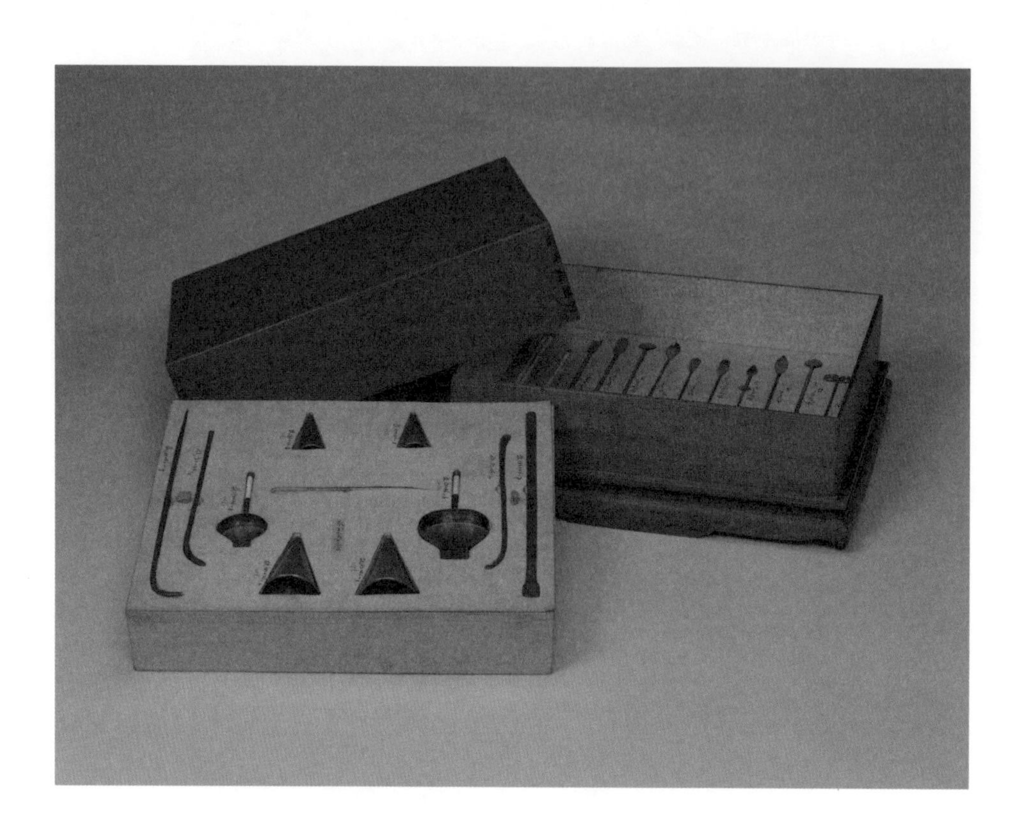

清宮銀製藥器具

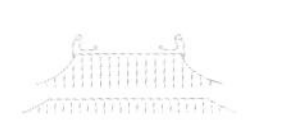

畫琺瑯提梁壺

清宮齋戒牌

《冰嬉圖》卷（局部）

第四十五講　清宮太后

清慈寧、壽康、壽安三宮，就文化來說，凸顯一個「孝」字。《說文繫傳》詮釋：「孝，善事父母者，從老省，從子，子承老，老省亦聲。」古人重視孝，《漢書．藝文志》說：「夫孝，天之經，地之義，人之行也。」孝的內涵，具體說來，就是「六孝」：孝敬、孝順、孝養、孝心、孝言、孝行。

⌂ 清宮太后，從順治朝算起，共有九位。太后居住的宮殿，主要有慈寧宮、壽康宮、壽安宮、寧壽宮等，分其宮殿，擇其太后，簡略介紹。

一  皇太后宮

清太祖努爾哈赤時期，制度草創，沒有名號，後宮統稱福晉。皇太極崇德開始，仿照明朝，設立五宮（中宮、關雎宮、衍慶宮、麟趾宮、永福宮）的一后四妃制度。順治入關，初定典儀，議定未行。康熙以後，典制完備。

《清史稿．后妃傳》記載：「帝祖母曰太皇太后，母曰皇太后。居慈寧、壽康、寧壽諸宮。先朝妃、嬪，稱太妃、太嬪，隨皇太后同居，與嗣皇帝年皆逾五十，乃始得相見。」嗣皇帝要是同太妃、太嬪見面，雙方都要年過五十歲才可以。

清皇太后，順治朝有兩位：一位是博爾濟吉特氏，順治四年（一六四七年）死，年五十；另一位是孝莊皇太后。康熙朝有兩位皇太后，其中一位是孝康章太后（康熙帝生母），冊封不久即故去；另一位是住在寧壽宮的孝惠章太后。雍正朝有一位皇太后，是雍正帝的生母烏雅氏，但未上冊，突然崩駕。嚴格説來，雍正朝沒有皇太后。乾隆朝，只有一位皇太后，就是孝聖憲太后（崇慶太后）。嘉慶朝沒有皇太后，道光朝有孝慈睿太后。咸豐朝尊道光帝妃博爾濟吉特氏為太后，只九天就死了。同治朝和光緒朝有兩位皇太后，慈安皇太后和慈禧皇太后。宣統朝

只有一位隆裕皇太后。清朝名義上有十位皇太后，實際上享受太后生活的只有八位皇太后，重要的是前三位皇太后——孝莊皇太后、孝惠皇太后、孝聖皇太后，和後三位皇太后——孝貞皇太后（慈安皇太后）、孝欽皇太后（慈禧皇太后）、孝定皇太后（隆裕皇太后）。

清朝太皇太后只有一位，就是孝莊太皇太后。清朝二百六十八年，一身是皇后、皇太后、太皇太后的，一位也沒有。

清朝太后住的宮殿，前文介紹的如慈安皇太后住過體順堂和鍾粹宮，慈禧皇太后住過燕喜堂、儲秀宮和寧壽宮，還有沒介紹的慈寧宮、壽康宮和壽安宮等。先介紹慈寧宮區，包括慈寧宮和慈寧花園兩個板塊：

慈寧宮，在皇宮西部偏北，是一座獨立的宮院，始建於明嘉靖十五年（一五三六年）五月，耗銀六十萬兩，稱仁壽宮，主要為皇太后居所。清順治十年（一六五三年）重修，清乾隆三十四年（一七六九年）改建，成為今見格局。慈寧宮的主要建築為：（一）慈寧門，為正宮門，面闊五間，進深三間，門旁列鎏金銅祥獸。（二）慈寧宮，重簷歇山琉璃瓦頂，面闊七間，進深三間，前殿後寢。宮前狹長宮院，寬敞舒展，清順治、康熙時為孝莊皇太后（太皇太后）的正宮。太皇太后和皇太后上徽號、進冊寶、聖壽節等在此慶賀。（三）大佛堂，在宮的後面，面闊七間，進深三間，黃琉璃瓦歇山頂，是太后、太妃禮佛的殿堂。堂內的佛像、龕座等文物，今暫安於河南洛陽白馬寺。

慈寧花園，在慈寧宮南側，是皇太后與皇太妃休息、遊樂和禮佛的地方。花園的特點：一是平路多，沒有曲徑、高低、拱橋、山坡，照顧老年人的體力與安全；二是佛堂多，主體建築為咸若館，館後為慈蔭樓，左為寶相樓、右為吉雲樓，其南左為含清齋、右為延壽堂，都為太后、太妃禮佛提供方便；三是亭台多，如南部以臨溪亭為主，有翠芳亭（亭內流杯渠今無存）、綠雲亭（今無存）等。亭者，停也。亭台多是為老太后、老太妃、老太嬪們散步時，走走停停，便於歇息。

壽康宮，在慈寧宮西側，是一座獨立的三進宮院，前為壽康門，主體建築為壽康宮，後為寢宮。

壽安宮，在壽康宮的北面，明初為咸熙宮，嘉靖十四年（一五三五年）改名為咸安宮，隆慶帝陳皇后、天啟朝客氏都曾住在這裏。清康熙帝曾在此兩次幽禁廢太子胤礽，直到胤礽死。雍正六年（一七二八年）在此設咸安宮官學，詔收內務府三旗和八旗的官員子弟九十名入學，是為八旗貴族子弟學校。乾隆十六年（一七五一年），為皇太后六十歲生日，將咸安宮官學遷到西華門內（今寶蘊樓），改建咸安宮，更名為壽安宮。乾隆二十六年（一七六一年），為皇太后七十大壽，壽安宮重修。

壽安宮是一座長方形的宮院，南北長一百〇七米，東西寬七十八米，佔地八千三百四十六平方米。宮為三進院，並有東西跨院。正門為壽安門，門內第一進院正殿名為春禧殿（今殿為後來重建），石基三層，殿宇雄美。東西配殿各五

壽康宮（任超攝）

間。殿左右有穿堂門，進穿堂門為第二進院。院正中為壽安宮，面闊五間，進深三間，黃琉璃瓦歇山頂。殿內乾隆帝御書匾額「長樂春暉」、「瑤樞純嘏」。殿前東西有轉角樓，南與春禧殿后倒座房相連。倒座原為壽安宮扮戲樓。院內曾有乾隆二十五年（一七六〇年）添建的三層大戲台一座。日人所著《唐土名勝圖繪》稱作演劇台，並繪有圖。上層匾「慶霄韶濩」，中層匾「曾城廣樂」，下層匾「崑閬恒春」。嘉慶四年（一七九九年）七月拆除。殿後為第三進院，院中疊石為山，院裏栽培竹子（《內務府奏銷檔》）。院內有小殿，東北為福宜齋，西北為萱壽堂。乾隆十六年（一七五一年）、二十六年（一七六一年）皇太后聖壽，皇帝率皇后、皇子、皇孫、皇曾孫等在此祝壽，並在此宮設宴。三十六年（一七七一年）皇太后八旬大壽慶典也在壽安宮舉行。乾隆四十二年（一七七七年）正月二十三日，崇慶皇太后病逝，年八十六。崇慶皇太后是明清皇太后中最為高壽、最有福分的皇太后。嘉慶時，南府（南長街南口路西、北京一六一中學校址）升平署演戲行頭等收儲於此宮。道光、咸豐兩朝太妃和太嬪等曾住此宮。建築保護完好。今為故宮博物院圖書館。

壽安宮（王志偉攝）

慈寧宮以孝莊皇太后居住而名聞天下。

二 孝莊太后

孝莊皇太后博爾濟吉特氏，是皇太極永福宮莊妃，順治皇帝的生母。她機智過人，善於謀略，身歷天命、天聰、崇德、順治、康熙五朝，兩輔幼主，權位並隆，是清朝唯一的一位太皇太后。她對清朝貢獻大，故事也多。孝莊太后和多爾袞的關係，有種種傳聞和故事。傳聞最廣的，當今家喻戶曉的是所謂「太后下嫁」。

民國初年出版的《清朝野史大觀》卷一，有三條專記太后下嫁一事。民國八年（一九一九年），署名「古稀老人」編寫的《多爾袞軼事》則更記得如同親聞目睹，說「當時朝廷情勢，危於累卵」，「太后時尚年少，美冠後宮，性尤機警……故寧犧牲一身，以成大業」。而多爾袞本來就好色成性，此時更以陳奏機密為由，出入宮禁。也有人借順治帝的話而認為孝莊搬到睿王府住居：「睿王攝政時，皇太后與朕分宮而居，每經累月，方得一見，以致皇太后縈懷彌切。」（《清世祖實錄》卷一百四十三）至今仍有人認為「太后下嫁」確有其事，並提出以下若干條理由。下面我逐一分析。

其一，莊妃下嫁為保全兒子皇位。順治帝繼位是多種政治勢力複雜鬥爭和相互妥協的結果，不是莊妃委身於多爾袞所取得的。

其二，兄死弟娶其嫂是滿族習俗。滿族確有這樣的舊俗，但有這樣的習俗並不能證明多爾袞就一定娶了他的嫂子。

其三，稱多爾袞為「皇父攝政王」。這是尊稱，如同光緒帝稱慈禧太后為「皇阿瑪」（皇父）一樣。

其四，蔣良騏《東華錄》有記載。書裏說多爾袞「親到皇宮內院」，就是慈寧宮。高陽認為，極有可能是指孝莊與多爾袞相戀的事實。相戀的事可能有，也可能無，但這不能證明太后下嫁了多爾袞。

其五，孝莊太后死後葬在昭西陵[1]。清東陵的昭西陵，因在皇太極盛京昭陵西向，故稱昭西陵。孝莊太后和康熙皇帝都作了解釋：「太宗文皇帝梓宮，安奉已久，不可為我輕動。況我心戀汝皇父及汝，不忍遠去。務於孝陵近地，擇吉安厝，則我心無憾矣。」（《清聖祖實錄》卷一百三十二）太皇太后不願意驚動太宗亡靈，而願意同兒子孫在一起。

其六，有人說見過《太后下嫁詔》。此詔如果真有，必經辨認、登錄，多人過目，不會只一人看見。歷史不能憑某一人的一說而做定斷。

其七，明末張煌言記載了這件事。張煌言（蒼水）〈建夷宮詞〉：「上壽觴為合巹樽，慈寧宮裏爛盈門。

1 清孝莊太后死於康熙二十六年（一六八七年）十二月二十五日，年七十五；孝惠太后病死於康熙五十六年（一七一七年）十二月初六日，年七十七；孝聖太后病死於乾隆四十二年（一七七七年）正月二十三日，年八十六；去世時間都在臘正月。這是值得年老體弱病人注意的季節。

春宮昨進新儀注，大禮躬逢太后婚。」（《張蒼水全集》）「建」是建州，「夷」是夷狄，明顯帶有民族偏見。這時張蒼水在江南，南明和清朝是敵對的政權。孟森先生早就指出：「遠道之傳聞，鄰敵之口語，未敢據此孤證為論定也！」而且詩詞也不能直接作為歷史證據，因為詩既可以誇張、比附，也可以想像、虛構。

其八，朝鮮史書裏記載了這件事。當時作為清朝屬國，朝鮮的《李朝實錄》裏，沒有「太后下嫁」詔諭的記載。像這樣的大事，如有，照例是應當詔諭屬國的，也會有記載的；恰恰卻未有。

其九，順治帝報復多爾袞為反證。如順治帝母后已下嫁多爾袞，多爾袞即為其父，且母親健在，怎能對多爾袞掘墳墓、撤廟享呢？這將置母親尊嚴、臉面於何地！

其十，事情已經過去三百多年，至今還沒有見到一條關於「太后下嫁」的史證。

所以，我認為：孝莊太后同多爾袞的情愫可能有，「太后下嫁」之事確實無。當然，孝莊太后考量母子命運和江山社稷，盡量籠絡多爾袞，則是不用懷疑的。

這一對相依為命的母子，按理說應當是母慈子孝、關係融洽，但事實並非如此。順治帝和

慈寧宮大佛堂（林京攝）

母后的關係，《清史稿・后妃傳》僅有四句話記載：第一句是「世祖即位，尊為皇太后」，這是例行公事；第二句是「贈太后父寨桑和碩忠親王，母賢妃」，這也是例行公事。加上第三和第四兩句，共五十個字。而同書記載康熙帝同他祖母關係的則有七百一十五個字。後順治帝廢掉母后為他選定的皇后，為董鄂妃死而要剃度出家、尋死覓活，都讓母后失望、生氣和無奈。順治帝的早死，更讓她深受打擊。幸虧皇孫玄燁爭氣懂事。孝莊晚年身處太皇太后尊位，祖慈愛孫孝順，盡享天倫之樂。

康熙帝回憶說：「朕自幼齡學步能言時，即奉聖祖母慈訓，凡飲食、動履、言語，皆有矩度。雖平居獨處，亦教以罔敢越軼，少不然即加督過，賴是以克有成。」祖孫感情融洽。

孝莊皇太后關心民間疾苦。順治十一年（一六五四年）鬧災荒，孝莊太后「晝夜焦思，不遑寢食」，主動拿出宮中節省銀共四萬兩賑災（《清世祖實錄》卷八十二）。康熙平定三藩，遇到災年，她也常捐私房錢賑災。

孝莊太皇太后發願要寫造《龍藏經》，為文化作出貢獻。當時國家經費拮据，寫經費用從哪裏來？她先用私房錢、變賣陪嫁品，她娘家兄弟等捐助牛羊換錢，孫子康熙帝也出私房錢贊助。於康熙六年（一六六七年）開始，三年完成，康熙帝御製藏文序，供奉於慈寧宮大佛堂。

這部清康熙朝《內府泥金寫本藏文龍藏經》，簡稱《龍藏經》，是藏傳佛教三寶之一，在信眾中有崇高的地位。它每葉橫八十七點五釐米，縱三十三釐米，每函三百~五百葉，共一百零八函，五萬葉，十萬面，重約五十公斤。經的全書：一是磁青箋經葉，二是內護經板，三是外護經板，四是五色——黃、紅、綠、藍、白經簾，五是哈達，六是黃絹經衣，七是黃布經衣，八是七彩捆經帶，九是五彩捆經繩，十是保護全函的黃棉袱包。每函鑲嵌寶石一百三十三顆，共一萬四千三百六十四顆，有彩繪佛像七百五十六尊。保存清宮典藏簽條。這部《龍藏經》充分體現出皇家氣派，富麗輝煌，精美極致，書籍之最（《精彩一〇〇國寶總動員》）。文物南遷，轉到台灣，現藏於台北故宮博物院。我曾有幸看到原物。

孝莊太后住在慈寧宮，在順治、康熙兒孫奉養下，度過了四十四年的時光。康熙帝數十年奉養孝莊太皇太后的事跡，成為帝王孝行的典範。「晨昏敬睹慈顏豫，不盡歡欣踴躍回」——康熙帝每天早晚兩次，帶着歡娛的心情，到慈寧宮向祖母請安。祖母謁陵、避暑、出巡等，行前康熙帝都要到慈寧宮，親奉祖母登輦，然後騎馬跟隨。路遇坎坷，下馬扶輦。一次途中下雨，康熙帝冒雨下馬，步行泥濘中，扶着祖母御輦前行。各地進獻的珍果異味，康熙帝會送到祖母尊前；外出巡獵時，常將地方特產、獵獲野味派人送到祖母宮中。每年初秋，命宮中花匠例行送慈寧宮「三清花」，即茉莉、晚香玉、夜來香，分別盛在紅、黃、藍三色盆中，供祖母清賞。

康熙二十六年（一六八七年）十一月二十一日，七十五歲的太皇太后病重。康熙帝在慈寧宮侍疾，親嘗湯藥，晝夜守護，不離左右。他「心懷憂慮，日侍左右，檢方調藥，親視飲饌。太皇太后寧憩之時，朕隔幔靜俟，席地危坐，一聞太皇太后聲息，即趨至榻前，凡有所需，手奉以進，因此晝夜不能少離」（《清聖祖實錄》卷一百三十二）。康熙帝每天在祖母榻邊，檢驗藥方，調配湯藥，先行試飲，親自喂服。祖母躺下後，康熙帝隔着帷幔，席地危坐。聽到祖母翻身或歎息聲，就起身到榻前，進奉祖母所需。康熙帝在病榻前，席坐冷地，衣不解帶，卅五晝夜。康熙帝為祖母祈願，步禱天壇，恭讀祝文，聲淚俱下，陪同大臣，無不落淚。十二月二十五日，太皇太后崩於慈寧宮，享年七十五歲。康熙帝「在大行太皇太后梓宮前，晝夜號痛不止，水漿不入口，天顏臒癯，以致昏迷」。康熙帝在慈寧宮結廬而居，為祖母哀泣守孝。

《清史稿．后妃傳》論贊道：「世祖、聖祖皆以沖齡踐祚，孝莊皇后睹創業之難，而樹委裘（指幼君在位）之主，政出王大臣，當時無建垂簾之議者。殷憂啟聖，遂定中原，克底於升平。」這些話，不過分。

三 崇慶太后

崇慶皇太后即孝聖憲皇后，鈕祜祿氏，十三歲侍雍親王胤禛藩邸，號格格，是乾隆帝的生母。雍正即位，封為熹妃，後晉熹貴妃。雍正帝逝世，乾隆帝繼位，尊為皇太后，經常住在壽康宮，並活動在慈寧宮和壽安宮等處。

乾隆帝事太后至孝至敬。乾隆帝每出巡幸，常奉太后以行，包括：「南巡者三，東巡者三，幸五台山者三，幸中州者一。謁孝陵，獮木蘭，歲必至焉。」（《清史稿．后妃傳》卷二百十四）皇太后每年十一月二十五日誕辰，特別是五十、六十、七十、八十大壽，慶典一次比一次隆重。

乾隆六年（一七四一年）十一月二十五日，皇太后五十大壽。先期，進壽禮九九。乾隆帝親製詩文、書畫，還有如意、佛像、金玉、犀象、瑪瑙、水晶、玻璃、琺瑯、綺繡、幣帛、花果和諸外國珍品等。皇太后自暢春園回宮之日，獎勵瞻仰跪接者，規定賞銀：官員男婦六十以上者各賞銀五兩，七十以上者六兩，八十以上者七兩，九十以上者十兩；兵丁、閒散人等男婦六十以上者各賞銀二兩，七十以上者三兩，八十以上者四兩，內有百歲老婦二名各賞銀十五兩等。共賞銀十萬八千七百五十兩。還規定跪接禮儀：自西安門起，到西苑紫光閣門外，男左女右，分列道旁，跪着迎接（《清高宗實錄》卷一百五十四）。凡在壽康宮前行禮的一品二品滿漢文武大臣，也在西安門外跪接。乾隆帝出西華門，奉迎皇太后，在西苑豐澤園進膳。然後，皇太后回壽康宮。

乾隆十六年（一七五一年），皇太后六十大壽。皇帝率皇后、皇子、皇孫等，侍皇太后於壽安宮，看戲、壽宴，連着慶祝九天（《國朝宮史》卷七）。乾隆帝獻給皇太后生日特禮：一件是清漪園（今頤和園），另一件是壽安宮暨大戲樓。外省老民老婦，冒着嚴寒，千里迢迢，來京祝釐。在京官員，設立經壇，誦經祝壽。乾隆帝奉皇太后到萬壽寺瞻禮，祈願萬壽無疆（《清高宗實錄》卷四百三）。萬壽寺得到妥善保護，現在是北京藝術博物館。還頒諭二十條：如在京滿漢文武大小官員，都各加一級；在京八旗兵丁、太監等，都賞給一月錢糧；八十以上者給絹一匹、棉一斤、米一石、肉十斤，九十以上者加倍，百歲者給銀建牌坊。

乾隆二十六年（一七六一年），太

《崇慶皇太后半身像》

《崇慶皇太后八旬萬壽圖》

后七十大壽。乾隆帝行九拜大禮，歌頌老母：「愛日高懸，煦陽和於四海；慈雲普覆，覃膏澤於萬方。」乾隆帝大宴壽安宮，躬舞太后壽筵前，率皇孫、皇曾孫聯舞，敬酒。也有倒霉者：典禮時由禮部尚書伍齡安讀表文，因「舛錯甚多，復不相連屬，革職」（《清高宗實錄》卷六百四十九）。

乾隆三十六年（一七七一年），皇太后八十大壽，慶典在暢春園舉行。陳設彩亭，御仗前導，導迎樂作，群臣山呼。乾隆帝御禮服，到暢春園，問皇太后安，恭進奏書。奏書稱：恭逢八旬萬壽，喜愜五代一堂。又說：「布達喇山莊肇建，聯情用輯諸藩；衛拉特沙塞偕徠，陪宴兼收全部。」（《清高宗實錄》卷八百九十七）

皇太后八旬大壽慶典在壽安宮舉行。乾隆帝到壽安宮，跪問起居，隨進茶侍早膳（飯面二品，湯一品，高頭五品，膳菜十二品，餑餌四品）。承應宴戲，演九九大慶。巳刻（九～十一時）進小膳（餑餑五品，果實十品）。未正（十四時）進晚飯（飯面二品，湯一品，高頭五品，膳菜十二品，餑餌四品）。繼進酒膳（酒二品，膳菜七品，果實八品，垂手果碟四品）。皇后率皇貴妃以下暨皇子、皇孫等奉侍，欽派王公、滿漢大臣、侍衛、外藩、回部於東配殿，王妃、公主、命婦於西配殿，各以次列坐看戲，恩賜酒肴果實。申刻（十五～十七時）結束，皇太后還宮。

乾隆四十二年（一七七七年）正月二十三日，崇慶皇太后病逝於圓明園長春仙館，年八十六，後葬於清西陵泰陵東北的泰東陵。乾隆帝為表示對已故母親的孝敬，下詔製作金髮塔一座。清乾隆金髮塔，高一百四十七釐米，底座七十釐米 × 七十釐米。塔由下盤、塔斗、塔肚、塔頸、塔傘等部分組成，用黃金三千多兩，鑲嵌珠寶、綠松石、珊瑚等。塔肚內置一盛髮金匣，珍存太后的頭髮。塔下承以紫檀木蓮花瓣須彌座。金髮塔紋樣優美，造型穩重，製作精細，工藝高超，由清宮造辦處承做，製成後安放在壽康宮東佛堂內。

一個女人，子不在多，崇慶太后只生一個兒子，就是乾隆皇帝，便享盡人間榮華富貴：「誕膺天下之至養，而安享尊榮之多福。」

清朝的慈寧、壽康、壽安三宮，就文化來説，凸顯一個「孝」字。《説文繫傳》詮釋：「孝，善事父母者，從老省，從子，子承老，老省亦聲。」古人重視孝，《漢書·藝文志》説：「夫孝，天之經，地之義，人之行也。」孝的內涵，具體説來，就是「六孝」：孝敬、孝順、孝養、孝心、孝言、孝行。

第四十六講　皇家外戚

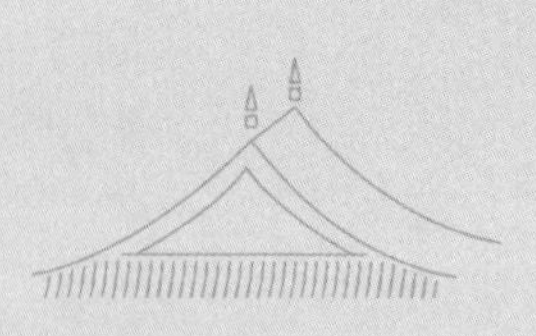

外戚仰仗皇權，賢者謹身奉法，乾乾自強，惕惕自律；貪者狐假虎威，揚揚自得，昏昏自孽。前者雖沒有那麼多的財富與權力，卻過得安詳，平安一生；後者雖佔有極龐大的財富與權勢，卻妄作威福，福滿禍生。知書達禮，朝乾夕惕，平安一生，子孫安寧。

△外戚，《辭海》解釋是：「特指帝王的母族和妻族。」外戚同皇宮有着政治、經濟、軍事、文化，特別有着血緣的聯繫。宮廷影響外戚，外戚也影響宮廷。

一 明清外戚

《史記》有〈外戚世家〉，《漢書》則有〈外戚傳〉。在明清時期，外戚主要是皇帝的母族和妻族，特別是皇帝的岳父母、大小舅子等。在歷史上，漢朝、唐朝曾因外戚執掌朝綱，釀成外戚之禍。漢朝和唐朝的外戚事件，略舉典型事例，見其歷史脈絡。

先說漢朝。漢高祖劉邦死，子惠帝立，呂后為皇太后。劉邦呂后沒有朱元璋馬后的雅量，而是心胸狹窄。劉邦死後，呂后掌權，先報復夫君在世時的情敵戚夫人——「囚戚夫人，髡鉗衣赭衣，令舂」[1]。戚夫人哀歎道：「子為王，母為虜，終日舂薄暮，常與死為伍。」

1 髡鉗：髡，《說文》「髡，剃髮也」，就是剃髮；鉗，刑具，以鐵束頸。髡鉗為刑，《漢書．刑法志》載：「當黥者，髡鉗為城旦舂。」

（《漢書．外戚傳》卷六十七上）呂后聞知大怒，命「斷戚夫人手足，去眼薰耳，飲瘖（同「喑」）藥，使居鞠域中，名曰『人彘』」。又殺了戚夫人的兒子趙王。呂后的兒子惠帝實在看不下去，心情很壞，生活放蕩，七年而死。呂后為鞏固權力，大封呂家親屬，掌控軍政大權。但是，劉邦有遺言：「非劉氏王者，天下共擊之！」（《史記．呂太后本紀》）呂后主政八年，「病犬禍而崩」（可能是死於狂犬病）。呂后死後，發生政變。漢高祖老臣太尉周勃、丞相陳平等率兵，「悉捕諸呂男女，無少長皆斬之」（《漢書．呂后傳》卷九十七上）！《漢書．后妃傳》總結說，漢因美色受寵者二十餘人，能保位全家者只有四人，其餘「大者夷滅，小者放流」！所以，歷史鏡鑒，應當重視。

次說唐朝。外戚之禍，唐甚於漢。唐武則天，是為一例。武則天的功過，這裏不做評論。她有三句口氣很大的話：爵位富貴，朕所與也；天下安佚，朕所養也；不利於朕，朕能戮之（《新唐書．后妃上》卷七十六）。武則天大封外戚，強化武家權勢。事情過頭，適得其反。後外戚武家遭到報應：「斲棺暴屍，平其墳墓。」（《舊唐書．外戚傳》卷一百八十三）

歷史借鑒。漢、唐等朝外戚之禍，為明朝朱元璋建國定基，留下深刻教訓。《明史．外戚傳》論道：「明太祖立國，家法嚴。史臣稱后妃居宮中，不預一髮之政，外戚循理謹度，無敢恃寵以病民，漢、唐以來所不及。」引文中的「一髮」，不是發展的「發」，而是頭髮的「髮」，就是說外戚不干預一根頭髮細小的朝政。可見明朝是汲取漢、唐外戚掌控軍政大權，導致威脅皇權的歷史教訓。

明初，明太祖朱元璋的馬皇后，明成祖朱棣的徐皇后，嚴於律己，抑遠外家。朱元璋的馬皇后，父母死得早，後訪得她的親族，要授以官爵。馬皇后辭謝：「國家爵祿，宜與賢士大夫共之，不當私妾家。」她還援引前朝外戚驕奢淫逸釀成禍亂的教訓。朱元璋接受馬皇后的意見，僅賞賜一些金銀綢緞而已。永樂帝的徐皇后，父親為開國元勳徐達。徐皇后始終勸永樂帝朱棣，不要驕縱外戚家。這樣做也保全了椒房貴戚家及其子孫的安全。總體說來，整個明朝，外戚之禍，基本沒有，僅有特例。明英宗時，外戚會昌侯孫繼宗，以奪門功，參議國事。所以《明史·外戚傳》認為：「自茲以下，其賢者類多謹身奉法，謙謙有儒者風。而一二怙恩負乘之徒，所好不過田宅、狗馬、音樂，所狎不過俳優、伎妾，非有軍國之權，賓客朋黨之勢。」（《明史·外戚傳》卷三百）。明代的外戚，既沒有控制軍國大權，也沒有釀成黨錮之禍。還有的外戚，「舉宗殉國，嗚呼卓矣」！

清代外戚，與明不同。明朝淑女，天下徵選，有的外戚，起自民間。清朝的外戚，從《清史稿·后妃傳》看，清皇后都是出自滿洲、蒙古、漢軍八旗，沒有一位民女。《清史稿》有〈外戚表〉，沒有〈外戚傳〉。

下面分別介紹明宮外戚和清宮外戚，先介紹明宮外戚。

二 明宮外戚

明宮外戚，講明英宗外戚周家和明思宗外戚劉家的故事。

外戚周家。明英宗周妃，父親周能，北京昌平人。周妃生憲宗成化帝朱見深。英宗復辟，周能有功，授錦衣衛千戶。周能死，長子周壽嗣職。朱見深繼位，升周壽為左府都督同知（從一品）。成化三年（一四六七年）封為伯。周壽依仗為當朝太后的弟弟、皇帝的舅舅，驕橫貪婪。

其一，時正值嚴禁勳戚乞請莊田，唯獨周壽冒禁乞請通州田六十二頃。皇家全數劃給他。

其二，周壽的家人經常劫掠商船，為非作歹。

其三，有一位堅持正義的主事謝敬，認為周壽這樣做不妥，上疏彈劾，被貶外地。

其四，成化十七年（一四八一年）周壽升為侯，子弟同日授錦衣官者七人。成化帝死，弘治帝立，加周壽太保，更為囂張。

其五，時周壽受賜的莊田甚多，僅在寶坻（今天津寶坻）就有五百頃，又要再得七百餘頃，部裏彈劾周壽貪求無厭，弘治帝竟然許之。

其六，周壽又與建昌侯張延齡爭田，兩家家奴，相互鬥毆，群臣不滿，紛紛上章。太后二弟長寧伯周彧與壽寧侯張鶴齡至聚眾相鬥，都邑震駭。

其七，周壽多次干擾鹽法，侵吞公家利益，有司厭苦之。

其八，弘治十六年（一五〇三年），加太傅，兄弟並為侯伯，位三公，史稱「前此未有也」！直到明武宗正德帝立，汰傳奉官，周壽子侄八人在淘汰中，周壽上章乞留，從之。嘉靖中，周壽於河西務設肆邀商貨，虐市民，虧國課，為巡按御史所劾，停祿三月。周家的勢力才逐漸衰弱。

《明史》評論説：勛戚之家，佔據關津，設肆開廛，侵奪民利。勳戚諸臣，不守先詔，放縱家人，列肆通衢，邀截商貨，都城內外，所在有之。永樂年間，王公僕從二十人，一品不過十二人，今勳戚多者以百數。其間多市井無賴，冒名罔利，利歸群小，怨叢一身，非計之得（《明史·外戚傳》卷三百）。

外戚周家，從明英宗天順開始，歷經成化、弘治、正德、嘉靖五朝，在七八十年間，依仗皇家，受爵升職，侵奪民利，為所欲為，為害一方，損害皇家的根本利益。

外戚劉家。崇禎帝外祖父劉家，舅表兄弟劉文炳，宛平（今北京市）人。文炳祖母徐氏，是崇禎帝外祖母，年七十，崇禎帝賜金銀、綢緞。崇禎帝對內侍說：「太夫人（外祖母）年老，猶聰明善飯，使太后在，不知若何稱壽也。」因愴然泣下。後封劉文炳為新樂侯，弟文燿、文照也封爵。劉文炳之母杜氏，是崇禎帝舅母，她常跟文炳兄弟說：「吾家無功德，直以太后故，受此大恩，當盡忠報天子。」劉文炳為人謹厚，不妄交往，唯獨與宛平太學生申湛然、布衣黃尼麓及駙馬都尉鞏永固等人友善。李自成逼近京師時，劉文炳知勢不支，慷慨泣下，對鞏永固等說：「國事至此，我與公受國恩，當以死報。」

崇禎十七年（一六四四年）三月初一日，京城告急，崇禎帝命文武勛戚分守京城。劉繼祖守皇城東安門，駙馬都尉鞏永固守崇文門，劉文燿守永定門。從皇城東安門、內城崇文門和外城永定門，三座京師大門的守禦來看，明朝已經無人，明廷眾叛親離，大明氣數已盡，朱明必亡無疑。

十六日，李自成軍攻西直門，形勢緊急。布衣黃尼麓倉促趕到，對劉文炳說：「城將陷，君宜自為計。」劉文炳之母杜氏聽到，命丫鬟找出條繩，做成七八個繯套，掛在樓上，又命男僕在樓下堆積柴薪，並派老僕將已經出嫁的女兒帶回家，說：「吾母女同死此。」又考慮太夫人徐氏年老，不可一同俱焚，便與劉文炳商量，藏匿在申湛然家。

十八日，崇禎帝派內使秘密召見劉文炳和鞏永固。劉文炳回家報告母親說：「有詔召兒，兒不能事母。」母親撫摸着劉文炳的肩背說：「太夫人既得所，我與若妻妹死耳！」於是，劉文炳和鞏永固謁見崇禎帝。這時外城已陷。崇禎帝說：「二卿家丁，能巷戰否？」劉文炳說：「眾寡懸殊，不能對敵。」崇禎帝愕然。鞏永固奏道：「臣等已積薪第中，當闔門焚死，以報皇上。」崇禎帝說：「朕志決矣——朕不能守社稷，朕能死社稷。」劉文炳和鞏永固，悲愴涕泣，發誓效死。他們急馳到崇文門。農民軍擁上，二人彎射，寡不敵眾，各馳歸第。

十九日，劉文照正在侍奉母親杜氏吃飯，家人急入道：「城陷矣！」文照碗落地，直看母親。母親起身登樓，文照及二女隨從，文炳妻王氏也登樓。一家人對着孝純皇太后像，劉母率眾哭拜，各自縊死。家人焚樓，人樓俱焚。劉文炳歸來，火勢大，不得入，到後園，恰見申湛然、黃尼麓趕到，說：「鞏都尉已焚府第，自刎矣。」劉文炳說：「諾。」將投井，忽停止，說：「戎服也，不可見皇帝。」申湛然脫下自己的頭巾給劉文炳戴上，劉文炳投井死。劉繼祖歸來，也投井死。劉繼祖妻左氏見大宅起火，登樓自焚死，妾董氏、李氏也自焚死。劉文燿見府第焚，大哭道：「今至此，何生為！」找到劉文炳死的地方，在井旁木板上書寫「左都督劉文燿同兄文炳畢命報國處」，也投井死，劉氏闔門死者四十二人。

同期，惠安伯張慶臻集妻子同焚死。新城侯王國興也焚死。宣城伯衛時春懷揣鐵券，全家投井死（《明史．劉文炳傳》卷三百）。駙馬都尉子楊光陛，被甲馳突左右射，矢盡投觀象台下井中死，而申湛然被獲，軀體糜爛以死。被子孫們藏匿在申湛然家中的太夫人徐氏（崇禎帝外祖母），最後也是悲劇。

外戚劉家，國難當頭，雖不能率兵禦抗，卻做到以死報國。崇禎帝在吊死煤山之際，應當是有一絲寬慰的。

三 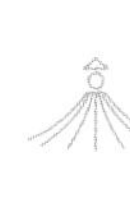 清宮外戚

清宮外戚，有個特點，滿洲貴族，沿襲始終。瓜爾佳氏，始祖當推位列開國五大臣的費英東；鈕祜祿氏，始祖也當推位列開國五大臣的額亦都；葉赫那拉氏，始祖當是葉赫貝勒揚佳努等。蒙古貴族如博爾濟吉特氏，為成吉思汗後裔，以及阿魯特氏等。漢軍貴族，佟佳氏，影響天命、天聰、崇德、順治、康熙、雍正六朝政治，年氏影響康熙、雍正、乾隆三朝政局。但是，外戚威脅到皇權，也以死罪結束。索額圖是這樣，年羹堯也是這樣。以年氏為例，做個說明。

年皇貴妃。雍正帝的年妃，是漢軍湖南巡撫年遐齡之女，也是大將軍年羹堯之妹。雍正帝在做雍親王時，年氏為側福晉，在世宗潛邸。雍正元年（一七二三年），登上皇位的雍正帝，冊封年氏為貴妃。年氏受到雍正帝的寵愛，何以見得？

其一，從晉升來看：年氏由側福晉，到妃，到貴妃，再到皇貴妃，這在雍正帝所有后妃中是唯一的特例。

其二，從尊貴來看：《清皇室四譜·后妃》記載，雍正帝在位時有九位后妃，其中一后、一皇貴妃、一貴妃、二妃、三嬪、一貴人。年氏之尊貴僅亞於皇后烏拉那拉氏，而烏拉那拉氏是康熙帝為他旨定的嫡福晉，雍正帝以孝子自詡，自然是要遵從皇父旨意的。烏拉那拉氏沒有生育子女。

其三，從生育來看：年氏生下三子——福宜、福惠、福沛，一女，是雍正帝生育子女最多的后妃之一。

其四，從患病來看：雍正三年（一七二五年）十一月，年妃病重，雍正帝特封年貴妃為皇貴妃，並囑儀禮按皇貴妃辦理。

其五，從評價來看：雍正帝說：「貴妃年氏，秉性柔嘉，持躬淑慎。朕在藩邸時，事朕克盡敬慎。在皇后前，小心恭謹，馭下寬厚和平。皇考嘉其端莊貴重，封為親王側妃。朕即位後，貴妃於皇考皇妣大事，悉皆盡心，力疾盡禮，實能贊襄內政。」（《清世宗實錄》卷三十八）

其六，從身後來看：年皇貴妃死，雍正帝「輟朝五日」。剛過滿月，雍正帝處理年羹堯，宣佈九十二條大罪，並賜死。但年妃的父親年遐齡免

署理大將軍印務公臣延信四川陜西總督臣年羹堯為密陳下悃仰祈
聖訓以免貽悮事竊惟
國家大事莫重於用兵委任人臣莫重於軍務臣等智識短淺過蒙
聖主委任令會同辦理軍務雖思之又思慎之又慎難保盡合機宜是以共相勉勵寧遲毋急寧慎重毋輕忽倘有錯悮臣等獲罪之事甚小上關
聖主用人之處甚大臣等請嗣後凡有緊要事情先具奏稿密呈
睿覽伏求
聖訓批示以便繕摺奏
聞雖未免煩瀆
宸聰然往返之間為期不過一月既經
聖慮自有
乾斷不獨臣等獲有遵循而軍務大事可免錯悮矣
理合
奏明臣等不勝悚惕之至
[illegible]
雍正元年正月初二日具

雍正帝朱批年羹堯密摺

罪。這是看在年皇貴妃的分上。乾隆初，從葬泰陵，也是一種規格（《清史稿．后妃傳》卷二百十四）。

年家興衰。從年妃之兄年羹堯看年家的興衰。年羹堯，父遐齡，漢軍鑲黃旗人。以翻譯、文書出身，官主事（處級）、郎中（局級）。康熙二十二年（一六八三年），授河南道御史，後遷工部侍郎（副部級），又升湖廣巡撫（省部級）。後年老退休。年羹堯在父親鋪平的仕途上，順利前行。康熙三十九年（一七〇〇年）進士，入翰林院，任四川、廣東鄉試考官，遷內閣學士。僅過九年，升為四川巡撫。川藏地區，地方不靖，常有戰事，年羹堯由文轉武，掛定西將軍印，屢立戰功。康熙帝讓他兼任四川陝西總督，疏辭。這時年羹堯的腦子還算是清醒。

雍正帝繼位，召撫遠大將軍胤禵回京師，命年羹堯管理大將軍印務。後加太保，封三等公，進二等公。不久，青海平定，年羹堯上奏青海善後事宜，三年一入貢，增設衛所撫治，諸廟不得過二百間，喇嘛不得過三百人，邊外築牆建堡，大通河設總兵，以及發直隸、山西、河南、山東、陝西五省人前往屯田等，議行。十月，年羹堯入覲，賜雙眼花翎、四團龍補服、黃帶、紫轡、金幣，令其子年富襲爵。這是年羹堯最得意的時期，也是年妃最得寵的時期。

年羹堯由雍親王門下出仕，受雍正帝格外恩寵。雍正帝賞賜年羹堯，食品如鮮荔枝、新茶、中秋餅、鮮棗、鹿尾，藥品如平安丸、太乙錠、補心丹、紫金錠，文玩如詩扇、三鳩硯、御書詞扇，衣飾如二團龍補褂、袍褂、琺瑯雙眼翎，其他如手巾、西洋玩具、東珠、鳥槍、自鳴表、琺瑯杯、琺瑯鼻煙壺等。雍正帝讓造辦處做四件珍玩：賞怡親王一件，舅舅隆科多一件，年羹堯一件，自留一件。可見這三個人是當時雍正帝的心腹。雍正帝做主把年羹堯的兒子年熙，過繼給隆科多做兒子，並改名得住。雍正帝與年羹堯關係特殊，雍正帝對年羹堯《奏謝自鳴表摺》

朱批：「我二人做個千古君臣知遇榜樣，令天下後世欽慕流涎就是矣。」（《年羹堯滿漢奏摺譯編》第二七六頁）

但是，年羹堯才氣凌厲，恃寵居功，驕橫放縱。路過之處，前後導引。入京之時，令總督、巡撫，跪道送迎。到京師，王大臣郊迎，傲慢無禮：「入京日，公卿跪接於廣寧門外，年策馬過，毫不動容。」（《嘯亭雜錄．年羹堯之驕》卷九）在地方上，蒙古王公，額駙阿寶，入見必跪。連年羹堯的僕從也跟着「雞犬升天」——桑成鼎官布政使，魏之耀官副將。

雍正三年（一七二五年）二月，日月合璧，五星聯珠，年羹堯在賀疏中，有「夕惕朝乾」一語，雍正帝大怒，斥責年羹堯有意顛倒。這是怎麼回事呢？《周易．乾》說：「君子終日乾乾，夕惕若厲，無咎。」上句的意思是，君子應當整天「自強勉力，不有止息」；下句的意思是，「尋常憂懼，恒得傾危」；結果是「乃得無咎」——才可以沒有災禍和過失。後來引申為「朝乾夕惕」，就是早自強，晚自慎。「朝乾」和「夕惕」是平列的意思，「朝乾」在前，「夕惕」在後，邏輯順暢，更好一些。顛倒過來，也無大礙。雍正帝在這裏純屬找碴，雞蛋裏挑骨頭。

雍正帝對年羹堯不滿，發出信號：「可惜朕恩，可惜己才，可惜奇功，可惜千萬年聲名人物，可惜千載寄逢之君臣遇合。」年羹堯覺得大事不妙，趕緊乞罪：「臣今日一萬分知道自己的罪了。若是主子天恩憐臣悔罪，求主子饒了臣，臣年紀不老，留下這一個犬馬慢慢地給主子效力；若是主子必欲執法，臣的罪過不論哪一條哪一件皆可以問死罪而有餘，臣如何回奏得來。除了皈命竭誠懇求主子，臣再無一線之生路。伏地哀鳴，望主子施恩，臣實不勝鳴咽。」但是，為時晚矣。

四月，雍正帝諭：「羹堯舉劾失當，遣將士築城南坪，不惜番民，致驚惶生事，反以降番復叛具奏。青海蒙古饑饉，匿不上聞。怠玩昏憒，不可復任總督，改授杭州將軍。」而以岳鍾琪署總督，命繳回撫遠大將軍印。

十二月，年羹堯被逮至京師，議其罪狀：年羹堯大逆之罪五，欺罔之罪九，僭越之罪十六，狂悖之罪十三，專擅之罪六，忌刻之罪六，殘忍之罪四，貪黷之罪十八，侵蝕之罪十五，凡九十二款，當大辟，親屬緣坐。命領侍衛內大臣瑪爾賽、步軍統領阿齊圖齎詔諭年羹堯獄中自裁。年羹堯父遐齡及兄希堯奪官，免其罪；斬其子年富；諸子年十五以上者皆戍極邊。羹堯幕客鄒魯、汪景祺先後都坐斬，親屬給披甲為奴（《清史稿．年羹堯傳》）。

雍正帝為什麼要殺年羹堯呢？有兩種不同的見解：一種是，年羹堯幫助胤禛謀取皇位，在西北鉗制皇十四貝子胤禵，知道機密太多，狡兔死走狗烹，遭忌被殺；另一種是雍正帝得位正當，年羹堯居功自傲，專橫擅權，結黨營私，咎由自取。事情真相，是個疑案，歷史教訓，值得思考。

外戚仰仗皇權，賢者謹身奉法，乾乾自強，惕惕自律；貪者狐假虎威，揚揚自得，昏昏自孽。前者雖沒有那麼多的財富與權力，卻過得安詳，平安落地；後者雖佔有極龐大的財富與權勢，卻妄作威福，福滿禍生。知書達禮，朝乾夕惕，平安一生，子孫安寧。

第四十七講　天潢貴胄

一項基本制度的制定，既要考慮當時需要，又要慮及後世可續。制度穩定，時勢在變。有兩種態度：時進不進，勢變不變；與時俱進，隨勢而變。「祖制不敢擅更」，說得也是；「法窮則變，變則通，通則久」，說得也是。從眼下看，不變為好；從長遠看，以變為好。不變會引發巨變，吃虧的還是拒變者。明清皇子制度的教訓，值得後人認真思考。

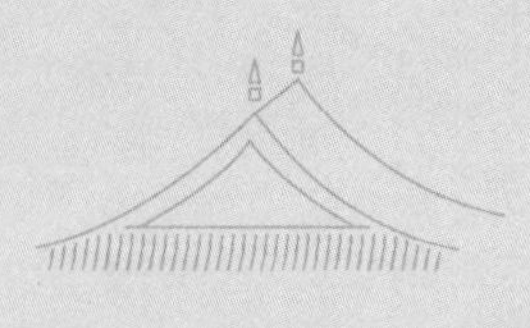

皇帝的兒子，被稱作天潢貴胄[1]。他們小時候生長在皇宮裏。明朝皇子住在東華門與文華門之間的擷芳殿，後稱端本宮（又名慈慶宮），宮門前金水河流淌，上架三座石橋，橋後有琉璃門三座。清乾隆改建為三所，「為皇子所居」（《日下舊聞考》卷三十五），因其在南亦稱南三所，俗稱阿哥所。為左中右三套並列的三進四合院落，屋頂為綠琉璃瓦，總計房屋二百餘間。此外，清代還有北五所、重華宮等。皇子長大了要分府，就是結婚分家。皇子分府後的生活和管理，與故宮關係密切，是「大故宮」外延的一個重要內容。

一 明朝皇子

明朝十六帝，據《明史・諸王傳》統計，共有皇子一百〇四人。明初，朱元璋鑒於「宋元孤立，失未封建」，是宋弱元亡的一個教訓，便對皇子分封建國，讓他們「外

1 「天潢貴胄」的「天潢」，指皇族、宗室；「貴胄」，指地位高者的後代，統指皇族宗室的後代。如《清史稿・諸王六》記載：「奕山、奕經，天潢貴胄，不諳軍旅，先後棄師，如出一轍，事乃亦不可為。」又如清吳趼人《二十年目睹之怪現狀》第二十七回：「其實也可憐得很，他們又不能作買賣，說是說的好聽得很，天潢貴胄呢，誰知一點生機都沒有，所以就只能靠着那帶子上的顏色去行詐了。」

衛邊陲，內資夾輔」，強枝固本，維護皇權。所以，皇子管理，定出制度。

第一，皇子分封。親王授金冊金寶，每年祿米萬石，京師以外，設置王府。王府有軍隊，官兵少者三千人，多者一萬九千人。王府有城池、府邸、官衙、軍隊、經濟。皇子禮儀，冠冕、服飾、車馬、儀仗、府邸，比皇帝低一等，公侯大臣，伏而拜謁。這就容易形成獨立王國。明朝先後發生五次宗室軍事政變——燕王靖難之役、漢王高煦之叛、正統南宮復辟、安化王寘鐇之叛和寧王宸濠之叛。

第二，福祿終身。皇子皇孫，出生請名，長大請婚，受祿終身，生老病死，朝廷全包（《明史・諸王一》卷一百十六）。親王嫡長子，年到十歲，授金冊金寶，立為王世子，冠服視一品。其他分別遞降，授鎮國將軍、輔國將軍、奉國將軍、鎮國中尉、輔國中尉、奉國中尉等。他們「六不許」——不許為士、不許務農、不許做工、不許經商、不許從軍、不許出城，全由國家養起來，過着衣來伸手、飯來張口的貴族生活。[2]

第三，事請於朝。宗室名字，出生以後，報禮部儀

2 朱由檢（崇禎帝）「嘗學乘馬，兩人執轡，兩人捧鐙，兩人扶鞦，甫乘，輒已墜馬，乃責馬四十，發苦驛當差。馬猶有知識，石何所知，如此舉動，豈不發噱。總由生於深宮，長於阿保之手，不知人情物理故也。」（《清聖祖實錄》卷二百四十）

制司，擬出名字，由皇帝賜名。上一字為朱元璋所定，而下一字以五行（金木水火土）相傳。年久人多，不斷重複，不雅之字，經常出現，十分可笑。禮部尚書何如寵說，宗藩婚嫁命名，清明出城掃墓，例請於朝，貧者為部滯留，自萬曆末到崇禎初，積疏累千，有的頭髮白了不能成家，屍骨腐朽尚未有名（《明史·何如寵傳》卷二百五十一）。

第四，設立高牆。宗室犯罪，不受一般法律制裁，而幽禁在鳳陽高牆之內。這是專為囚禁明朝宗室的貴族監獄，又稱「高牆制度」。下面講四個故事。

第一個故事。建文帝幼子朱文圭，時方兩歲，燕王入南京，被囚於鳳陽廣安宮，號建庶人。明英宗可憐他無罪被幽禁，請示太后，加以釋放，居住鳳陽，婚娶自便，出入自由。給太監二十人、婢女十餘人。朱文圭被幽禁五十五年，放出後不久病死（《明史·諸王三》卷一百十八）。

第二個故事。漢王朱高煦叛亂兵敗後，誅殺其同黨六百四十餘人，坐死或戍邊的二千二百二十餘人，朱高煦則被關押在西華門內（《明史·漢王高煦傳》卷一百十八）。一次宣德帝去看他，他用腳鈎絆宣德帝，結果被扣在銅缸裏，他又用力頂起銅缸。宣德帝生氣，命將朱高煦用銅缸扣住，並在缸上及其四周架起木柴點燃，將皇叔朱高煦活活燒死。

第三個故事。朱元璋第六子楚王朱楨，封武昌。楚王第六世孫朱顯榕的兒子朱英燿，性荒淫，又惡毒，烝淫他父親的妃妾，又納妓於別館。朱顯榕知道後，懲罰他的屬下，以示警告。嘉靖二十四年（一五四五年）元宵節期間，朱英燿張燈結綵，擺酒設宴，招待他的父親朱顯榕。酒宴過半，竟預先設謀，隱伏歹人，從座位後用兇器銅瓜，猛擊朱顯榕的後腦，朱顯榕當場斃命，倒在桌旁。朱英燿將他父親的遺體放在王府大廳，奏報說因中風而死。有人舉報朱英燿謀害其父，經驗屍，核實為朱英耀弒逆其父。命將英耀逮捕誅殺，焚屍揚灰。受其牽連，四十五人被高牆禁錮（《明史．諸王傳》卷一百一十六）。

第四個故事。朱元璋第二十五子伊厲王朱㰘，四歲封洛陽。這位小王爺，不讀書，卻好武，經常佩劍挾彈，馳游郊外，百姓來不及躲避的，他縱其僕從毆打，並「髡裸男女以為笑樂」（《明史．諸王傳三》卷一百十八）。他的兒子簡王顒炔，放縱宦官，騷擾地方，洛陽百姓，深受其苦。知府李驥奏報，説是誣陷，反被逮治。他的孫子朱典楧，更貪更壞，把不如意的地方官隨意抓去，加以羞辱。御史路過，也遭鞭笞。縉紳往來，都要繞道。強奪民舍，擴建王宮。他的鄰居郎中陳大壯，被索要房屋未給，便派數十人跟着陳大壯起臥，吃飯時，奪飯碗，竟然將陳大壯餓死。還有，他令關閉府城的城門，大選民間子女七百餘人，留其姝麗貌美者九十人。沒被選中的，還要用金贖回。這位王爺狐假虎威。一次，有錦衣官校到西安傳詔，路經洛陽，朱典楧派人深更半夜，奏樂迎詔，府門大開，山呼萬歲。眾請開讀詔書，説：「密詔也。」錦衣衛官員不知王爺為何如此厚待自己。事後這位王爺假託詔書是給自己的，説：「天子特親我也。」這是一場假借天子詔書的騙局鬧劇（《明史．朱典楧傳》卷一百十八）。

諸王也有優秀者。下舉三例。

第一例。朱元璋第五子周定王朱橚，封在開封。建文初，以朱橚為燕王朱棣的胞弟，很懷疑和防範他。於是建文帝突然發兵，圍困王宮，逮捕朱橚，後禁錮在南京。燕王朱棣兵入南京，恢復王的爵位，加祿五千石，後增祿到二萬石。永樂元年（一四〇三年）正月，仍封在開封。朱橚好學，能作詞賦，嘗作《元宮詞》百章。朱橚考查、收集、甄別、研究在饑荒時可充饑的植物四百餘種，繪出圖譜，加以説明，名《救荒本草》。他又在王府東屋，建立書堂，教世子讀書。洪熙元年（一四二五年）薨。明末李自成決黃河灌開封城，「汴城之陷也，死者數十萬，諸宗皆沒，府中分器寶藏書盡淪於巨浸」（《明史．周定王傳》卷一百一六）。

第二例。朱元璋第二十子韓憲王的第二子襄陵王朱沖炢（即「秋」字），駐甘肅平涼，讀書知禮，特別孝順。母親患病，刲股和藥，病竟痊癒。母親死後，哀戚守喪。每次掃墓，必率領子孫，填土培塚。先後受到朝廷六次表彰。他的兒子朱範址也秉承家風，母親患病危重，又刲股調藥，奉母親飲用，母親也痊癒。後來王府五世同堂，整個門庭和諧雍肅（《明史．襄陵王沖炢傳》卷一百十八）。

第三例。朱載堉（一五三六～一六一一年），是明仁宗洪熙帝的後裔，祖先封在懷慶（今河南沁陽市）。其父朱厚烷，有見解，有個性。嘉靖帝信道教，修齋醮，諸王爭進香，厚烷獨不進。嘉靖二十七年（一五四八年）七月，朱厚烷上書，請嘉靖帝不要信神仙，也不要大興土木，要修德講學，進呈「居敬、窮理、克己、存誠」四箴，還進《演算連珠十章》，懇懇規勸，耿耿切直。嘉靖帝見書大怒，將朱厚烷廢為庶人，幽禁於鳳陽高牆。他的兒子朱載堉篤志好學，痛父無辜被囚，在王府門外構築土屋，席藁鋪地，獨處讀書十九年。朱載堉殫精竭慮，刻苦讀書，精深研究樂律、數學和曆法。直到父親厚烷回到王府，才回邸居住。朱載堉在父親死後，不襲爵位，一心讀書，學術成就突出，而以著述終身。著有《樂律全書》、《律呂正論》、《律呂質疑辯惑》、《嘉量算經》等書。《樂律全書》總結前人的樂律理論，並加以發展，其中的《律呂精義》，通過精密計算與科學實驗，創造「新法密率」，是音樂史上最早用等比級數平均劃分音律，系統闡明十二平均律理論的科學論著。（《辭海．朱載堉條》）朱載堉在樂律、數學、曆法方面，「考辨詳確，識者稱之」（《明史．朱載堉傳》卷一百十九），在學術史上佔有一席地位。萬曆二十二年（一五九四年）正月，朱載堉上疏，請宗室可以參加科舉考試，考中者，給工作。皇帝允准，開始實行。

二 清朝皇子

清朝十二帝有皇子一百一十三人，平均壽齡三十二點四歲[3]。清宗室爵位，分十二等：親王、郡王、貝勒、貝子、鎮國公、輔國公、不入八分鎮國公、不入八分輔國公、鎮國將軍、輔國將軍、奉國將軍、奉恩將軍。皇子管理，入關之後，到康熙朝才制度化。清朝汲取明朝教訓，除延用明朝宗室「包吃錢糧，終生供養」制度外，做出三項重大改革：

第一，內襄政本，外領師干。《清史稿．諸王傳》說：「有明諸藩，分封而不錫（通「賜」字）土，列爵而不臨民，食祿而不治事，史稱其制善。」所以，明朝「朝堂無懿親之跡，府僚無內補之階」。清朝則有變通：「諸王不錫土，而其封號但予嘉名，不加郡國，視明為尤善。然內襄政本，外領師干，與明所謂不臨民、不治事者乃絕相反。」（《清史稿．諸王一》卷二百十五）就是說，清朝皇子不同於明朝皇子之處在於：其一，只給名號，不加封國；其二，「內襄政本，外領師干」。對內，清朝諸王可任內閣大學士、軍機大臣、領侍衛內大臣、議政王大臣、內務府大臣、內大臣，甚至於有親王攝政或輔政——清初多爾袞，清末奕訢、奕譞、載灃；對外任大將軍，如多鐸為定國大將軍、豪格為靖遠大將軍、胤禵為撫遠大將軍等。

第二，王府在京，不到外地。清朝王府，全在京師，遍佈內城，多有更替。今北京二環以內，分佈大量王府，如禮親王府（代善），鄭親王府（濟爾哈朗），睿親王府（多爾衮），豫親王府（多鐸），肅親王府（豪格），以及貝勒、貝子府[4]。這樣便於管理和監控，避免明朝宗室軍事政變重演。清朝北京王府尚存歷史遺跡的有五十餘座（處）。八旗駐防，分到外地，最後落葉歸根，還回北京終老。

第三，世襲罔替，按代遞減。「世襲罔替」是什麼意思呢？「世襲」就是爵位世代承襲，「罔替」的「罔」是不的意思，「替」，是降、廢的意思，「罔替」就是不降、不廢。「世襲罔替」就是爵位世代承襲，永遠不降、不廢。清朝先後有十二位世襲罔替的王，俗稱「鐵帽子王」：禮親王代善、鄭親王濟爾哈朗、睿親王多爾衮、豫親王多鐸、肅親王豪格、莊親王尼堪（褚英子）、克勤郡王岳託（代善子）、順承郡王勒克德渾（代善第三子薩哈璘之子）、怡親王允祥（康熙帝第十三子）、恭親王奕訢（道光帝第六子）、醇親王奕譞（道光帝第七子），慶親王奕劻（乾隆帝第十七子永璘之後）。除鐵帽子王外，其他王爵都要按代遞減。下面簡要介紹兩位親王。

3 清太祖第十六子生卒年不詳，未列入統計。

4 參見昭槤《嘯亭續錄・京師王公府第》卷四和吳長元《宸垣識略》等。

御製題董誥方輿寫勝冊
岱宗高峻擁璣衡蘊結祥雲觸石生澤不崇朝遍天下甫田禾黍蔭繁
榮泰岱祥雲五鳳樓前淑景妍依依新柳起三眠春城掩映真圖畫風細烟
輕翠縷柔鳳城烟柳崖碧溪清桃李華春敷邪上遍桑麻遊人携手尋芳徑
草綠平鋪一道斜邪上桑麻大隱由來說武陵桃花夾岸錦霞蒸迷津無路
奚能問誤紙雲烟畫可憑武陵春暖佳若春深盛建陽武夷溪谷抱清香携
筐採英沿芳渚雷後雨前事益忙建陽茗事秀毓嶧陽百尺桐碧陰繁密草
堂充天風披拂聆清韵妙合五絃古調中嶧陽桐韵朱華的爍絢三湘翠綠
柔風萬縷長滿浦蓮歌相和答生涯窕在水雲鄉湘浦蓮謳千竿脩竹萬梢
雲有斐嘉生淇水漬翠影青嵐互掩映欣傳同氣管城君淇園竹翠玉宇無
塵夜景悠一輪月蕩大江流金波雪浪光澄潔鏡印圓靈萬古秋澄江印月
秋中丹桂繞芳林馥郁天香布嶺岑金粟離離映遍滿蟾宮別有一枝
尋桂嶺秋香上塞氣寒秋釀雪同雲冥漠六花飛瓊蕤粉蕚綴巖木不礙周
陸大合圍上塞瓊雲十月先開冷艷留清香雪蘂絢羅浮山中高士尋芳信
直到瑤京最上頭羅浮香雪
臣永理敬書

永理書《御製題董誥方輿寫勝冊》

一是雍正帝第十子（排序第六）弘瞻，雍正十一年（一七三三年）生，母為貴人劉氏，就是謙妃。乾隆三年（一七三八年），弘瞻六歲，過繼給康熙帝第十七子果親王允禮，襲封果親王。弘瞻善詩詞，好藏書。常早晨起床，披衣巡視，遇不法者立杖之，管理下屬很嚴，所以門庭嚴肅，沒有為非亂紀者。後因犯錯誤，家居閉門，心情抑鬱，患病而死，活了三十三歲（《清史稿·諸王傳》卷二百二十）。有一種說法，弘瞻是果親王允禮與雍正帝謙妃的私生子，蓋無史據。

二是乾隆帝第十一子成哲親王永瑆，號鏡泉，乾隆十七年（一七五二年）生，母為皇貴妃金氏，曾隨駕南巡，乾隆五十四年（一七八九年）封為成親王，時三十八歲。得到故相明珠的府第為王府（後為醇親王府，今為宋慶齡故居）（《嘯亭續錄》卷四）。嘉慶初，任軍機大臣。《清史稿·永瑆傳》纂者評論說：「故事，親王無領軍機者，領軍機自永瑆始。」永瑆管理戶部三庫，很受皇弟嘉慶帝的信任和重用。清代皇子皇孫有不少書畫家，永瑆是一例。永瑆書法造詣頗深：「永瑆幼工書，高宗愛之，每幸其第。」（《清史稿·永瑆傳》卷二百二十一）「詩文精潔，書法遒勁，為海內所共推。」（《嘯亭續錄·成哲王》卷五）

因為永瑆字寫得好，今見清東陵乾隆裕陵碑樓的《裕陵聖德神功碑》，就是永瑆受命書寫的。永瑆喜歡收集古玩字畫，對書法也深有研究。他聽宮中太監說，某老太監的師傅少年時曾親眼見過明朝大書法家董其昌，用前三個指頭握筆管懸腕作書。永瑆對董其昌的筆法加以揣摩，「作撥鐙法」，對古人用筆有繼承，更有創新。他自選書法作品，刻《詒晉齋帖》傳世，朝中官員和士大夫以能得到此帖而榮幸。永瑆過於節儉。筆記說他「日用菲薄，庫集銀八十萬兩，莫肯揮霍」。其夫人為宰相之女，嫁妝豐厚，都封入庫，「惟日啖薄粥而已」。他晚年「體不沐浴，發不枇（同「篦」）櫛」，左右勸他換洗衣服，他說：「死後蛆食齒骸，又誰為滌垢也！」

道光三年（一八二三年）死，七十二歲。永瑆生前節儉所積聚的金銀，或為子孫揮霍，或為僕從偷掠，最後還是一個「空」字。永瑆遺著有《聽雨屋詩集》、《晉齋集》、《倉龍集》、《詒晉齋帖》（《清皇室四譜・皇子》卷三）。

三　後人思考

明清皇子的歷史教訓，實在深刻，值得思考。

第一，皇子制度，制定有因。一項基本制度的制定，既要考慮當時需要，又要慮及後世可續。明清皇子制度，自有制定緣由。但是，時過境遷，需要變通。早在明嘉靖四十一年（一五六二年）十一月，御史林潤就尖銳指出：天下最大弊病，在於宗藩祿廩。天下歲供京師米四百萬石，而諸王祿米凡八百五十三萬石。以山西、河南為例，存留米二百三十六點三萬石，而宗室祿米五百零四萬石，即使沒有災害，歲輸不足供祿米之半。年復一年，愈加繁衍，勢窮弊極，將何以支？何況還有官吏祿米和軍隊糧餉！到明中期出現嚴重局面：「郡王以上，猶得厚享，將軍以下，至不能自存，饑寒困辱，勢所必至，常號呼道路，聚而詬有司。守土之臣，不惟懼辱，且懼生變……天下無可增賦之理，而宗室蕃衍無休時，是可不為寒心哉！」（《明世宗實錄》卷五百十四）國家難以養活日益繁衍的皇帝宗室。清朝晚期，八旗子弟，無地可分，遊手好閒，難以糊口，明朝宗室問題，又在重複上演。

第二，不士不農，不工不商。福王常洵去藩，要莊田四萬頃。宰相葉向高說：「天下地已盡，今日非但百姓無田，朝廷亦無田矣。」萬曆帝命包括河南、山東、湖廣田為福王莊田，至四萬頃。王府官及諸太監丈地徵稅，豢養僕役以萬計，駕帖（秉承皇帝旨意，由刑科簽發的逮捕人的公文）捕民，格殺莊佃，漁斂慘毒，耳不忍聞。天啟時，諸王、公主莊田，動以萬計。「蓋中葉以後，莊田侵奪民業，與國相終云。」（《明史．食貨志一》卷七十七）還掌控食鹽專利，設店洛陽，王府專營，任意定價，民何以堪？（《資治通鑒綱目三編》）朱元璋讓其子孫不士不農，不工不商，福祿終身，世代富貴。清朝更有過之，不僅宗室，而且八旗，都是「鐵杆莊稼」——旱澇保收。明清皇帝對其宗室，初衷為愛之，終則實害之——既害子孫，更敗江山。

第三，時進未進，勢變未變。明朝封藩制度，戶口日繁，土地日少。隆慶二年（一五六八年），尚書王世貞奏道：「臣於嘉靖二十九年，遇故修《玉牒》，自親王而下至庶人，已書名者幾三萬位，又二十年，可得五萬位。周府已近四千位，韓府亦近千餘位。雖竭天下之財力，恐不足以供其源源之產。」沒有犯罪，困於一城，絕其仕路，坐享其成。奏請宗室人員，分居州縣，從事農商，科舉考試。疏奏上，不採納。

隆慶三年（一五六九年）五月，禮部郎中戚元佐上疏言：諸藩日盛，祿糧不繼，今不密為區處，將來更有難處。國初親郡王將軍才四十九位，女才九位，永樂間雖封爵漸增，但沒有太多。而當時祿已不能全給。今已二百年，《玉牒》見存者二萬八千四百九十二位，比國初增了千倍！十年之後，當更嚴重！怎麼辦呢？一種議者說改革，另一種議者說「祖制不敢擅更」。其實，後者不明一個道理：「法窮則變，變則通，通則久。」當時高皇帝分封諸王，為國屏翰，此一時也；成祖靖難之後，防範滋密，此又一時也；而後，諸王驕侈漸多，不法者國除，此又一時也；再後出現「人多祿寡，支用不敷，乃有共室而居，分餅而膳，四十而未婚，強者劫奪於郊衢，弱者竄入於輿皂（泛稱賤役）」的慘狀，此又一時也。國初親王祿五萬石，不久減為萬石，後有的給五百石，可見高皇帝令出自己，而前後之言已不符矣。永樂間，祿數有的五千石，有的二千石，有的僅七百石，又可見成祖也不盡守祖訓矣！於是，戚元佐提出議限封爵、議繼嗣、議主君、議冒費和議擅婚五事。譬如，有貧窮宗室，隱瞞姓名、身份，做傭工，任夫役，他們大公正道，何辱之有！有的可與民間子弟一體入學應舉科考，或種田經商，從便生理。又如，今子孫相繼，世世富貴，應加以限制，奉國中尉以下，只將所生第一子給銀一百兩，使為資本，傳五世而止。再如，今男封既有限制，女封也應限制——親王之女只封其三，郡王之女只封其二，等等。婚資給銀親王者二百兩，郡王者一百兩，以下類推。再如，自今以後妾等所生之子，只給賜名，不給口糧，士農工商，仍聽自便。疏入，批轉到部。禮部尚書高儀言：元佐所奏，鑿鑿可行，但事體重大，臣等不敢擅議，請通行各王府，將奏內事理，虛心評議，務求允當，條例以聞（《明穆宗實錄》卷三十二）。最後呢？諸王反對，「且格不行」（《明穆宗實錄》卷三十八）。明清皇子制度，時進未進，勢變未變，落後時勢，終被淘汰。

一項基本制度的制定，既要考慮當時需要，又要慮及後世可續。制度穩定，時勢在變。有兩種態度：時進不進，勢變不變；與時俱進，隨勢而變。「祖制不敢擅更」，說得也是；「法窮則變，變則通，通則久」，說得更是。從眼下看，不變為好；從長遠看，以變為好。不變會引發巨變，吃虧的還是拒變者。明清皇子制度的教訓，值得後人認真思考。

第四十八講　理親王府

清鄭各莊行宮、王府、城池與兵營，康熙經始，雍正興盛，乾隆結束，歷時共四十八年。這是康雍乾三朝激烈殘酷、曲折起伏、錯綜複雜、內含玄機的宮廷鬥爭的一個側面、一幅縮影，既具重要歷史價值，又為歷史文化遺產。

⌂ 皇帝的兒子結婚後要分府，就是離開皇宮，搬到王府居住。明清的王府，明朝主要在外地，個別的在北京；清朝則相反，順治帝定都北京後，所有王府都在北京，且都在內城以內，能查到的有五十餘座，只有一座例外，那就是在城郊之外的理親王府。清北京昌平鄭各莊[1]康熙行宮和理親王府，建於康熙，盛於雍正，毀於乾隆。

一 康熙始建

康熙帝有三十五個兒子[2]，皇長子胤禔，為貝子，母親是惠妃納喇氏，出身「低賤」。皇次子胤礽（音「仍」，滿語音「成」）為嫡長子，母親赫舍里氏出身於滿洲功勳貴族之家，是一等公、輔政大臣索尼的孫女，領侍衛內大臣噶布喇之女，舅父是大學士索額圖。赫舍里氏在康熙四年（一六六五年）被冊為皇后，這年康熙帝十二歲（虛歲），赫舍里氏十三歲（虛歲）。康熙十三年

1 《清史稿．允礽傳》記載：「雍正元年（一七二三年），詔於祁縣鄭家莊修蓋房屋，駐紮兵丁，將移允礽往居之。二年十二月，允礽病薨，追封謚。」清代官書記載陝西祁縣、安徽合肥、河北薊縣和北京昌平都有鄭家莊，拙文〈雍正理王府址考〉論定，這個鄭家莊就是今北京昌平鄭各莊。

2 康熙帝皇長子允禔，禔，《康熙字典》音題，又音時，《正韻》音支，滿語音支；皇太子允礽，礽，《廣韻》音仍，滿語音 in ceng，音允成，納蘭成德因犯皇太子名諱，改名為納蘭性德；皇三子允祉，祉，《辭海》音止，《集韻》音恥，滿語音恥；皇四子胤禛，禛，《集韻》音真，滿語音 in jen，音胤真；皇十四子允禎，禎，《集韻》音貞，滿語音 in jeng，音胤徵，後改為允禵，禵，音題。

（一六七四年）生下皇二子胤礽。這年康熙帝二十一歲，赫舍里氏二十二歲。不幸的是，赫舍里氏生下胤礽的當天崩逝，預示着胤礽的人生有一個大起大落的命運。

胤礽兩歲時，被康熙帝以太皇太后、皇太后懿旨，立為皇太子。這是清朝空前絕後之舉。皇太子幼時，康熙帝親自教他讀書。胤礽六歲開始上學，皇父為他延請大學士張英等為師傅。胤礽聰明穎悟，學習用功，通滿、漢文字，嫻熟騎射，很討皇父喜歡。他酒量很大，「飲酒數十巨觥不醉」（《清聖祖實錄》卷二百三十四）。康熙帝立胤礽為太子，有了接班人，但引發三種矛盾：一是朝中逐漸形成以索額圖為首的太子黨，二是皇子中形成擁護或企圖更換太子的兩個集團，三是朝廷皇權與儲君矛盾日益凸顯。這三對矛盾的爆發點，是在康熙四十七年（一七〇八年）九月，康熙帝當着諸王大臣和諸皇子宣諭：「從前索額圖助伊潛謀大事，朕悉知其情，將索額圖處死。今胤礽欲為索額圖復仇，結成黨羽，令朕未卜今日被鴆，明日遇害，晝夜戒慎不寧。」（《清聖祖實錄》卷二百三十四）康熙宣諭，且諭且泣，宣諭完畢，痛哭僕地。康熙帝廢斥皇太子回京後，先將胤礽幽禁在上駟院旁氈帳內，後拘禁於咸安宮（今壽安宮）。這年，康熙帝五十五歲，皇太子三十五歲（已做皇太子三十三年）。廢除皇太子後，朝臣與皇子為儲君之爭，不僅沒有消解，反而愈演愈烈。第二年三月，康熙帝宣佈復立胤礽為皇太子。三年後，康熙五十一年（一七一二年）十月初一日，康熙帝宣諭：「復廢太子，禁錮咸安宮。」（《清史稿．允礽傳》卷二百二十）以後，康熙帝大病一場。

康熙帝晚年有一塊心病，就是廢太子胤礽的安置難題。他在找一個既妥善又安全的安置胤礽的地方。

胤礽有十二子、八女，這一大家子人，長期禁錮在咸安宮，不成體統，也非長久之計。胤礽第二子弘晳後封理親王，孫子永曖後官廣州將軍、黑龍江將軍、盛京將軍，永曖四世孫福錕光緒時為體仁閣大學士。當時擺在康熙帝面前的一個難題是，自己生前和身後，如何安置廢太子胤礽及其一家呢？康熙帝晚年在德勝門以北二十公里處，相中了一塊寶地，開始為廢太子胤礽營造府第，也為自己營建一處行宮。這個安排，可以看出，康熙帝作為一位父親，對自己一手培養的皇二子，是又恨又愛。恨的是他竟然不成器，逼得自己廢了他；愛的是這畢竟是自己幼年喪母的兒子，要在有生之年安置好，以免身後皇子相殘。

今北京市昌平區北七家鎮鄭各莊村[3]，現在有城牆遺跡，有護城河遺存，有銅圈（即銅幫）水井，這處大型建築遺跡，曾經是誰的住所，長期以來，説法紛紜。傳説最廣的是因為當地有一個村子叫「平西府」，所以人們就説這裏曾是清初平西王吳三桂的王府。

二〇〇八年我應鄭各莊領導黃福水先生的邀請，去那裏考察了遺址遺跡，回家後就集中時間，遍查資料，雖查到一些蛛絲馬跡，但問題不得其解。向同行朋友求教，也是得不到解決。看來，現有漢文資料不能解決，

3 鄭各莊歷史遺跡，一九四九年後尚餘殘跡城牆百餘公尺。一九五八年北京文物普查時，這裏還有土城垣約五百米；有城南門遺址，並保存南門（正門）漢白玉石匾額一方，楷書「來薰門」。現經實測為：鄭各莊皇城遺址，東西長五百七十公尺，南北長五百一十公尺，總面積近三十萬平方公尺；護城河遺存，其南、北各長約五百〇四公尺，東、西各長約五百八十四公尺，總長二千一百七十六公尺。經筆者與該村黃福水、郝玉增、李永寬、蔣國震等先生實地踏查，在鄭各莊皇城東南角，有一段城牆殘垣的遺跡，有牆基遺存和清灰城磚。城牆外是護城河，現東、南、西三面護城河基本保存。二〇〇六年，出土一眼水井，為銅井幫，同民間傳説「金井」吻合。清鄭各莊行宮與王府的實測和踏查資料，可同檔案資料和文獻記載，相互印證，基本吻合。

唯一希望是滿文檔案。清朝滿文檔案，主要保存在中國第一歷史檔案館和台北故宮博物院。恰好這時台灣佛光大學邀請我去做客座教授，於是，我應邀去了台灣。台北故宮博物院的許多專家，如周功鑫前院長、馮明珠院長、莊吉發教授等是我的老朋友。我跟他們商量了查找重點，請他們幫忙。

皇天不負有心人。在台北故宮博物院圖書文獻處查到一份清內務府關於鄭各莊行宮與王府工程竣工的滿文檔案。這份滿文檔案詳細記載了鄭各莊康熙行宮和王府工程的竣工資料。如城牆長度、護城河寬度等尺寸，和今遺跡與遺存實況相符，如概要記載：

奴才等監造行宮大小房屋二百九十間、遊廊九十六間，王府大小房屋一百八十九間。城樓十間，城門二座，城牆五百九十丈九尺五寸，大小石橋十座，井十五眼，修葺土城五百二十四丈，挑挖護城河長六百六十七丈六尺，飯茶房、兵丁住房、鋪子房共一千九百七十三間，夯築土牆五千三百五十丈七尺一寸。營造此等工程，共用銀二十六萬八千七百六十二兩五錢六分三厘。尚餘銀十五兩六錢七分。今既工竣，將此餘銀如數交部。為此謹具奏聞。

（《上駟院郎中尚之勳等奏報鄭家（各）莊行宮工程用銀數摺》（滿文）康熙六十年十月十六日，郭美蘭譯，台北故宮博物院藏）

但是，孤證不立。僅有工程竣工檔案，似嫌證據不足。我想，既然有這項工程竣工的滿文檔案，也應有其開工的滿文檔案。而這項工程的開工檔案，既然不在台北故宮博物院，就可能在北京中國第一歷史檔案館。回到北京後，我去中國第一歷史檔案館見了鄒愛蓮館長和滿文檔案專家郭美蘭研究員。我和她們商量，滿文檔案二百餘萬件，有些尚在塵封，沒有整理，如何下手？我説可從清代內務府檔案查起；內務府檔案太多，可從內務府奏銷檔查起；奏銷檔也太多，可從工程竣工的康熙六十年（一七二一年），往前倒查五年，就是從康熙五十五年（一七一六年）查起。經過二十多天查找，郭美蘭研究員終於找到鄭各莊康熙行宮與王府工程，於康熙五十七年（一七一八年）十二月初五日，工程興工的滿文奏摺及朱批。主要內容，漢譯如下：

行宮以北，照十四阿哥（允禵）所住房屋之例，院落加寬，免去後月台、前配樓、後樓，代之以房屋，修建王府一所。其中大衙門五間，柱高一丈五尺，為十一檁歇山頂。北面正房五間，柱高一丈四尺，為九檁歇山頂。大門五間，柱高一丈三尺五寸，為七檁歇山頂。大衙門兩側廂房各五間，柱高一丈二尺，為七檁硬山頂，正房兩側廂房各三間，柱高一丈二尺。兩側耳房各三間，柱高一丈二尺，為七檁硬山頂。罩房十九間，柱高一丈，為七檁硬山式。小衙門三間，柱高一丈三尺，為七檁歇山頂。其兩側房屋各六間，柱高一丈。小衙門兩側之房屋各五間，柱高九尺五寸。兩側小房各十間，柱高八尺，為硬山頂。淨房四間，柱高七尺，為四檁硬山頂。其周圍台階、斗板用青沙石，周邊房一百五間、堆房三十六間、倉房三十間、草料房十五間、門一間，柱高八尺，馬廄房二十間，柱高九尺，為七檁硬山頂。圍牆一百二十四丈，高一丈二尺，寬二尺四寸五分。隔牆一百九十六丈，高八尺五寸，寬一尺六寸。甬路三十八丈五尺（中間鋪方磚，兩邊鑲城磚）。

（《內務府等奏為核計鄭家（各）莊馬房城地方建房所需錢糧事摺》（滿文），康熙五十七年十二月初五日，郭美蘭譯，中國第一歷史檔案館藏）

分別收藏於台北和北京的清宮滿文歷史檔案，將鄭各莊康熙行宮和理親王府開工、竣工的實況，記載得清清楚楚，史實確確鑿鑿，而經過實測和踏查取得的資料，可同檔案和文獻記載相互印證，合掌相符。至此，解開了這個歷史之謎。原來，康熙晚年在德勝門以北二十公里處相中的這塊寶地，就在今天的北京市昌平區北七家鎮鄭各莊。

清鄭家莊的王府與行宮，同清代其他行宮與王府不同的主要特點是：行宮與王府在京外同地，而且有城牆與護城河環繞。

這裏北依溫榆河，河水蜿蜒東流，到通州後與通惠河相匯，直通北運河，所以有得天獨厚的水路之便。這裏與湯泉（今小湯山溫泉）隔河相望。早在元明時期，就是皇家養馬御地。後乾隆帝下江南返回時，在通州棄舟登車，返回皇宮；而安排年邁的孝聖太后繼續乘舟，沿通惠河、溫榆河，到鄭家莊御碼頭下船，再乘轎回暢春園。

鄭家莊行宮和王府相依，宮府一體。王府參考十四阿哥允禵的王府建造，設施齊全，自成一體，與外界隔絕。康熙行宮很多，清朝行宮更多，但清鄭各莊行宮與王府有其特點與價值：清朝既有城牆，又有護城河的皇帝行宮，僅鄭各莊一處。避暑山莊、暢春園、南苑，圓明園、清漪園（頤和園），雖有圍牆，但沒有護城河。有清一代，城牆與護城河兼具、行宮與王府同城的行宮與王府，只有鄭各莊一處。

二　雍正分府

鄭各莊康熙行宮與王府，在康熙六十年（一七二一年）完工，康熙帝曾去過三次，但沒有正式入住，第二年康熙帝過世。康熙帝生前遺囑：「朕因思鄭家莊已蓋設王府及兵丁住房，欲令阿哥一人往住。」（《清聖祖實錄》卷二九七）

雍正帝如何處理呢？

康熙六十一年（一七二二年）十二月十一日，雍正帝繼位不滿一個月，就封康熙帝廢太子允礽之子弘晳（一六九四～一七四二年）為理郡王。雍正元年（一七二三年）五月，雍正帝諭理郡王弘晳，搬到鄭各莊王府居住。他說：「鄭家莊修蓋房屋，駐紮兵丁，想皇考聖意，或欲令二阿哥前往居住，但未明降諭旨，朕未敢揣度舉行。今弘晳既已封王，令伊率領子弟，於彼居住，甚為妥協。」（《清世宗實錄》卷七）雍正帝揣摩他父親在世時安排的用意，是想把允礽遷到鄭各莊去住，但他並未按照皇父的意思辦理，而是把允礽一人留在宮裏，把允礽的次子、理郡王弘晳及允礽一家遷往鄭各莊王府。關於理郡王一家分府搬家，檔案有詳細記載。

理王分府

家人：命理郡王弘晳率領子弟家人遷移到鄭各莊王府居住。隨遷人員有廢太子允礽妻妾十一位，有子十二人；理王弘晳之弟在大內養育者二人、與其同住一處者三人；弘晳之子在大內養育者三人、與其同住一處者五人。將他們與弘晳一同移往鄭家莊居住。弘晳又有一子由十五阿哥撫養，仍由其撫養。弘晳弟弘晉之子，在寧壽宮其母處養育者一人、履郡王養育者一

人，既係其弟之子，仍留之。

隨員：賞給理王的人，有誠王所屬一百八十五人、簡王所屬八十人、弘昉所屬八十人，合計三百四十五人。

太監：賜太監一百一十一名，暫給餉米，三年截止，由王府發放。

房屋：鄭各莊城內，有房四百一十間，如不敷用，再行添建，令理王之人全住在城內。

官兵：鄭各莊城六百名兵丁，住兵丁營房，分十班，城南北門各派兵丁三十名防守。理王府的大門，由王的侍衛官員看守。隨王前去的三百四十五人，除仍供給原食錢糧外，其餘的人各供一兩錢糧，所食口米，照例發放。

車輛：照例由內務府、兵部領取官車，運往鄭各莊理王一切應用器物和各項物品。

上朝：鄭各莊距京城二十公里，理王不便如同在京城王等上朝，除上升殿時聽宣趕赴京城上朝外，每月上朝一次，射箭一次，凡外宣、集會，俱免來。正月初一堂子行禮、進表、祭祀各壇廟，理王弘晳前來，調撥房屋一處，為王下榻之所。

門禁：非正常時間令開城門出入行走時，俱由城守尉記錄在案，年終匯總開列，報宗人府備案。

規模：有文計算，鄭各莊行宮、王府與官兵用房，總計駐防官兵房舍衙署等一千三百二十三間。王府所屬當差的三百四十五人，若按每人分配二間住房，則需住房六百九十間。合王一百五十一間，房屋當在二千間以上。

管理：王府由長史（管王府）和城守尉衛（管戍守）二元管理。理王的侍衛、官員出缺，由王府長史請旨補放；隨同理王弘晳前往居住的侍衛、官員、拜唐阿、太監等，若因事請假，告王府長史、城守尉衛後，限期遣往，逾期不回，陳明緣由，若有隱瞞，則由城守尉衛參奏王府長史、辦理府務之人。

搬家過程

第一，定期：欽天監選擇吉日，請旨遷移時間定為雍正元年（一七二三年）九月二十日卯時（五～七時）喬遷起行。

第二，辭行：喬遷前一日，理王弘晳及其福晉，進宮向雍正帝請安、辭行。

第三，禮儀：設郡王儀仗，理王同輩弟兄內有品級、已成親的阿哥等去送行。在理王和福晉之前，派內管領妻四人、果子正女人六人、果子女人十人隨送，派護軍參領一員，內府護軍二十人，前行引路。

第四，送行：派領侍衛內大臣一員、散秩大臣各二員、侍衛二十名、內務府總管一員、內府官員十名送行。

第五，衣飾：送行阿哥、大臣、侍衛、官員等，俱着錦袍、補褂。

第六，飯食：派尚膳總管一員、飯上人四名，尚茶正一員、茶上人四名，內管領二員，於前一日前往鄭各莊，備飯三十桌、餑餑十桌。

第七，禮迎：照例派出內府所屬年高結髮夫妻一對，先一日前往新家等候，王到出迎，祝福祈禱。

第八，返回：所備飯桌、餑餑桌的食品，供理王、福晉等食用。待食畢謝恩，送往之阿哥、大臣、侍衛、官員等即可返回。

雍正元年九月二十日（一七二三年十月十八日），理郡王弘晳一家喬遷到鄭各莊王府。雍正八年（一七三〇年）五月，弘晳晉封為理親王[4]。從此，鄭各莊的理郡王府成為理親王府[5]。

雍正二年（一七二四年）十二月，廢太子允礽在咸安宮病故後，停靈在鄭各莊理王府。出殯時，每翼派領侍衛內大臣一員，散秩大臣二員，侍衛五十員，送殯到鄭各莊。並追封允礽為和碩理親王，謚曰密。雍正帝要親往鄭各莊祭奠，經臣勸再三，在西苑五龍亭（今北海公園內），哭奠允礽。允礽後埋於薊縣黃花山王園寢（王墳），結束了他五十一年大起大落的一生。但因他而起的皇位之爭，仍在繼續。

三 乾隆毀跡

這座理親王府後來怎麼會灰飛煙滅了呢？

雍正帝在位期間，雖然對允礽的長子弘晳嚴加防範，不許其隨便出府，但對允礽的妻妾子孫，在生活上還是讓他們豐衣足食，享受飯來張口、衣來伸手的生活。雍正八年（一七三〇年）五月，還晉封弘晳為理親王。王

4 《清史稿・諸王六》作：「六年，弘晳進封親王」，誤；應作雍正八年。因《雍正朝起居注》、《清世宗實錄》、《恩封宗室王公表》和《八旗通志》等，都同樣記載雍正八年五月二十八日乙未，弘晳晉封為親王，故可證《清史稿》上述記載之誤。

5 《清史稿・皇子表》於弘晳記載：「雍正元年，封理郡王。六年，進理親王。乾隆四年，緣事革爵。」上面三句話，有兩錯一漏：封理郡王，在康熙六十一年十一月十四日乙未；晉理親王，在雍正八年五月二十八日乙未；「緣事革爵」後，似應加「永遠圈禁」。

府待遇從郡王升為親王。

雍正帝病故，乾隆帝繼位，理親王弘晳及其王府，發生大變故。乾隆四年（一七三九年）十月，宗人府福寧告發弘晳，經過審訊，弘晳「胸中自以為舊日東宮嫡子，居心甚不可問」，乾隆帝生日弘晳「欲進獻，何所不可？乃製鵝黃肩輿一乘以進，朕若不受，伊將留以自用矣」。命革去親王，仍准在鄭各莊居住，不許出城（《清高宗實錄》卷一百三）。十二月，有人告發弘晳問「皇上壽算如何」等。乾隆帝大怒，旨定：將弘晳「在景山東果園永遠圈禁」（《清高宗實錄》卷一百六）。是為「弘晳案」。這兩條罪狀——「居心甚不可問」和「伊將留以自用」，作為罪證，似是而非！

乾隆帝為什麼要以「似是而非」的「罪狀」定弘晳的大罪呢？在年齡上，乾隆帝弘曆比理親王弘晳小十七歲。若不是康熙帝廢了太子允礽，當今皇帝應當是弘晳，而弘曆僅僅是親王或郡王，所以弘晳與弘曆這堂兄弟二人，對此都是耿耿於懷。這是他們內心深處最隱蔽、最脆弱之處，根本就碰不得。當乾隆帝聽説弘晳有一丁點相關議論時，敏感點受到觸碰，反應便異常強烈。

弘晳被黜宗室，改名四十六，其子孫照阿其那（允禩）、塞思黑（允禟）子孫之例，革除宗室，繫紅帶子。弘晳於乾隆七年（一七四二年）九月二十八日去世，享年四十九歲，葬於鄭各莊西南黃土南店村一帶。後復入宗室，恢復原名。弘晳的王爵，由允礽第十子弘㬙繼承，降為理郡王。王府由鄭各莊遷到城裏，後在東城王大人胡同（今北新橋三條東口路北華僑大廈一帶）。

到乾隆二十九年（一七六四年）二月，鄭各莊兵丁全部（帶家眷）被派往福州駐防。官兵調走，整戶跟隨，人走房空，連根拔除。其空閒房屋，毀倉空地。從此，理親王弘皙及其鄭各莊王府成為歷史的陳跡。

文獻資料遭焚損，宮府建築被平毀，鄭各莊的行宮、王府、城池與兵營，從此在地表上消失，在史冊裏消隱，由是成了清史的一樁懸案。但是，前文徵引的滿文檔案、文獻典籍、歷史遺跡和田野踏查，則破解了這樁歷史懸案。

從康熙帝五十七年（一七一八年）始建，到乾隆四年（一七三九年）十二月「弘皙案」發生，再到乾隆二十九年（一七六四年）鄭各莊兵丁派往福州駐防後諭令毀廢，宣告了清代鄭各莊康熙行宮與理親王府歷史的結束。清鄭各莊行宮、王府、城池與兵營歷時共四十八年。清鄭各莊行宮、王府、城池與兵營，康熙經始，雍正興盛，乾隆結束，今有遺跡，這是康雍乾三朝激烈殘酷、曲折起伏、錯綜複雜、內含玄機的宮廷鬥爭的一個側面、一幅縮影，既具重要歷史價值，又為歷史文化遺產。

第四十九講　誠親王府

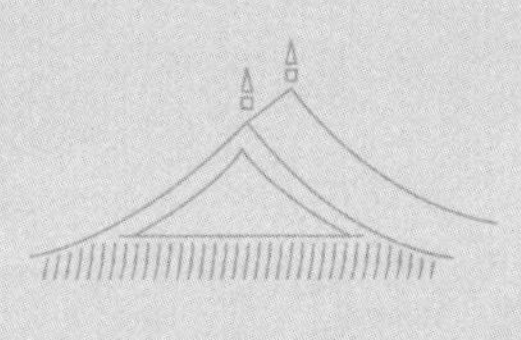

誠親王的王府，分為舊府和新府。新府在蔣養房胡同，即今積水潭醫院的所有地（今西城區新街口東街三十一號），舊府則在今平安里西大街路北，明為官菜園，習稱「官園」，即今中國兒童少年活動中心（中國兒童中心）所在。康熙四十八年（一七〇九年），允祉被授親王，在這兩座府邸裏經歷了康熙晚期的飄搖風雨和雍正新政的暴風驟雨。

⌂ 清朝北京的王府，現在能見到遺跡的，有五十多座。其中，誠親王府和花園涉及今中國兒童少年活動中心（中國兒童中心）、清華大學和積水潭醫院，比較典型，很有意思。[1]

一  誠王允祉

誠親王府第一任主人允祉，是康熙帝第三子。母親榮妃馬佳氏，在康熙十年（一六七一年）到十六年（一六七七年）的七年間，先後生育五子一女，這說明馬佳氏入宮早，美麗聰慧，在康熙早期是受寵幸的。允祉生於康熙十六年（一六七七年），比皇長兄允禔小五歲，比皇太子允礽小三歲，比皇四弟胤禛（雍正帝）大一歲。

允祉自幼聰明好學，知書達理，課業優秀，騎射也佳。康熙二十九年（一六九〇年），康熙帝第一次親征噶爾丹，病在途中，急召太子允礽和皇三子允祉，到軍

1 本節參酌苗日新先生《熙春園‧清華園考——清華園三百年記憶》（增訂本，清華大學出版社）的研究成果，又蒙積水潭醫院田偉院長提供資料，謹致謝意。

前侍疾。時允祉十四歲。而後，他和太子趕回京城，並出城迎接皇父出征病癒歸來。

康熙帝着意培養允祉，舉幾個例子。

其一，隨父親征。康熙三十五年（一六九六年），康熙帝第二次親征噶爾丹，命允祉領鑲紅旗大營。這年允祉二十歲。行軍作戰，條件艱苦，長途跋涉，受饑忍渴，這對於宮廷裏長大的皇子允祉來說，是一場艱苦磨煉和痛苦考驗。但是，允祉經受洗禮，克服艱難，挺了過來。康熙帝為此作〈賜皇子允祉〉詩：「玉弩金戈壯此行，期門環衛在連營。深居莫忘勤勞意，須識間關出塞情。」（《聖祖御製文二集》卷四十六）

康熙三十七年（一六九八年）三月，二十二歲的允祉，被封為誠郡王。同時封皇長子允禔為郡王，而胤禛只封為貝勒。有人奏議皇四子應同封，康熙帝說：「朕於阿哥等留心視之已久，四阿哥為人輕率，七阿哥賦性魯鈍，朕意已決，爾等勿得再請。」（《康熙起居注》康熙三十七年三月初二日，台北故宮博物院藏）

其二，挫折教育。允祉封郡王後的第二年，一不小心，犯下過錯。皇父的敏妃（皇十三子允祥的母親）薨，未滿百日，允祉剃髮，被降為貝勒。其王府長史馬克篤、一等侍衛哈爾薩等革職，鞭一百。皇父借此教育允祉和其他皇子。

其三，考察鍛煉。康熙四十二年（一七〇三年），康熙帝親率皇太子允礽、皇三子允祉、皇十三子允祥等西巡。他們經保定，抵太原，過潼關，達西安。回鑾經洛陽，回京師。騎馬跋涉，歷時兩月，途經直隸、山西、陝西、河南四省，對允祉是一次鍛煉。此行着重考察豫陝之間，是否可以把黃河、汾河、渭河連通航道，轉運糧穀，既應軍需，又便賑災。於是，康熙四十三年（一七〇四年），康熙帝命皇三子允祉同近御侍衛考察黃河三門砥柱（《清聖祖實錄》

卷二百十四）。允祉親臨三門峽，考察此處原有岩島，將河水阻擋。古人鑿岩島開通「人門」、「神門」和「鬼門」，這是三門峽名稱的由來。河經三門，水勢湍急。古人又在石崖上鑿出拖曳孔眼，似可行船。時值隆冬季節，無法用船親試，所以不知船能否行走。允祉等的實地考察，為康熙帝考慮和安排河運提供了依據。第二年，又命四川、陝西、河南、山西的總督或巡撫等，再次前往考察、試驗，以便解決兩地糧食豐歉時的河運問題。

其四，研究編書。允祉不幸負皇父的栽培和期望，潛心於研究和編書，成為當時文化素養和學術造詣最高的皇子。允祉在文化史上主要有兩大貢獻：

第一，實際主編《律曆淵源》。康熙帝在暢春園設蒙養齋，被譽為「皇家科學院」，允祉在康熙帝指導下，直接負責這項工作，鑽研數學、天文、音律等學問，並率庶起士、大數學家何國宗等設館修輯律呂、演算法諸書（《清聖祖實錄》卷二百五十五）。「所纂之書，每日進呈，上親加改正焉」。諭允祉等曰：「古曆規模甚好，但其數目歲久不合。今修書宜依古曆規模，用今之數目算之。」後又諭：「北極高度、黃赤距度最為緊要，着於澹寧居後逐日測量。」誠親王允祉等奏言：「郭守敬造授時術，遣人二十七處分測，故能密合。今除暢春園及觀象台逐日測驗外，如福建、廣東、雲南、四川、陝西、河南、江南、浙江八省，於里差尤為較著，請遣人逐日測量，得其真數，庶幾東西南北裏差及日天半徑，皆有實據。」從之。（《清史稿·時憲志》卷四十五）到康熙五十三年（一七一四年）十一月，誠親王允祉等以《御製律呂正義》書成，進呈，得旨：「律呂、曆法、演算法三者合為一書，名曰《律曆淵源》。」（《清史稿·諸王六》卷二百二十）《律曆淵源》一書，總結前人成果，吸收西方文化，有所創新發展，是當時一流的科學著作。

第二，支持編纂《圖書集成》。陳夢雷為《古今圖書集成》編修作出巨大貢獻，但如沒有誠親王支持、贊助、溝通並奏請皇父諭准，是不可能完成的。為《古今圖書集成》作出最大貢獻的兩個人，一個是陳夢雷，另一個是誠親王允祉。

康熙帝晚年，發生廢太子事件。在這場政治風暴中，允祉的命運如何呢？康熙四十七年（一七〇八年），康熙帝廢太子，因允祉與太子比較親睦，召問太子情狀。這時流言要加罪於允祉，康熙帝說：「允祉與允礽雖昵，然未慫恿其為惡，而且屢次勸止允礽，允礽不聽。此等情節，朕無不悉知，故不罪也。」（《清聖祖實錄》卷二百三十四）蒙古喇嘛巴漢格隆為允禔「厭勝」廢太子，允祉知道後及時奏報。這說明允祉為人厚道，明辨是非，沒有對廢太子落井下石。康熙帝廢太子後，害了一場大病。這時諸臣等多用虛語空文，唯允祉、胤禛對皇父真誠關愛，痛哭陳請，延醫求藥，使「朕之劇疾，業已全愈」。隨之，允祉、胤禛、允祺，俱封為親王（《清聖祖實錄》卷二百三十七）。允祉在關鍵時刻表現得當，他本來跟允礽關係密切，不僅未因廢太子事件受到牽連，而且還得到皇父的信任和恩賜。

允祉曾遭人陷害，皇父明察，僥倖脫身，這就是孟光祖事件。

康熙五十六年（一七一七年）二月，鑲藍旗光棍孟光祖，稱自己受誠親王允祉差遣，到山西、陝西、四川、湖廣、廣西、江西諸省詐騙。四川巡撫年羹堯受騙，向他饋送馬匹、銀兩，江西巡撫佟國勷也饋送過銀兩、緞匹。時有總督直隸兼巡撫趙弘燮奏報，查實，將孟光祖處斬。「佟國勷著革職，年羹堯著從寬革職留任效力。」此事，康熙帝下旨：「行文各省，通行曉諭。」（《清聖祖實錄》卷二百七十一）但對允祉，並未怪罪。

康熙帝還施恩於允祉的兒子弘晟。康熙五十九年（一七二〇年），封允祉子弘晟為世子，班俸視同貝子（《清聖祖實錄》卷二百九十）。第二年，命皇四子胤禛偕弘晟等祭盛京三陵。弘晟於康熙三十七年（一六九八年）生，母嫡福晉董鄂氏，都統、勇勤公彭春之女。不僅允祉成為胤禛競爭皇位的勁敵，而且他的兒子弘晟也成為弘曆的潛在威脅。

皇父崩逝，命運倒轉。康熙帝死，雍正帝立。本來在康熙帝廢太子後、賓天前，允祉序次居長，兄弟奏報領銜，皇位繼立有望，因而使皇四弟胤禛對允祉嫉忌更深。胤禛剛登上皇位，便命三阿哥、誠親王允祉到遵化守護皇父景陵，不許回京，實同圈禁。

雍正二年（一七二四年），雍正帝又向允祉世子弘晟開刀，削世子，為閒散宗室。

雍正六年（一七二八年），誠親王允祉有罪降郡王，其子弘晟被禁錮。

雍正八年（一七三〇年）五月，因誠親王允祉在怡賢親王允祥喪期，遲到早退，面無戚容，命奪爵，禁錮於景山永安亭。

雍正十年（一七三二年）閏五月，允祉死於景山禁所，年五十六歲，照郡王例殯葬。同年七月初九日弘晟卒，年三十五歲。

二 新舊兩府

誠親王的王府，分為舊府和新府。誠親王舊府，在今平安里西大街路北，明為官菜園，習稱「官園」。史書記載：「誠親王舊府在官園。」（《嘯亭續錄》卷四）官園就是今中國兒童少年活動中心（中國兒童中心）址。康熙四十八年（一七〇九年），允祉被授親王，在兩座府邸裏經歷了康熙晚期的飄搖風雨和雍正新政的暴風驟雨。

雍正六年（一七二八年）六月，允祉向蘇克濟索取賄賂，事發，議奪爵，錮私第。命降郡王，而歸其罪於弘晟，被宗人府禁錮。於是，誠親王允祉一家遷出誠親王府（舊府）。這裏賜給康熙帝第二十一子慎郡王允禧。

雍正八年（一七三〇年）二月，復進封允祉為親王。既然復爵為親王，原府邸已改賜慎郡王，就要新建誠親王府邸。於是，在德勝門裏蔣家房另建誠親王新府。

誠親王的新府，禮親王昭槤在《嘯亭續錄》裏記載，誠親王「新府在蔣家房」，就是蔣養房胡同，即今積水潭醫院址（今西城區新街口東街三十一號）。從《乾隆京城全圖》看，蔣家房就是新街口外蔣養房。此府約東起水車胡同，西鄰光澤胡同，南近葦坑，北抵積水潭南岸，佔地面積很大。誠親王的新府，分為東西兩部。

西部為王府。順治九年（一六五二年）定親王府規制：

親王府，基高十尺，外周圍牆。正門廣五間，啟門三。正殿廣七間，前墀周圍石欄。左右翼樓各廣九間。後殿廣五間。寢室二重，各廣五間。後樓一重，上下各廣七間。自後殿至樓，左右均列廣廡（《光緒大清會典事例》卷八百六十九）。

還規定：大門金釘，縱九橫七；正門、殿、寢，均覆綠色琉璃瓦，後樓、翼樓、旁廡，均為本色筒瓦，府庫、倉廩、廚廄等房屋則為板瓦。

誠親王允祉新府，當基本符合規制。

東部為花園。園中有亭臺樓閣，古樹參天，山石點綴，土山環繞。園內有一湖，湖中有一土石相間的小島，湖水引自積水潭。今在積水潭醫院院內，尚存湖池、石橋、假山、重樓、花廳、亭閣等。

誠親王奪爵、幽禁、病死後，這裏歸嘉慶帝第四女莊靜固倫公主（道光帝同母妹），她下嫁蒙古土默特部瑪尼巴達喇郡王。後經變化，直到民國。

這座王府如今剩下的水潭園景，給積水潭醫院增添了秀色景觀。

三  熙春花園

誠親王府不僅有舊府和新府，而且有郊區的花園——熙春園。

康熙帝在北京西郊建暢春園，其附近有皇子和大臣的私家園林，如雍親王的圓明園、誠親王的熙春園等。熙春園是康熙帝給誠親王允祉的賜園，在暢春園的東北，圓明園的西南，今清華大學內。《康熙朝滿文朱批奏摺全譯》記載了這件事情。允祉請旨定建房地奏摺在康熙四十六年（一七〇七年）三月二十日：「臣允祉謹奏：竊於今年正月十八日，臣等奏請在暢春園周圍建造房屋，皇父御賜北新花園迤東空地，令臣等建房。」陳夢雷的〈擬永恩寺碑文〉也相佐證：「先是丁亥（康熙四十六年）之冬，以扈蹕暢春，故構別墅於暢春之東北。」

清史記載：「康熙四十六年（一七〇七年）三月，迎上幸其邸園，侍宴。」而後，「歲以為常，或一歲再幸」（《清史稿・諸王六》卷二百二十）。

康熙帝曾先後十次臨幸誠親王的熙春園，五次到雍親王胤禛的圓明園。康熙帝在最後十年間，有九年在賜園做壽，其中七年在熙春園，兩年在圓明園。在避暑山莊，康熙帝曾十次到允

祉的獅子溝花園[1]，七次到胤禛的獅子林花園，可見康熙帝晚年，比較喜歡年長的皇三子允祉和皇四子胤禛，而對皇三子允祉的親近超過了皇四子胤禛。

康熙做壽 康熙五十二年（一七一三年）三月初九，允祉在熙春園為皇父舉辦六十壽宴。四天后，康熙帝再次臨幸熙春園，實屬罕見。壽宴應在園內進深、面積最大的工字殿前殿舉行，演戲在工字殿北戲台（今「水木清華」址）。學者推斷，康熙帝在做壽時題匾「熙春」，命名了熙春園。從康熙帝六十大壽允祉的獻禮單，可見其精於鑒賞的文化涵養。禮單包括：祝壽詩（宋米芾書）、南極老人星賦（宋米芾書）、天保九如篇（宋高宗書，趙千里繪圖）、律呂管窺、通典詳節（宋版）、萬壽九龍圖章、萬壽文房四寶（石渠閣瓦硯、玉管筆、萬曆窯筆、瑪瑙水盛、萬曆八寶筆筒）、萬壽圖（明吳偉畫）、壽星圖（宋李小仙畫）等。可見誠親王允祉在舊府官園和西郊熙春園，過着優裕的王爺生活。他曾經侍奉皇父康熙帝以孝子之情，使父親多享一份天倫之樂。

熙春園因允祉之故，與清代大學問家陳夢雷有着千絲萬縷的聯繫。康熙三十八年（一六九九年），陳夢雷

1 康熙帝十次到熙春園幸園、進宴，時間是：康熙四十六年十一月戊辰（二十日），康熙五十一年四月乙卯（初三日），康熙五十二年三月丙戌（初九日），康熙五十三年三月甲寅（十三日），康熙五十四年三月庚戌（十四日），康熙五十五年三月甲辰（十三日），康熙五十六年三月戊辰（十三日），康熙五十八年三月乙酉（十二日），康熙六十年三月癸酉（十二日）。另見於《萬壽盛典初集》卷五十四：（康熙五十二年三月）「十三日，諸皇子設宴於皇三子花園，皇上臨幸，是日諸皇子作斑衣彩戲之舞，稱觴獻壽。」康熙帝十次到避暑山莊獅子溝允祉花園幸園、進宴，時間是：康熙五十二年六月乙卯（初四日），康熙五十三年五月壬子（十二日），康熙五十四年六月乙亥（十一日），康熙五十五年五月乙卯（二十日），康熙五十六年六月丁

入內苑，侍奉誠親王允祉讀書。兩人從此結下不解之緣。前文《武英修書》中，曾介紹過陳夢雷，這裏做點補充。陳夢雷晚年，與允祉一道，修《古今圖書集成》。在熙春園裏，建了古今圖書集成館，還給陳夢雷修建居所。

古今圖書集成館　康熙五十五年（一七一六年）書稿進呈後，康熙帝詔立「古今圖書集成館」，陳夢雷為總裁。清代黃任《題集成館纂修圖》詩曰：「藏珠府接大羅天，握槧懷鉛各並肩。不比蘭亭修禊事，群賢畢集永和年。」這裏成為陳夢雷修書之所。據蔣廷錫奏，到康熙帝死後陳夢雷獲罪時，館內共有八十名修書人員。其中，陳夢雷父子及受其牽連者共十六人，均遭清洗，遞解還鄉，或遭遣戍。有學者認為，《古今圖書集成》不是在武英殿印製的，而是在古今圖書集成館印製的，並認為武英殿銅活字係陳夢雷主持鑄造的（苗日新著《熙春園．清華園考——清華園三百年記憶》（增訂本））。這是學界的一個新見。

陳夢雷松鶴山房　康熙四十三年（一七〇四年）十二月十九日，康熙帝親書「松高枝葉茂，鶴老羽毛新」一聯賜陳夢雷，以示對陳夢雷的評價和贊許。陳夢雷以

亥（初四日），康熙五十七年六月癸巳（十六日），康熙五十八年五月庚寅（十八日），康熙五十九年六月乙亥（初四日），康熙六十年閏六月戊子（二十九日），康熙六十一年五月壬寅（十八日）。

聯中的「松」與「鶴」二字，命名在熙春園內住房為「松鶴山房」，又自稱「松鶴老人」。他還編著《松鶴山房文集》（二十卷）和《松鶴山房詩集》（九卷），筆墨傳世，以至當今。

松鶴山房位於熙春園東部，二層小樓，上下各三間，其西邊有兩頃田地，由陳夢雷耕種。陳夢雷《水村十二景》詩序：「吾王殿下購得，命余居之，賜河西田二頃，俾得遂農圃之願也。續建斗閣三楹，晨夕祝聖，命余典其事。……其下書室三楹，貯所著《彙編》三千餘。」

從熙春園到清華園 康熙末、雍正初，誠親王允祉和陳夢雷，捲入皇位繼承政治旋渦中。雍正元年（一七二三年），「古今圖書集成館」被交內務府。後陳夢雷被流放卜魁（今黑龍江省齊齊哈爾市），客死他鄉。雍正八年（一七三〇年），允祉獲罪，熙春園東部也收歸內務府。有學者考證，雍正帝將熙春園轉賜給康熙帝第十六子、莊親王允祿。雍正帝給允祉定罪時，有一條罪狀是「私謂莊親王曰東宮一位非我即爾」，這應是允祿向雍正帝告的密。乾隆時一度改名「雲錦園」。道光時分為東西兩園，東園為「涵德」，西園為「春澤」。咸豐時，東園改名為「清華」，西園改名為「近春」。清華園首任園主是奕誴，由咸豐帝御書「清華園」匾額。宣統元年（一九〇九年），奏准賞撥清華園，建遊美肄業館。宣統三年（一九一一年）三月十一日詔准清華學堂名稱。今清華大學二校門「清華園」三字為大學士那桐題。清華大學內遺存有熙春園園門，康熙帝御筆「主善齋」，原位置在園門，今為校長辦公室。工字廳仍存，「方塘」即今荷花池。朱自清先生的名作〈荷塘月色〉使這片荷塘名聞天下。康熙帝御筆「熙春」，原位置在工字殿前殿，今亦然。康熙帝御筆「竹軒」，原位置在工字殿西側軒堂，今為工字廳西跨院正房。

誠親王的舊府、新府和花園，如今遺跡仍在。歷史興替，人世滄桑，美好建築府邸園景，留下歷史文化記憶。

第五十講　恭親王府

恭親王奕訢在恭王府四十八年，經歷六起六落，預政咸豐、同治、光緒三位皇帝：每逢國家烏雲密佈，就受到起用信任；雨過天青，就遭到貶斥冷落。六起六落，跌宕人生。這種王爺的命運，令人唏嘘，發人深思。帝制時代，皇權至上，不容一點震主，不許半點威脅。這是眾多皇子或無法施展才華，或受到折磨屈辱的根本原因。

△清朝世襲罔替的鐵帽子王，承繼王位者可以繼續居住在原王府中，其他親王或郡王去世後即收回王府，由皇帝另行分配給新王居住。清代恭親王府是唯一保存完整的世襲罔替的王府。從乾隆到宣統，恭親王府見證了清朝由盛而衰而亡的歷史。

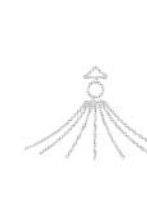

一 王府變遷

恭王府有一個傳説：京華何處大觀園？請看北京恭王府。就是説，曹雪芹寫《紅樓夢》的時候，是以恭王府作為藍本的。這個説法，有的學者贊成，有的學者反對。其實，無論曹雪芹的《紅樓夢》有沒有以恭王府為藍本，今人倒是可以通過參觀了解恭王府，更直觀形象地理解《紅樓夢》，因為這裏真實地反映了清代公主、王爺等貴族的居住實況，與《紅樓夢》所描寫的賈元春回娘家省親的大觀園有相似之處。

北京的什刹海，位於北海的西北，與西苑三海水系相通。元代這裏是重要的水運碼頭，清代逐漸在什刹海周邊，建起許多大宅院。這裏區位高貴，水道蜿蜒，楊柳成蔭，環境優美，鬧中取靜，非常宜居。恭親王府就坐落在這裏，今為西城區前海西街十七號。

恭親王府的變遷，要從乾隆權相和珅説起。乾隆四十一年（一七七六年），這座府第由和珅始建，五十四年（一七八九年）和孝公主下嫁到這裏，後逐漸形成三路四進、前邸後園的格局。中路用於禮儀，東西兩路用於居住：公主和額駙居東，和珅居西。嘉慶四年（一七九九年），和珅伏誅。公主和額駙仍是這裏的主人。但沒收其園第，賜成親王永瑆；沒其宅地，賜慶僖親王永璘。而後是嘉慶帝的幼弟慶僖親王永璘搬進府裏西路居住。這裏有一個故事。永璘相貌豐偉，皮膚黧黑，不愛讀書，喜歡音樂，尤好遊嬉。少時嘗微服出遊，到小巷尋樂，乾隆帝討厭他，降為貝勒。後燕居府邸，以聲色自娛。乾隆末年，皇子覬覦皇位，永璘笑道：「使皇帝多如雨落，亦不能滴吾頂上，惟求諸兄見憐，將和珅邸第賜居，則吾願足矣！」（《嘯亭續錄．慶僖王》卷五）嘉慶帝籍沒和珅家產後，果然將其府宅賜給他。所以，在一段時間裏，和孝公主居東，慶王居西，慶王和他幼妹共同居住在這處府邸。公主和慶王死後，慶王的兒子降為郡王，這裏便成為郡王府。

道光三十年（一八五〇年），咸豐帝繼位，將此府賜給皇六弟恭親王奕訢居住，從此這裏就成為「恭親王府」。恭親王奕訢

恭王府花園蝠廳

去世後，世襲罔替，直到民初。王府花園直到同治年間才建成，與王府保存至今。

今天看到的恭親王府，格局為前府邸、後花園，佔地六萬一千一百二十平方米，是一座三路四進、前邸後園的大四合院。

先看府邸：府邸分為中東西三路。

中路包括大門、二門、銀安殿、神殿、後罩樓。兩道大門，體現了親王府邸的規制和氣派。銀安殿是王府的正殿，為禮儀性的殿堂。神殿是舉行薩滿祭神祭天的殿堂，殿內安設煮祭肉的大鍋，院子裏還保留着安插神杆的石座。後罩樓有兩層，東西長一百五十六米，計一百零九間，是清代王府後罩樓的特例。後罩樓最西端是精緻的室內花園——「水法樓」。上下兩層，疊砌假山，噴泉水池。後罩樓原是和珅夫人馮氏居所。奕訢把它改成儲藏珍寶的倉庫，其窗戶形狀各異，有圓形、方形、桃形、石榴形、書卷形等，傳說這是暗示每間屋子裏珍藏不同寶物的標誌。這些寶物後來多被末代恭親王溥偉變賣。

東路包括多福軒和樂道堂。東路原為和孝公主居住，後來恭親王也居住在東路。多福軒在和孝公主居住時為延禧堂，是和孝公主和額駙豐紳殷德的居所。恭親王時期，多福軒是恭親王的客廳兼書房。其匾額「多福軒」為咸豐帝御題。軒內正中懸掛「同德延釐」匾，是光緒七年（一八八一年）慈禧太后所寫。傳說當年慈安病逝，光緒尚幼，慈禧集權，匾上四字是告誡奕訢：與慈禧「同德」，才能「延釐」。多福軒內四壁靠近天花板處，懸掛有十餘塊「福」、「壽」匾額。匾上「福」和「壽」字斗方，菱形紅色，為皇帝或太后書賜給恭親王的。每年正旦，恭親王得到賜「福」賜「壽」後，回家將新斗方覆蓋在舊斗方之上，寓意添福增壽。樂道堂，原是和孝公主的寢室，室內梁架上至今保存着乾隆時的鳳凰貼金彩繪。金色的鳳凰之間綻放着華貴牡丹，盡顯和孝公主的尊貴身份。她在此居住了三十四年。後恭親王也把這裏作為寢室。

西路包括葆光室和錫晉齋。西路原為和孝公主的公公和珅居住，後為慶親王居住。恭親王時這裏是客廳和藏寶之所。葆光室，「葆光」一詞源於《莊子．齊物論》：「注焉而不滿，酌焉而不竭，而不知其所由來，此之謂葆光。」咸豐帝暗誡奕訢不要「滿」，也不要「竭」，要潛藏光明而不外露。「葆光室」匾為咸豐帝臨幸時御題的。奕訢為此撰寫了一篇〈葆光室銘〉。恭親王用此室做貴賓客廳，接待至親。錫晉齋，和珅時叫嘉樂堂，為起居室。和珅仿照紫禁城的寧壽宮精心裝修，安設金絲楠木仙樓，材料昂貴，精雕細琢，再配合金色花紋的火山岩地磚，滿目華麗，多有逾制，後被列為大罪之一。恭親王時把西晉陸機的《平復帖》收藏在齋內，改名為錫晉齋。

恭王府花園在和珅時已經建設，奕訢重新改建，府園呼應，佈局有序。花園也分為中東西三路。

中路包括西洋門、獨樂峰、蝠池、安善堂、福字碑及蝠廳。西洋門，當年和珅建造時，挪用了圓明園的設計和材料，後來這成為他的罪行之一。蝠池，因形似蝙蝠而得名。這是中路最重要的園景，池上軒廳為奕訢宴請重要賓客的宴會廳。蝠池上有渡鶴橋，橋北是安善堂。安善堂之北是滴翠岩，西側有坡道登岩，俗稱「平步青雲」。岩下的秘雲洞正中，有一塊「福」字碑，為康熙帝御筆。這個福字，聚「六多」——多福、多才、多壽、多田、多子、多禧為一體，被譽為「天下第一福」，是恭王府的鎮府之寶。蝠廳，造型將主廳與兩廂連接為一體，形似展翅的蝙蝠，因而得名。園中「五福」——蝠池、蝠廳、福字碑、多福軒和遊廊彩繪蝙蝠等，組成恭王府多「福」的特點。這是否會給和珅、奕訢帶來「福」呢？後面要回答。

東路的怡神所，是我國現存王府中唯一全封閉式大戲樓。其建築面積六百八十五平方米，可容納二百多人看戲。戲曲之音綿綿，至今相沿不衰。

西路包括榆關、棣華軒和遊廊。榆關，為山海關別名，標示清朝從山海關入主中原的記憶。棣華軒，取名於「棣華協力」，這裏有個歷史故事：奕訢與奕詝同在書房，讀經書，習騎射，共製槍法二十八勢，刀法十八勢，道光帝賜槍名「棣華協力」，刀名「寶鍔宣威」，並以白虹刀賜奕訢（《清史稿·奕訢傳》卷二百二十一）。這個命名，既「威儀棣棣」，又兄弟「協力」。白虹刀原陳設在此處。據毓嶦先生介紹，一九四五年他與溥儀逃往吉林臨江縣大栗子溝時，將「白虹刀」丟失。遊廊的彩畫、倒掛榍子、坐凳榍子全部用蝙蝠圖案裝飾，有着抬頭見福、俯身拾福、滿眼皆福、回家帶福的寓意。

如今恭王府已修葺一新，每天遊客熙熙攘攘。恭王府既體現出清朝王府的規制和等級，又反映出王府貴族家庭生活的狀態和祈願。

二 和孝公主

乾隆帝的和孝公主（一七七五～一八二三年），排行十公主，名義上是恭王府的第一位主人。十公主的母親為惇妃汪氏，受到乾隆帝寵愛。「嘗笞宮婢死，上命降為嬪。未幾，復封。女一，下嫁豐紳殷德。」（《清史稿·后妃傳》卷二百十四）乾隆帝六十五歲時才有這位千金，視作掌上明珠，封為固倫和孝公主，視同皇后的女兒。和孝公主六歲，指婚給十歲的和珅之子，乾隆帝給其起名為豐紳殷德。乾隆帝十分鍾愛十公主，「以其貌類己，嘗曰：『汝若為皇子，朕必立汝儲也。』公主性剛毅，能彎十力弓。少嘗男裝隨上校獵，射鹿麗龜，上大喜，賞賜優渥」（《嘯亭續錄．和孝公主》卷五）。公主受賜金頂轎，十五歲下嫁豐紳殷德。額駙很聰明，善作小詩，瀟灑倜儻，俊逸可喜。任都統、內務府大臣。時額駙恃寵驕縱，公主說：「汝翁受皇父厚德，毫無報稱，惟賄日彰，吾代為汝憂。他日恐身家不保，吾必遭汝累矣！」一日積雪，駙馬偶弄畚鍤作撥雪遊戲，公主立責備，說：「汝年已逾冠，尚作癡童戲耶？」額駙長跪，請罷乃已。二十五歲，遭家難。額駙降為散秩大臣。後坐國喪期間侍妾生女罪，罷職在家圈禁。中年修道，講養生術，練功太過，患喘痰疾，年四十而死。公主三十六歲守寡。和珅籍沒，額駙也死，公主寡居，兒子又死，道光三年（一八二三年）病死，四十九歲。

這位和孝公主住在以「蝠」（福）為特點的公主府裏，生在帝王之家，受到皇父寵愛，公爹為宰相，算是有福吧！但她的公爹獲罪自裁，家財被抄；丈夫沒有出息，還養妾生女，中年去世；兒子夭折；公主府還被割去一半作為皇兄王府。這算是有福嗎？

和孝公主的知名度遠沒有公爹和珅大。和珅因兒子豐紳殷德娶乾隆帝十公主而更加顯赫。大家關心和珅為什麼能成為寵臣、佞臣，又能專權、貪腐？原因很多，其中之一，就是和珅「善伺意」、「巧彌縫」。什麼叫「善伺意」呢？就是善於揣摩、迎合乾隆帝的意圖。和珅能夠把握、抓住、佔有、利用乾隆帝的心。當年楊貴妃把握住唐明皇，萬貴妃把握住成化帝，都是用的「善伺意」心計。乾隆帝將要喜歡的，和珅先就猜到，並做到；乾隆帝決心要做的，和珅也立刻遵辦，並辦得妥帖；乾隆帝想做而不該做的，和珅不反對，並順遂；乾隆帝應做而沒想到的，和珅不顯露出比主子更聰明而使主子做到。所以，乾隆帝認為和珅是自己看得見、信得過、用得上、

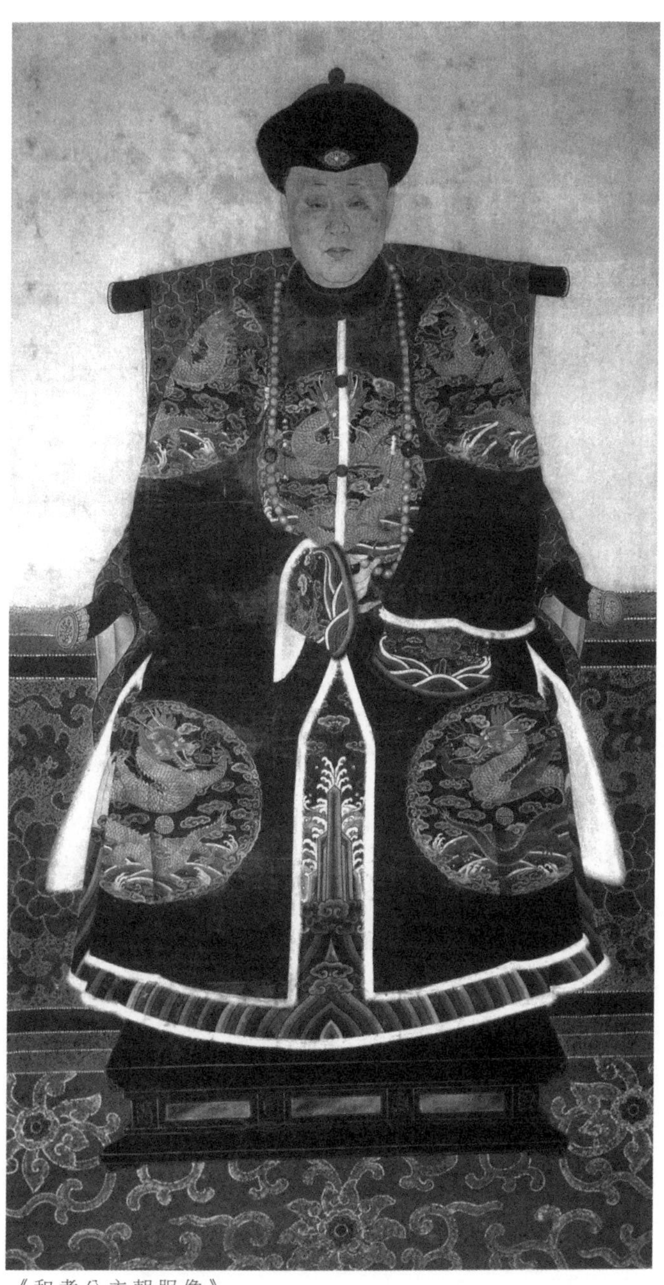

《和孝公主朝服像》

離不開的人。舉幾個例子。

其一，整死福崧。在高級官員中，如有敢於不同和珅合作的，會遭不測之禍。浙江巡撫福崧得罪了和珅，在乾隆五十八年（一七九三年）的某天，忽然傳下乾隆帝諭旨，命檻車到京，罪名是福崧受了兩淮鹽運使柴楨「饋福公金一千兩」。福崧向人說：我見了皇上必定把和珅的秘密完全奏報出來。和珅知道後，就更改福崧的供詞，加上激怒乾隆帝的話。結果，乾隆帝不等福崧到京，就下旨賜死。福崧行到紅花鋪地方聞命，鬚髯奮張，大聲疾呼，不肯就死。福崧被強灌鴆酒而死。福崧死得冤啊！實際上柴楨帳簿上的「福公」是指戶部尚書「福長安」，而不是指浙江巡撫「福崧」。

其二，整跑朱珪。朱珪是嘉慶帝為皇子時的師傅，時任兩廣總督。嘉慶元年（一七九六年），乾隆帝與嘉慶帝授受禮後，乾隆帝調朱珪從兩廣總督任上回京當大學士。嘉慶帝作詩給老師表示祝賀。和珅嫉妒朱珪入閣，就拿了這首詩給乾隆帝看，暗告嘉慶帝一狀，說「嗣皇帝欲向朱珪市恩」（買好）。乾隆帝吃醋，後以他事降朱珪為安徽巡撫。

和珅還「巧彌縫」，就是善於作假，蒙混過關。

其一，整治御史。乾隆五十一年（一七八六年），御史曹錫寶奏劾和珅家奴劉全奢侈橫行，建房逾制。侍郎吳省欽與曹錫寶同鄉，知道後馳奔熱河報告和珅。和珅得到密告後，令劉全毀其室，衣服、車馬有逾制，皆隱匿無跡。錫寶疏至，乾隆帝詰問和珅。和珅言平時戒約屬下甚嚴，若扈從滋事，乞嚴察重懲。乾隆帝命王大臣會同都察院傳問曹錫寶，又令步軍統領遣官從錫寶到劉全家察視，無跡，錫寶自承冒昧。乾隆帝召曹錫寶到避暑山莊當面詰問，錫寶奏劉全倚勢營私，未有實據，但為和珅「杜漸防微」。於是曹錫寶反遭革職留任的懲罰。

《和珅像》

其二，整黜侍郎。禮部侍郎尹壯圖，疏論各省庫藏空虛，乾隆帝命和珅讓尹壯圖到各省庫勘察，以侍郎慶成監督。慶成每到一省就掣肘，待挪移補足，便打開倉庫，似全然無虧。尹壯圖被下部議罪，擬斬決，降主事。

《清史稿·尹壯圖傳》卷末評論道：「大臣怙寵亂政，民迫於饑寒，卒成禍亂。」（《清史稿》卷三百二十二）大臣怙寵而亂政，庶民饑寒而成亂。乾隆帝晚年的白蓮教之亂，就是歷史明證。

和珅做官做到了極致：由乾清門一個侍衛，升到「六大臣」即大學士，軍機大臣，議政大臣，領侍衛內大臣，內務府大臣，御前大臣，都統、步軍統領，管戶部三庫，充崇文門稅務監督，任吏部、戶部、兵部尚書，兼管刑部尚書、理藩院尚書事，翰林院掌院學士，充四庫全書館正總裁，「寵任冠朝列」（《清史稿·和珅傳》卷三百十九）。私宅軍人供役者千餘人。但應了那句老話，「福兮禍所倚」。和珅最後落了個身敗名裂的下場，幸有和孝公主這位兒媳，才保住了兒子豐紳殷德的一條命和一碗飯。

三　恭王奕訢

道光帝的兒孫們，對晚清歷史影響深遠。皇四子奕詝繼承皇位為咸豐帝，其兒子為同治皇帝，后妃為慈安皇太后、慈禧皇太后；皇六子奕訢被道光帝封為親王，先後預政咸豐、同治和光緒兩代三帝；皇七子奕譞，慈禧時封為醇親王，兒子為光緒帝，孫子為宣統帝。皇八子奕詥的過繼兒子溥儁被慈禧選為大阿哥，預備取代光緒帝，後被廢。

恭親王奕訢（1860年）

恭親王奕訢（一八三二～一八九八年）[1]和皇四兄奕詝是同父異母兄弟。奕詝從小由奕訢母親撫養。奕詝母親死後，就完全由奕訢母親養育。奕詝與奕訢共同生活了十七年。同時，他們還有一種競爭關係。他倆僅相差一歲，都曾經是道光帝皇位的候選人。而奕詝曾從馬上摔下，是瘸腿，奕訢則身體健壯，武藝高強，聰明睿智，

1 奕訢生於道光十二年十一月二十一日，道光十二年為一八三二年，但這年十一月二十一日為一八三三年一月十一日，所以說他享年六十七歲。

前述白虹刀的故事就是一個例證。在儲位之爭中，奕訢敗下陣來。這裏有個杜受田的故事。

杜受田，山東濱州人。道光三年（一八二三年）進士，選庶起士，授編修。直上書房，授奕詝讀書。後遷內閣學士，命專心授讀。後連升左都御史、工部尚書，充上書房總師傅。奕詝自六歲入學，杜受田朝夕納誨，必以正道，歷十餘年。道光晚年，以奕詝長且賢，欲付大業，猶豫未決。值南苑打獵，諸皇子隨從，奕訢獲禽最多，奕詝未發一矢，問他，回答：「時方春，鳥獸孳育，不忍傷生，以干天和。」道光帝大悅，立儲遂密定。史評說此是杜受田輔導之力。

咸豐帝登極後，將慶王府歸皇六弟奕訢。咸豐二年（一八五二年）四月，分府，從此這裏就成為恭親王府，直到光緒二十四年（一八九八年）奕訢去世。恭王府見證了奕訢在咸豐、同治、光緒三朝大起大落的命運。他從一位文武雙全的睿智青年，到從容威嚴的外交官，再到唯唯諾諾病人的一生，正是晚清歷史的寫照。奕訢的人生經過六次大起大落：

一起一落。咸豐三年（一八五三年）九月，洪秀全兵逼畿南，以奕訢在軍機大臣上行走。四年（一八五四年），連授都統、右宗正、宗令。五年（一八五五年）四月，以畿輔肅清，予優敘。七月，孝靜成皇后崩，咸豐帝以恭親王禮儀疏略，罷軍機大臣、宗令、都統，仍在內廷行走，在上書房讀書。

二起二落。咸豐十年（一八六〇年）八月，英法聯軍逼近京師，咸豐帝逃往熱河，英法聯軍焚掠圓明園。咸豐帝授恭親王欽差便宜行事全權大臣，督辦和局。和議告成，恭親王奕訢請赴行在祗叩起居。咸豐帝手詔答曰：「別經半載，時思握手而談。惟近日欬嗽不止，時有紅痰，尚須靜攝，未宜多言。且俟秋間再為面話。」（《清史稿·文宗本紀》卷二十）加以回絕。咸豐帝能看戲，不能見兄弟！和議大局告成，對奕訢不予獎賞，還做出「三條」：一要議處，二不見面，三排除在顧命大臣之外。

三起三落。咸豐十一年（一八六一年）七月，咸豐帝崩，奕訢到避暑山莊，兩太后召見。辛酉政變後，為議政王、軍機處大臣，王爵世襲，食親王雙俸。同治三年（一八六四年），以江寧克復，大局好轉，遭到收拾。四年（一八六五年）三月，兩太后諭責恭親王信任親戚，內廷召對，時有不檢，命奪議政王號及一切差使。王入謝恩，痛哭引咎。[2]

四起四落。同治七年（一八六八年）二月，西捻軍逼近京畿，命奕訢節制各路統兵大臣，授右宗正，再次起用。十一年（一八七二年）九月，同治帝大婚，復命王爵世襲罔替。十二年（一八七三年）正月，同治帝親政。來年七月，就諭責奕訢召對失儀，降為郡王，奪世襲罔替，仍在軍機大臣上行走。

五起五落。光緒帝即位後，復命免召對叩拜、奏事書名，署宗令。光緒十年（一八八四年），法軍侵越南，王與軍機大臣不欲輕言戰，言路交章論劾。這年三月十三日，奕訢等全體軍機大臣突然一體罷免。令奕訢停止雙俸，家居養病。因事在甲申年，史稱「甲申易樞」。

2 慈禧於同治四年（一八六五年）三月初五日，手書罷免奕訢的朱諭，是迄今為止所能見到的唯一一件慈禧親自起草的上諭，彌足珍貴。全文如下：「諭在廷王大臣等同看，朕奉兩宮皇太后懿旨：本月初五日，據蔡壽祺奏，恭親王辦事徇情、貪墨、驕盈、攬權，多招物議，種種情形等弊。嗣（似）此重（種）（劣）情，何以能辦公事？查辦雖無實據，是（事）出有因，究屬曖昧，難以懸揣。恭親王從議政以來，妄自尊大，諸多狂敖（傲），以（依）仗爵高權重，目無君上，看（視）朕沖齡，諸多挾致（制），往往諳（暗）始（使）離間，不可細問。每日召見，趾高氣揚，言語之間，許（諸）多取巧，滿是胡談亂道。嗣（似）此情形，以後何以能辦國事？若不即（及）早宣示，朕歸政之時，何以能用人行正（政）？嗣（似）此種種重大情形，姑免深究，慈禧皇太后罷黜恭親王奕訢一切官職，撤換了以奕訢為首的軍機處，慈禧成了不受任何約束的擁有絕對權威的太上女皇。

六起六落。光緒二十年（一八九四年），日本侵朝鮮，復起奕訢管理總理各國事務衙門，並總理海軍，會同辦理軍務，內廷行走。尋又命王督辦軍務，節制各路統兵大臣。十一月，授軍機大臣。但此時的奕訢已經是六十二歲的老人，疾病纏身，銳氣全消。此前領略了慈禧皇太后淫威手段的奕訢，現在一味聽命於慈禧，主張求和。二十四年（一八九八年），恭親王疾作，光緒帝奉慈禧太后之命三次臨視，四月薨，年六十七。慈禧太后親臨恭王府弔唁。奕訢之死，使慈禧與光緒帝之間失去了一個重要的中間調解人。這就使慈禧與光緒之間的矛盾激化，最終導致了戊戌政變。

恭親王奕訢住在恭王府四十八年，經歷六起六落，預政咸豐、同治、光緒三位皇帝：每逢國家烏雲密佈，就受到起用信任；雨過天晴，就遭到貶斥冷落。六起六落，跌宕人生。這種王爺的命運，令人唏噓，發人深思。他的弟弟醇親王奕譞就接受了乃兄的教訓，根本就不輔

方知朕寬大之恩。恭親王着毋庸在軍機處議政，革去一切差使，不准干預公事，方是朕保全之至意。特諭。」

政，完全唯唯諾諾，倒是沒有大起大落，還算平安。再聯想清初攝政王多爾袞，血戰沙場，戎馬一生，底定中原，成業一統，死後還是被順治帝掘墳鞭屍。帝制時代，皇權至上，不容一點震主，不許半點威脅。這是眾多皇子或無法施展才華，或受到折磨屈辱的根本原因。

第五十一講　金枝玉葉

皇家公主金枝玉葉，一直被人們所羨慕。現在獨生子女多，流傳一種說法：女兒要富養，把女兒當成金枝玉葉。其實作為公主，既享受常人享受不到的榮華富貴，也承受常人不用承受的禮法約束。特別是在宮裏嬌生慣養的公主，一旦嫁為人婦，要面對反差巨大的生活環境和身份轉換，很難享受到常人的天倫之樂，更要聽任朝廷動盪的命運擺佈。

⌂ 南京博物院收藏着一件精美的藝術品：一隻栩栩如生的金蟬，安然地棲息在一片潔白無瑕的玉葉上。蟬，俗稱「知了」，「知」諧音「枝」，皇家女兒，自然金貴。這是「金枝玉葉」的形象詮釋。金枝玉葉，中國古代特指皇家女兒，就是公主，故本講題為「金枝玉葉」。[1]

一  公主人生

「公主」，《辭海》解釋説：「帝王之女稱號。」帝王之女為什麼叫公主呢？相傳古代天子嫁女時，天子不主婚，而由三公主之，或由同姓諸侯主之，所以稱公主（參見《明史·禮志九》）。後來歷朝相沿，皇帝之女稱公主。

明制，皇帝姑母稱大長公主，姊妹稱長公主，女兒稱公主，都授金冊，祿米二千石。公主夫婿稱駙馬都尉，俗稱「駙馬」。清公主夫婿稱額駙。清朝按嫡庶，皇后

1 本節參閱郭美蘭〈恪靖公主遠嫁喀爾喀蒙古土謝圖汗部述略〉，載其所著《明清檔案與史地探微》（遼寧民族出版社，二〇一二年）。並得到呼和浩特市博物館趙江濱館長提供的資料。

女兒為固倫公主，妃嬪女兒為和碩公主，也有例外。

康熙帝第六女恪靖公主、乾隆帝第十女和孝公主，都不是嫡出，卻為固倫公主。這是為什麼呢？一是政治需要。清前期滿蒙聯姻，如要提高蒙古額駙政治地位，則應先提高公主品級。二是體現皇帝與公主或公主生母情感親密。如康熙帝第三女為榮妃馬佳氏生，初封和碩公主，因伺候患病皇父，「公主視膳問安，晨昏不輟，四十餘日，未嘗少懈」，皇父病癒後晉封她為固倫公主。明公主最高壽者如朱元璋第十四女，享年八十三歲（《萬曆野獲編》卷三），清公主最短壽者如康熙帝第十八女，生尋殤。

本講以公主的出生、待遇和出嫁為例，來看金枝玉葉所享受的富貴人生。

出生　清宮生育習俗，公主出生前後，一是刨喜坑（埋胎盤），由欽天監選屋內或院內某處，擇吉日由太監刨坑，姥姥兩名念吉歌，放上筷子（取快生子之意）和金銀八寶等。二是備衣物，備好小孩用的衣服、被褥和木槽木碗、小木刀、易產石、大楞蒸刀等。三是選乳保，就是選定乳母和保母。四是開福口，孩子生下後，用「福壽丹」開口，期待一生福壽雙全。五是做洗三，小兒出生第三天，皇帝穿吉服告聞於奉先殿。六是升搖籃，公主出生第九天，在搖籃上貼福字，念喜歌，升搖籃。七是過滿月，剪胎髮，命名字。明帝穿常服，御乾清宮，皇后率生皇女的妃嬪，朝見行禮。保母抱皇女到殿，授予皇后，皇帝降座，執皇女右手，宣賜名字，還授保母（《大明會典》卷四十九）。八是過百祿（百天），做小宴，祝百歲。九是滿周歲，宮中各主位、公主等均有賞賜。十是入宗譜，皇子、公主出生的年、月、日、時，其生母的名位、姓氏，宮殿監及時登記、具奏，經內務府轉宗人府，載入《玉牒》。

待遇　公主享受特殊待遇，終生沒有衣食之憂。婚前，每日一兩五錢重羊油蠟三支，一兩五錢重白蠟一支，羊油蠟一支，紅籮炭冬例五斤，黑炭冬例二十五斤。固倫公主位下太監十五名，和碩公主位下太監十三名，還有乳母、保母、宮女若干名。婚後，清在京居住公主俸銀，固倫公主四百兩，額駙三百兩，和碩公主三百兩、額駙二百五十兩（《光緒朝大清會典事例》卷二百四十八）。公主園地三百六十畝。

出嫁 公主出嫁叫下嫁。公主下嫁同民間一樣，也是「六禮」，即納采（提親）、問名（生辰）、納吉（訂婚）、納徵（彩禮）、告期（婚期）、迎娶（大禮）。這裏介紹選婿、定親、迎娶和回門四項禮儀。

選婿，就是納吉（訂婚）。明初駙馬多選「開國功臣，因結肺腑」，後期常選庶民子弟才優貌美者，如萬曆帝長女榮昌公主選狀元門第楊春元為駙馬。戲曲、小說有在狀元中選駙馬的故事，如黃梅戲《女駙馬》。清選蒙古額駙，由理藩院，轉行外藩，諮取札薩克旗嫡親王公子弟，查明三代履歷、本身官銜、生辰、姓氏、嫡庶所出，造冊報府，先繕黃單，奏請引見。

定親，就是納徵。到午門，進一九禮（馬八匹、駱駝一頭），送彩禮。先在迎娶前一日，內府官率鑾儀校送妝奩到額駙府第，內管領命婦等前去鋪陳。

指婚日，額駙迎親，身穿蟒服，到乾清門東階下，面北跪。襄事大臣宣制：「以某公主擇配某額駙」。受命，謝恩，退下。次日，燕饗，額駙率族中人朝服謁皇太后宮，禮畢，集保和殿。帝升座，額駙等三跪九拜。御筵，撤宴，謝恩，一跪三拜。出內右門外，三跪九拜，退。是日，額駙眷屬到皇太后、皇后宮，筵宴如儀。

迎娶，結婚日，清制額駙家備九九禮物，主要有馬二九（十八匹），馬鞍和甲冑各二九，閑馬三九，並進宴九十席、羊九九、酒五九（樽），燕饗如初定禮。

吉時一到，公主吉服到皇太后、帝后暨所生妃嬪前行禮後，內校抬着出後宮，儀仗具列，燈炬前引，到內左門。駙馬乘輦到內左門降輦，駙馬揭簾，公主升轎。駙馬再拜，先出乘馬還。公主鹵簿儀仗後發，福晉、夫人、命婦乘輿陪從，到額駙第。駙馬先候於門，公主轎至，駙馬揭簾，公主降轎，同謁祠堂，後到寢室，駙馬與公主相向再拜，進饌，合巹。明日見舅姑（公婆），公主行四拜禮，舅姑答二拜。「駙馬見公主行兩拜禮，公主作受。」（《明史·安磐傳》卷一百九十二）

回門，成婚後九日，回宮謝恩。公主入宮行禮，額駙在慈寧門外、乾清門外、內右門外行禮，不能進入後宮。

二 明朝公主

明朝皇帝有八十五位公主（興宗和睿宗之女未計）。這些公主，成人下嫁者五十人。關於公主的史料很少，我講五位明朝公主及其駙馬的事跡。

寧國公主 明太祖女，馬皇后生。洪武十一年（一三七八年）下嫁梅殷。殷，天性恭謹，精通經史，有謀略，長弓馬。殷曾受密命，輔皇太孫建文帝。及燕師南逼，建文帝命梅殷任總兵官鎮守淮安。燕王知梅殷軍威勢強，不便硬攻，便遣使以進香為名，假道於殷。殷答：「進香，皇考有禁，不遵者為不孝。」燕王大怒，命割梅殷使者耳鼻縱之，附書回曰：「留汝口為殿下言君臣大義。」永樂帝即位，殷仍擁兵淮上。永樂帝迫公主齧指血為書投殷。殷得書慟哭，乃還南京。既入見，永樂帝迎勞曰：「駙馬勞苦。」殷曰：「勞而無功，徒自愧耳！」永樂帝銜之，嘗夜遣小太監潛入殷府。殷察覺，愈隱怒。

永樂二年（一四〇四年），都御史陳瑛奏梅殷招納亡命，與女秀才劉氏朋邪詛咒。永樂帝命執梅殷家人送往遼東。明年冬，駙馬梅殷入早朝，都督譚深、錦衣衛指揮趙曦，擠殷於笪橋（南京夫子廟附近）下淹死，以殷自投水奏聞。都督同知許成揭發其事。永樂帝罪深、曦。二人對曰：「此上命也，奈何殺臣！」永樂帝大怒，立命力士持金瓜，敲落二人牙齒，斷二人手足，然後斬之，剖其腸祭駙馬梅殷。公主驚聞駙馬死，牽永樂帝衣大哭，問：「駙馬安在？」永樂帝笑道：「毋自苦，公主謹護二子。」乃官其二子（《明史紀事本末》卷十八）。賜公主書說：「駙馬殷雖有過失，兄以至親不問。比聞溺死，兄甚疑之。謀害之人置重法，特報妹知之。」寧國公主寡居三十年，於宣德九年（一四三四年）薨，年七十一（《明史．公主傳》卷一百二十一）。

重慶公主　正統帝第八女，與成化帝同母。天順五年（一四六一年）下嫁周景。景，河南安陽人，好學習，長書法。正統帝很喜愛他。成化帝立，命掌宗人府事。周景居官廉慎，詩書之外，別無所好。公主事奉公婆甚孝，衣履多手製，歲時拜謁，如家人禮。周景每逢早朝，公主必親起視飲食。公主之賢，近世未有。弘治八年（一四九五年），周景卒。又四年，公主薨，五四歲（《明史．重慶公主傳》卷一百二十一）。

永寧公主　萬曆十年（一五八二年），萬曆帝之妹永寧公主選京師豪富子弟梁邦瑞為駙馬。這個人又病又瘦，人們都說活不了幾天。大太監馮保受數萬金賄賂，張居正也力主成婚。公主合巹之時，駙馬「鼻血雙下，沾濕袍袂，幾不成禮」。宮監則道喜，稱掛紅吉兆。剛滿月，遂不起，不久死。公主寡居數年而死，竟不識人間房幃事（《萬曆野獲編》卷五）。

壽寧公主[2] 母鄭貴妃，為萬曆帝愛女，下嫁冉興讓。命五日一來朝。公主下嫁，例遣老宮人掌公主閣中事，名為管家婆，駙馬、公主一舉一動，每受限制。公主、駙馬要捐數萬金，賄賂管家婆，始得伉儷同房。萬曆四十年（一六一二年）秋一個月夜，壽寧公主宣駙馬到自己臥室，而管家婆名梁盈女，正與「相好」太監趙進朝酣飲，未及稟白，盈女大怒，乘醉捶打冉駙馬，並驅之屋外。公主勸解，又加唾罵。公主悲憤，辱不欲生。第二天早晨，公主奔訴於母親鄭貴妃，但盈女已「惡人先告狀」，添油加醋。母妃大怒，拒見公主。冉駙馬具疏入朝，奏昨晚酣飲宦官事，但在朝廷遭到太監趙進朝黨羽數十人的毆打，「衣冠破壞，血肉狼藉」。冉駙馬蓬頭光腳，回到府第，正欲再疏，聖旨已下，嚴厲詰責，送國學反省三個月。公主含淚忍辱獨還。而對其管家婆的處理，僅回宮另行安排差使（《萬曆野獲編》卷五）。

樂安公主 明泰昌帝女，下嫁鞏永固。永固，宛平（今北京市）人，好讀書，負才氣。崇禎十六年（一六四三

2 《明史．公主傳》，作壽寧公主，《萬曆野獲編》作壽陽公主，從前者。

3 康熙帝二十女，平均壽齡十六點七五歲。成人下嫁者中，享年最高為四公主五十七歲，得年最小為十公主十九歲，平均壽齡為三十七點七五歲。成人下嫁者八人，其中下嫁內蒙古者四人、外蒙古者二人。皇六女（四公主）下嫁喀爾喀蒙古敦多布多爾濟親王對漠北蒙古的穩定，皇十女贈固倫純慤公主下嫁喀爾喀蒙古策棱（又作凌、淩、麟）親王對漠西蒙古的穩定，有着重大的歷史作用。

年）二月，崇禎帝召公、侯、伯於德政殿，言：「祖制，勳臣駙馬入監讀書，習武經、弓馬。諸臣各有子弟否？」永固獨上疏，請肄業太學。帝褒答之。崇禎十七年（一六四四年）春，李自成破大同、宣府。及事急，崇禎帝密召永固及新樂侯劉文炳護行。二人叩頭言：「親臣不藏甲，臣等難以空手搏賊。」皆相向涕泣。十九日，都城陷。時公主已薨，未葬，永固以黃繩縛子女五人繫靈柩旁，舉劍自刎，闔室自焚死（《明史．樂安公主傳》卷一百二十一）。

三 恪靖公主

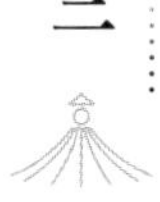

清朝公主下嫁，必說滿蒙聯姻。清滿蒙聯姻近三百年，嫁給蒙古王公的公主、格格達四百三十二人，所娶蒙古王公之女也有一百六十三人（杜家驥《清朝滿蒙聯姻研究》）。據統計，在下嫁蒙古的六十一位公主中，僅嫁給外藩蒙古博爾濟吉特氏的就有三十一位之多，約佔其半。康熙帝八位有封號的公主中，有六位下嫁蒙古額駙。清朝八十二位公主，平均年齡二十三點一歲，其成人出嫁四十五人，平均年齡三十八點八歲。我介紹下嫁蒙古喀爾喀部的恪靖公主。

恪靖公主，康熙十八年（一六七九年）生，貴人郭絡羅氏所出，自幼由姨媽、康熙帝宜妃撫養，為康熙帝二十位女兒中的第六女，排行第四，稱四公主，是清朝第一位遠嫁喀爾喀蒙古（今外蒙古）的公主[3]。

選婿 恪靖公主額駙是皇父康熙帝親選，又經皇太后懿准的。時喀爾喀蒙古三部以土謝圖汗部為首，內則哲布尊丹巴住錫庫倫（烏蘭巴托），外則鄰接俄羅斯，「形勢特要，號稱雄劇」

（《清史稿．藩部四》卷五百二十一）。因此，康熙帝非常重視與土謝圖汗部的關係。康熙三十年（一六九一年）多倫諾爾（今多倫）會盟，封土謝圖汗察琿多爾濟之子噶勒丹多爾濟為多羅郡王。察琿多爾濟親弟為哲布尊丹巴。以此次會盟為標誌，喀爾喀蒙古正式列入清朝版圖。次年噶勒丹多爾濟卒，命其長子敦多布多爾濟承襲扎薩克郡王。這一年，康熙帝見到了這位十六歲的扎薩克郡王，並在心裏定下時年十三歲的四公主和這位郡王的婚事。

下嫁　康熙三十六年（一六九七年）十一月，十九歲的恪靖公主在北京下嫁二十二歲的扎薩克郡王敦多布多爾濟。嫁妝中包括：哈達一百條、周綢手帕三十條、蜀錦手帕四十條、白翠藍布手帕八十條、粉一百盒、胭脂二百帖、象牙梳十把、黃楊木梳七十五把、篦子二十把、毛撣二十把、牙刷二十把、胭脂刷八把。其程序有初定、成婚、回門三個禮儀步驟。公主初定、成婚，設宴兩次，均在保和殿，殿外鼓樂齊鳴，殿內王公齊集。成婚禮畢，公主及額駙在午門外行禮，婚後第九日回門謝恩。賜公主以珠寶、金銀、器皿、袍服、綢緞、布匹

4

康熙三十五年（一六九六年），康熙帝二征噶爾丹，作詩〈駐蹕歸化城〉，詩曰：「一片孤城古塞西，霜寒木落駐旌泥。恩施域外心無倦，威懾荒遐化欲齊。歸戍健兒欣日暇，放閒戰馬就風嘶。五原舊是烽煙地，亭障安恬靜鼓鼙。」

及牲畜、糧莊等項。公主和額駙均歲支銀米。

生女 恪靖公主下嫁敦多布多爾濟，時值隆冬，不宜北行，沒有即赴漠北，待來春起行。然而，來春公主懷有身孕，難以成行。恪靖公主於康熙三十七年（一六九八年）八月二十一日生下一女。宮裏送來禮物，有洗三時用的浴盆，盆內有金元寶兩顆、銀元寶四顆。第七日開始升搖籃，送往裝飾搖籃一個，各樣綢緞小衣服、被褥等共六百套，牛兩頭，羊二十隻，鵝二十隻，雞四十隻。滿月禮有各帶兩顆小珍珠的耳墜三對、小金鐲一對、裝飾手帕一條、緞袍褂兩襲、靴襪各一雙、綢緞二十匹、裏子布二十匹、銀二百兩。恪靖公主在孕期和產期都居住在京城。

遠行 康熙三十九年（一七〇〇年），敦多布多爾濟郡王晉升和碩親王，並承襲土謝圖汗位。公主隨夫，回喀爾喀，前往大漠已勢在必行。隨行攜帶物資，照康熙帝諭旨，僅帶隨身用品，其餘物品待來年送往。公主所用物件，除宮中所派官車外，由張家口商人出車八輛運送雜物，並帶羊只準備在路上食用。往返估計需時一百天。一切準備妥當後，康熙三十九年（一七〇〇年）冬，恪靖公主與額駙北上喀爾喀蒙古地方。

返京 恪靖公主於到達卡喀蒙古的第二年春，就踏上了返京的路途。內務府從康熙四十年（一七〇一年）二月底，就開始籌辦恪靖公主歸途所需米麵等物。所要帶往的物品有豬、精米、麥麵、小米、雜麵、澱粉、炒麵、芝麻、茶葉、鹹菜、食鹽、乾果、蜂蜜、糖等，足夠六十日之用。恪靖公主於是年五月初八日入張家口，不久行抵京城。到京後，住下來。但下嫁蒙古公主長住京城，顯然不合禮制。康熙命在北京和喀爾喀之間的歸化城（呼和浩特）修建公主府。

建府 康熙帝早在第二次親征噶爾丹時，曾駐蹕歸化城，有詩為證[4]。建府經過選址、備料、興工三個階段。康熙四十二年（一七〇三年），經勘查選定府址，北依鞥袞嶺（今蜈蚣壩），左右兩河環抱，南望歸化城，民間譽其地為「二龍戲珠」。史稱：「後枕青山，前臨碧水，建築與風景之佳為一方冠。」（《綏遠通志稿》）在今內蒙古呼和浩特市新城區通道北路。康熙四十三年（一七〇四年）初，康熙帝命內務府大臣等會同歸化城都統扎拉克圖等，就伐木、備料、工匠等事宜會議，所議結果是：伐木、燒磚、石灰、採石等工匠，及建房所用一應物件，都由當地解決，宮裏派內務府官員前去指揮協調。四十四年（一七〇五年）春開工建府，九月基本完工。

公主府總佔地六百餘畝，現存主體建築佔地近二十畝，府邸建築佈局為中軸對稱，四進院落，前府後園，外為青磚磨面圍牆。前有影壁，長二十四米，高四點三米，須彌座高一點一五米，座上凸起四十八根立柱，喻蒙古四十八旗共扶清朝。府門三間、儀門三間。迎面是正堂「靜宜堂」，前後出廊，懸康熙帝御筆「靜宜堂」匾額。堂後為寢殿。殿後為罩房十五間。最後為花園。另撥四萬八千三百七十五畝胭脂地（公主養贍）。公主府由皇家御賜督造，依朝廷工部大式營建。這座建於三百多年前的恪靖公主府，其影壁、府門、儀門、靜宜堂、

5 康熙帝此行，於康熙四十六年七月二十五、二十六日，駐蹕皇六女（四公主）和碩恪靖公主第。八月初二日，駐蹕皇三女和碩榮憲公主第。同日，到固倫淑慧公主墓前奠酒。公主為皇太極皇五女，孝莊太后所出，順治帝之姊。九月二十四日，又駐蹕和碩榮憲公主第。十月初四日，駐蹕皇五女端靜公主第。十月二十日，回宮。

寢殿、罩房、配殿及院落圍牆等主要建築，至今基本完好。恪靖公主府是全國唯一保存最為完整的公主府邸，現為呼和浩特市博物館。

入府 恪靖公主府竣工後，據蒙古卜卦，明年係戌年（狗年），忌遷，本年遷居之事，謹請皇父訓示。康熙帝隨即降旨：甚好。着遷。其在喀爾喀地方的人畜，仍留原處。隨後欽天監擇定並諭准於是年十一月初三日辰刻，宜於恪靖公主啟程。

此次公主遷往府邸，計在途二十日，撥給羊四十隻、牛三頭，米麵、果品、菜蔬等項，計其足敷運往。沏茶之奶，食用乳豬、鵝等項，由禮部派官備辦。其沉重物件，寒冬不宜攜帶，來春再行帶往。帶往八十一人、車六十輛、馬一百匹、大櫃四對、小櫃八對、皮箱五十個等，沉重物品則於第二年春運往公主府。有大小箱櫃，又有桌椅、圍屏、蒙古包、帳房、床、鞍、瓷器等物，隨往的還有三十四戶人。第二次運送的物品及人口，共用二百四十輛車，兵部還派官兵二十一名護送。這一年，公主二十七歲。

會親 從康熙四十六年（一七〇七年）到五十三年（一七一四年）的七年間，值康熙帝巡幸塞外，恪靖公主先後五次見到康熙帝。康熙四十六年（一七〇七年），康熙帝由避暑山莊西行，到今呼和浩特，看望公主與額駙。其行程，從北京到熱河行宮七日程，從熱河行宮到恪靖公主府八日程，馬不停蹄，需十五日。恪靖公主偕額駙出迎皇父康熙帝到公主府，駐蹕兩日（《清聖祖實錄》卷二百三十），暢敘父女久別之情。這是康熙帝唯一一次駕臨恪靖公主府，父女在公主府見面[5]。康熙帝還帶來了皇太子允礽、皇長子允禔、皇十三子允祥、皇十五子允禑、皇十六子允祿、皇十七子允禮和皇十八子允祄等隨駕，公主府充滿了天倫之樂。

逝世 雍正帝即位後，封和碩恪靖公主為固倫公主，賜以金冊，原件現藏蒙古國烏蘭巴托國家博物館。封和碩額駙為固倫額駙。雍正三年（一七二五年）十一月，固倫恪靖公主單獨來京請安，額駙則於十月、十二月兩次來京。雍正十三年（一七三五年）三月初九日，恪靖公主在其生活了三十年的公主府去世，享年五十七歲。額駙時在多倫諾爾陪護其側福晉所生之子二世哲布尊丹巴[6]，得到恪靖公主去世噩耗，回抵公主府。奏請恪靖公主靈柩安放地點，並處理恪靖公主身後在歸化城的人口、房屋、田產等，最後留恪靖公主所生之子根扎布多爾濟及其所娶康熙帝第三子誠親王允祉之女和碩格格仍住在公主府，於乾隆元年（一七三六年）五月二十一日，啟程護送公主靈柩北行。後交由喀爾喀眾人繼續護送，到庫倫地方肯特山土謝圖汗家族墓地安葬。額駙敦多布多爾濟於其故後第九年即乾隆八年（一七四三年）去世，六十八歲[7]。敦多布多爾濟的卒年，《玉牒》和《清皇室四譜》均作「雍正八年閏四月卒」，本文取郭美蘭研究員「乾隆八年（一七四三年）閏四月初五日去世」說。

皇家公主金枝玉葉，一直被人們所羨慕。現在獨生子女多，流傳一種說法：女兒要富養，把女兒當成金枝

6 雍正元年，哲布尊丹巴呼圖克圖一世在北京圓寂，遂定和碩親王敦多布多爾濟幼子為轉世靈童，雍正六年，五歲的二世哲布尊丹巴受戒，次年在庫倫（今烏蘭巴托）升活佛寶座。雍正十年，撥銀十萬兩，在漠北建慶寧寺。

7 敦多布多爾濟的卒年，《玉牒》和《清皇室四譜》均作「雍正八年閏四月卒」，本文取郭美蘭研究員「乾隆八年（一七四三年）閏四月初五日去世」說。

玉葉。其實公主既享受常人享受不到的富貴，也承受常人所不用承受的禮法約束。特別是在宮裏嬌生慣養的公主，一旦嫁為人婦，要面對反差巨大的生活環境和身份轉換，很難享受到常人的天倫之樂，更要聽任朝廷政局動盪的命運擺佈。

第五十二講　宮廷太監

在人群中，太監群體和其他群體一樣，既有賢者，也有小人。賢者千人嫌少，小人一人顯多。多包容，多積善，親君子，遠小人。

⌂ 宮中的僕役主要有兩種人：一種是宮女，一種是太監。太監在宮內外，居住分散，條件簡陋。如果有幸被分配到各宮侍奉帝后、妃嬪等，地位和待遇就好一些。

一 太監群像

太監是什麼樣子？大家可能沒有見過。上世紀五十年代，我在北京北長街會計司胡同一個四合院裏，見過離開故宮在這裏養老的二三十位太監。他們身軀彎曲，沒有鬍鬚，說話尖嗓，像老太婆。大家從清末民初照片上看到的太監，都是平面的形象。故宮博物院收藏有兩件彩塑太監像，可以看到太監的立體形象。一件是明太監塑像。它原擺放在北京房山區上方山兜率寺[1]的觀音殿裏。這位太監頭戴烏漆紗帽，身着大紅織錦蟒衣，腰圍方玉牌朝帶，左裾間垂下流蘇條帶，右手腕套有念珠一串，雙手合十，是一副飽經風霜的神態。有學者認為

1 上方山兜率寺初建於隋，這裏還有寺廟及遺址七十多處，並有古塔五十餘座。山岩之上，從金代起就鑿出二百六十二級台階的古雲梯，聳入雲端，可達山頂。

這是以明朝萬曆年間司禮監掌印太監馮保為原型塑造的。另一件是清太監塑像。這座清宮舊藏太監塑像，頭戴黑絨寬簷、頂綴紅纓冬冠，癟嘴無鬚，面帶皺紋，強作笑容，頭部前傾，瘦脖微彎，含胸腆肚，躬背哈腰，身穿馬蹄袖長袍，外套石青色補服，胸掛青玉朝珠，腳穿青棉白底皂靴，手握拐杖，雙拳曲縮，形象生動，惟妙惟肖，表現出一位有品級又諳於世故的老太監的形象[2]。

這兩件太監塑像是明清宮廷太監特殊群體的形象展現。乾隆帝説，太監是「鄉野愚民，至微極賤，得入宮闈，叨賜品秩，已屬非分隆恩」（《現行宮中則例》卷一）。太監也是人，但被帝王看作是卑微下賤之人。

太監是受過閹割而在宮廷裏侍奉帝王及其家庭成員的男僕，最早記載見於《周禮．天官》，被稱作「奄人」，已有兩千多年。在歷史上，太監也叫宦官、寺人、閹人、中官、內官、內監、內侍、火者、奄兒等，明清則常叫宦官、太監。太監地位卑微、身體殘疾，又身處宮廷、靠近皇權，形成一個特殊的群體。

太監這個特殊群體，身上總帶着兩樣東西：一是大毛巾，一是厚護膝。在《宮女談往錄》裏榮兒回憶說：

2 彩塑太監像暨説明，見《清宮生活圖典》（紫禁城出版社，二〇〇七年）。

可憐的老太監，已經過了五月節了，上身已經穿得很單薄了，可下身還是鼓鼓囊囊的。據說他們因為生理上的缺陷，多有淋尿的病，腰裏不論冬夏，都要圍着大毛巾（古代尿不濕），越到年老越厲害。膝蓋上的護膝，常年縫在褲筒裏，到了夏天顯露得最清楚了。他們隨時隨地都有可能跪在地下——不論在什麼地方，假山上，石路邊，該跪一定要跪，絲毫不能猶豫，所以褲筒裏常年縫着護膝。大太監的護膝，用珍貴皮子做成，李連英就用金絲猴皮做護膝。

明朝太監人數，據康熙帝聽故明老太監說：內監至十萬人，飯食不能遍及，日有餓死者（《清聖祖實錄》卷二百四十）。這個數位可能誇大，實際數位仍相當驚人。如

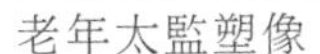
老年太監塑像

明太監塑像

正德十一年（一五一六年），一次收「自宮男子三千四百六十八人充海戶」（《明武宗實錄》卷一百三十七）。還有數千人已經自宮，因沒有「票帖」未被錄取，而到禮部請願。天啟元年（一六二一年），詔選淨身男子三千人入宮，民間求選者達二萬餘人，命再收一千五百人（《明熹宗實錄》卷五）。明宮太監人數，缺乏準確資料。有學者統計，明萬曆朝四次選入太監一萬三千三百二十人，天啟朝選入太監七千二百名，兩朝共選入太監二萬零五百二十人。這的確是一個龐大的數字。清宮太監比明宮少，約為兩三千人。

明宮內府二十四衙門，包括：十二監——司禮監，御用監，內官監，御馬監，司設監，尚寶監，神宮監，尚膳監，尚衣監，印綬監，直殿監，都知監；四司——惜薪司，寶鈔司，鐘鼓司，混堂司；八局——兵仗局，巾帽局，針工局，內織染局，酒醋面局，司

遜清宮廷裏有品級的太監（二十世紀 20 年代）

苑局，浣衣局，銀作局（《酌中志》卷十六）。如司禮監，設提督太監（大總管），掌印太監（內外章奏），秉筆太監（照內閣票擬批朱），隨堂太監（管章奏文書）和典簿太監（文書保管收發）等。清朝汲取明朝教訓，對太監限制較嚴。乾隆帝奏事太監曾用秦、趙、高三姓，以此自儆秦朝趙高之禍（《清稗類鈔．高宗選秦趙高三姓為太監》）。清末雖出現跋扈太監安得海、李連英，但較東漢、晚唐和明朝，可謂「小巫見大巫」，其權勢和氣焰差了很多。

清順治十二年（一六五五年），命工部鑄鐵牌，書皇帝敕諭：「朕今裁定內官衙門及員數職掌，法制甚明。以後但有犯法干政，竊權納賄，囑託內外衙門，交接滿、漢官員，越分擅奏外事，上言官吏賢否者，即行凌遲處死，定不姑貸。特立鐵牌，世世遵守。」（《清世祖實錄》卷九十二）鐵牌立於交泰殿內，警示後宮太監不得干預朝政。

康熙十六年（一六七七年），設「宮殿監辦事處」，又名「敬事房」。這是清代自康熙朝以後唯一的宦官機構，管理皇帝、后妃、皇子、公主的生活，負責宮內陳設、打掃、守衛，傳奉諭旨，辦理與內務府各衙門的往來檔等事。康熙帝親書「敬事房」匾掛在房內。敬事房在乾清門東側，與南書房對應。

太監的品級，康熙六十一年（一七二二年）定敬事房大總管為五品，清朝授太監職銜從此開始。雍正元年（一七二三年），定敬事房大總管為四品。這是清宮太監最高的職銜。他們每月能得到銀八兩，米八斛（清制一斛為五斗）。而剛入宮的小太監，每月也領銀二兩，米一斛半（《欽定宮中現行則例》）。他們的年薪超過了七品知縣，還能得到各種名義的賞賜。他們雖然社會地位低下，但是待遇優厚，權力也大。太監是個群體，自然有奸佞，也有賢良。下面先講太監之奸佞。

二　太監之奸

中國歷史上太監擅權亂政，東漢、晚唐和明代是三個高峰期。

東漢從和帝劉肇（九歲繼位）到靈帝劉宏（十二歲繼位），連續八位幼帝。他們繼位時平均年齡為八點六歲，平均壽齡二十一歲，靠外戚輔政；待皇帝成年，不堪外戚專權，便依靠太監勢力，除掉外戚，卻走向另一端——太監專權，掌控朝政，甚至出現大太監孫程殺死外戚，廢掉幼帝，而改立劉保為順帝的現象。

晚唐宦官掌握軍隊，控制皇帝立廢，甚至殺死皇帝。從憲宗李純到昭宗李曄，先後九帝，全由宦官掌控皇帝立廢——或被殺死，或被廢黜，或被擁立，或被軟禁。如被宦官擁立的唐懿宗李漼死後，宦官偽造詔書，立其十二歲的兒子李儇為帝，而把李儇的哥哥殺死，李儇就成為宦官手中的玩偶。

明朝自永樂以後，宦官權力時高時漲，王振、劉瑾、魏忠賢等太監亂政，並結成閹黨。明代太監之禍，實則官宦結合。魏忠賢不過一人，而外廷諸臣附之，官宦勾連，結成閹黨，遺孽餘燼，終以覆國（《明史．閹黨傳》卷三百六）。下面我介紹幾個不肖的太監。

李廣，為明弘治帝的大太監。這個弘治帝就是兒時拖着長頭髮見皇父的那位小皇子。李廣既有權勢又作惡多端，以煉丹符水的邪門左道之術，深得弘治帝的寵信。有個富豪子弟袁相，異想天開，要做駙馬，賄賂李廣，事竟辦成。婚期快到，輿論沸騰，言官彈奏，皇帝大怒。諭旨：袁相黜回，駙馬別選。皇家撕毀婚約，傳為天下笑談。李廣靠工程、節慶、納賄來斂財。

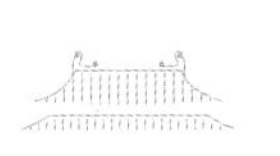

他負責元宵節煙火等專案，花費白銀百餘萬兩，從中貪污。他接受四方官員賄賂，構建豪宅，鑿池堆山，營造花園，引玉泉山水，前後環繞，犯僭越之罪。言官葉紳，江蘇吳江（今蘇州）人，成化進士，專劾李廣八大罪。「帝曰：姑置之。」（《明史·葉紳傳》卷一百八十）沒有扳倒李廣。

事有巧合，惡有報應。李廣在萬歲山建毓秀亭。亭成，幼公主夭殤，接着清寧宮火災。言官借機彈劾李廣。太皇太后也說：「今日李廣，明日李廣，果然禍及矣！」李廣害怕，飲鴆自殺。李廣死後，弘治帝疑其家裏有異書，派太監前去搜索，搜出一本賬簿，記載眾多文武大臣姓名和饋送黃米、白米各千百石。弘治帝驚問：「廣食幾何，乃受米如許？」還有一說：「朕曾去過廣宅，豈能容納如此多的黃米、白米！」左右的人回答：「隱語耳，黃者金，白者銀也。」黃米指黃金，白米指白銀，怕暴露出受賄實情，用隱語來記載（《明史·李廣傳》卷三百四）。

蘇培盛，違反宮禮的事，要從明朝說起。明朝萬曆以後，宮中「對食」、「菜戶」屢見不鮮。花前月下，彼此誓盟，唱隨往還，如同夫婦。有的宮女，喜新厭舊，移情他監，吃醋太監出宮為僧，一去不返（《萬曆野獲編》卷六）。清初嚴防內監與宮女交接，宮規：不許太監與宮女認作親戚，不許太監與宮女嬉笑喧嘩，不許太監與宮女爭路搶行。乾隆以後，宮禁逐漸鬆弛，明宮舊疾復發。出現太監與宮女認親戚、拜姊妹的現象（《欽定宮中現行則例》）。太監蘇培盛是雍正帝御前紅人，乾隆帝剛一繼位，便下諭指責他：總管太監與宮中嬷嬷通好，向日於朕弟兄前或半跪請安，或執手問詢，甚至與總管內務府事務莊親王並坐接談，毫無禮節。又在九州清晏公然與皇子等並坐而食。設總管太監等自行見阿哥等，必當拜跪請安，阿哥等賜坐，必當席地而坐。即內宮之宮眷，雖答應之微，爾總管不可不跪拜也（清雍正十三年十一月《諭旨》）。蘇培盛顯然忘記了那句民諺：「一歲主，百歲奴。」他遭到乾隆帝的嚴厲申斥。

太監是皇帝身邊的人，雖不干政務，但不能得罪。講兩個故事。

廣興，滿洲鑲黃旗人，大學士高晉第十二子。少聰敏，熟案牘，背誦卷宗如瓶瀉水，不餘一字。官刑部侍郎，兼總管內務府大臣。太監鄂羅哩，自乾隆中充近侍，年七十餘，以長者自居，在朝廊與廣興坐着説話。廣興艴然道：「汝輩閹人，當敬謹侍立，安得與大臣論世誼乎？」鄂羅哩對廣興恨之入骨，要想法報復。一次內庫給宮中綢緞數量不夠，品質也差，鄂羅哩奏責在廣興。嘉慶帝命傳諭責問廣興，但廣興不知道是諭旨，有所辯白。鄂羅哩入奏廣興坐聽宣旨。嘉慶帝怒，面詰廣興。廣興申辯，指責太監。嘉慶帝以其不能指實，命免職家居。這時與廣興不和官員，蜂起攻廣興，下獄議絞。嘉慶帝益怒，將廣興處絞，籍其家產，子戍吉林（《清仁宗實錄》卷二〇六）。

戴熙，浙江錢塘人。道光進士，官兵部侍郎，侍直南書房。戴熙字寫得好，尤擅長作畫。要視學廣東，陛辭，諭曰：「古人之作畫，須行萬里路。此行遍歷山川，畫當益進。」（《清史稿．戴熙傳》卷三百九十九）戴熙在南書房時，不善事太監，而吃了大虧。道光帝命戴熙寫扇面，他寫了一個異體字，道光帝令太監傳旨讓他改正。太監傳旨時，不告訴原因，令他另寫。戴熙又寫一幅，而誤字如故。道光帝覽後，以為戴熙故意抗旨，就罷了他的官（《清稗類鈔．戴文節不善事內監》）。

當然，太監也有賢者。

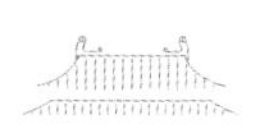

三 太監之賢

明太祖朱元璋定都南京，鑒於前代宦官之失，設置宦官不及百人。有規定：宦官不得兼外臣文武銜，不得禦外臣冠服，不得官過四品。特鐫鐵牌，置於宮門：「內臣不得干預政事，預者斬。」有老閹供事久，一日從容語及政事，帝大怒，即日斥還鄉。但是，朱元璋也自違規定，有趙成者，洪武八年（一三七五年）以內侍使河州買馬。燕王兵近南京，太監多逃入軍中，報告朝廷虛實。燕王以為忠於己，而狗兒輩復以軍功得幸，即位後遂多所委任。永樂元年（一四〇三年），太監李興奉敕前往慰勞暹羅（今泰國）國王。三年（一四〇五年），派太監鄭和率舟師下西洋。又命太監馬靖鎮甘肅，馬騏鎮交址（今越南）。明朝太監出使、專征、監軍、分鎮諸大權，多從永樂開始。太監識字從宣德開始。宣德帝設內書堂，選宮中十歲上下小太監二三百人，入內書堂讀書，遂為定制。數傳之後，勢成積重，始於王振，終於魏忠賢。

許多人一說到太監，對他們印象都很壞。其實不然，太監也有賢者。明朝如鄭和、侯顯、懷恩、李芳、陳矩等，善良正直，做出貢獻。

鄭和，又稱三保太監，鄭和下西洋的故事，家喻戶曉，婦孺皆知。歷永樂、洪熙、宣德三朝，造寶船長四十四丈、寬十八丈，凡六十二艘，經三十餘國（《明史．鄭和傳》卷三百四），是世界航海史上，也是中外文化交流史上的空前壯舉。

侯顯，為司禮監少監，奉命跋涉萬里，到達烏斯藏（今西藏），回朝後，受永樂帝在南京奉天殿召見，並在南京靈谷寺舉行盛大薦福禮儀。史稱：「顯有才辨，強力敢任，五使絕域，交流做出貢獻。

勞績與鄭和亞。」（《明史．侯顯傳》卷三百四）侯顯為明對西藏管轄，也為漢藏、儒佛文化交流做出貢獻。

懷恩，山東高密人，父官太僕寺卿，因罪牽連被抄家。恩年幼被宮為小太監，賜名懷恩。身遭閹割，還要「懷恩」！成化帝時，掌司禮監。時大太監汪直督理西廠。恩班在前，性格忠耿，無所阻撓，諸閹敬憚。懷恩有四件事令人感動。第一件，員外郎林俊疏劾太監，被下詔獄，帝欲誅之。懷恩在帝前，據理力勸。成化帝大怒，抓起硯台，投向懷恩，說：你助林俊謗訕我！懷恩免冠，伏地號哭。成化帝呵他出去。懷恩回宮裏後，稱病不起。成化帝氣消後，遣御醫去看懷恩，命將林俊釋放。第二件，一次，遇到星變，罷諸傳奉太監。御馬監太監王敏請保留馬房的傳奉太監，成化帝應允。王敏謁見懷恩，恩大罵道：「星變，專為我曹壞國政故。今甫欲正之，又為汝壞，天雷擊汝矣！」王敏愧恨，不久即死。第三件，章瑾饋送寶石，請求為錦衣衛鎮撫，懷恩拒收，說：「鎮撫掌詔獄，奈何以賄進！」第四件，尚書王恕以直諫名，恩每歎曰：「天下忠義，斯人而已。」成化帝末，惑萬貴妃言，欲易太子，恩固爭。帝不懌，斥居鳳陽。弘治帝立，召歸，仍掌司禮監，力勸帝逐奸臣，用王恕。王恕任吏部尚書，後無疾而終，享年九十三歲。史稱：「恕揚歷中外四十餘年，剛正清嚴，始終一致。」（《明史．王恕傳》卷一百八十二）一時正人匯進，懷恩之力多也（《明史．懷恩傳》卷三百四）。

李芳，隆慶時太監。先朝嘉靖時工部尚書徐杲，修盧溝橋等工程侵呑嚴重，其屬下又冒濫職銜者以百數。隆慶元年（一五六七年）二月，李芳奏劾，但同類嫉恨。時司禮監太監受寵，爭作鰲山燈，奇技淫巧，引誘皇帝長夜遊飲。李芳切諫，隆慶帝怒，先命芳閑住，繼杖芳八十，下刑部獄待決。尚書毛愷等申救。三個大太監糜費國帑，還在祭祀時戴着進賢冠，爵賞辭謝與六卿同。言官彈劾，皆廷杖削籍。而芳獨久繫獄，後被宥釋放（《明史·李芳傳》卷三百五）。

陳矩，安肅（今河北大名）人。萬曆中，為司禮秉筆太監，又提督東廠，為人平恕識大體。廷臣兩派，都賄陳矩。陳矩正色拒之。萬曆帝欲杖建言參政姜士昌，以陳矩勸諫而止。雲南民殺稅監楊榮，萬曆帝欲盡捕亂者，也以陳矩言獲免。明年奉詔慮囚，御史曹學程以阻封倭酋關白（古代日本職官，相當於丞相）事，繫獄且十年，法司請於陳矩求出，矩謝不敢。已而密白之，竟重釋，餘亦多所平反。又明年卒，賜祠額曰清忠。迨晚年，用事者寥寥，東廠獄中至生青草。帝常膳舊以司禮輪供，後司禮無人，乾清宮管事牌子常雲獨辦，以故偵卒稀簡，中外相安（《明史·陳矩傳》卷三百五）。

此外，嘉慶初，有個宮殿監督領侍張進忠，好批小太監的嘴巴，外號「嘴巴張」。他秉性忠耿，為人嚴厲，馭下整肅，品行端方，嘗奏事內庭，嘉慶帝偶歪坐，張捧黃匣不入。嘉慶帝詢之，張曰：「焉有萬乘之主臥覽天下奏章理也？」嘉慶帝立即正襟危坐。張太監捧疏入，嘉慶帝甚嘉之（《嘯亭雜錄》卷七）。

在人群中，太監群體和其他群體一樣，既有賢者，也有小人。賢者千人嫌少，小人一人顯多。多包容，多積善，親君子，遠小人。

第五十三講　宮女閨怨

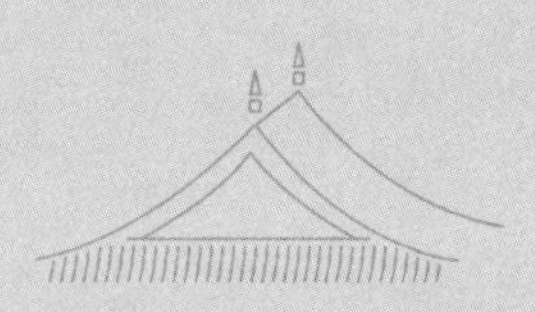

宮女的青春正如現代青少年中學和大學階段，其美貌、智慧、靈巧和心血，都為帝后服務。想寬了如蘇麻喇姑嬪禮下葬的結局，想窄了如宮女五妞投井自殺的悲劇。所以，作為宮女的蘇麻喇姑和五妞，既是宮女人生的兩面鏡子，也是普通人生的兩面鏡子。

⌂ 宮女，指在宮中供役使的女子。青春年華，鎖禁深宮，不見父母，長夜孤燈，終年辛勞，身心雙苦。先講宮女制度，再講宮女悲怨。[1]

一 宮女制度

明清皇宮的女性，主要有四個群體：后妃，乳保，女官，宮女。后妃是皇帝的妻妾，前面已講。乳保是乳母和保母：乳母主要是給幼年皇子和公主餵奶的；保母主要是給幼年皇子和公主護侍的。女官做管理工作，宮女為後宮雜役。她們入宮不易，是經過挑選的。以上四種人，宮女數量，多得驚人。如唐朝，「唐太宗乃有唐令主，觀其一次遣發宮人已及三千，則其餘更有數千人可知」（《清聖祖實錄》卷一百四十四）。唐開元年間，宮女多達四萬（《嘯亭雜錄》卷十）。明朝的宮女，康熙帝聽故明老太監說：明季宮女至九千人，飯食不能遍及，日有餓死者（《清聖祖實錄》卷二百四十）。明朝

1 本節參考楊珍《康熙皇帝一家》（學苑出版社）和楊乃濟《紫禁城行走漫筆》（紫禁城出版社），謹致敬謝。

宮女數字，無法準確統計。如嘉靖朝，九次選入宮女三千餘人。

到隆慶元年（一五六七年），以「先帝選取宮人，所積不下數千餘人。」御史王得春、凌儒「奏請釋放宮女，不報。」（《明穆宗實錄》卷九）隆慶三年（一五六九年），禮部又選進宮女三百人（《明穆宗實錄》卷三十一）。

到晚明，崇禎朝中書舍人陳龍正說：「宮女動以千計，多或至萬。」（《幾亭全書》）她們從入宮到出宮，是怎樣的情景呢？

挑選　明朝挑選宮女，在全天下範圍。如洪武十四年（一三八一年），下令從蘇州、松江、嘉興、湖州等府及浙、贛兩省，選民間十三到十九歲之間未婚的女子以備宮女，選三十到四十歲之間沒有丈夫的婦女以充女官。清朝不同，規定：「每三歲選八旗秀女，戶部主之；每歲選內務府屬旗秀女，內務府主之。」（《清史稿·后妃傳》卷二百十四）這裏需要區分：每三年一次八旗選的是秀女，主要為妃嬪、貴人

遜清宮廷裏的宮女（二十世紀20年代）

等，有的也為宗室子弟選福晉；每年一次內務府屬旗選的，官書也稱秀女，實際是使女（後來也稱宮女），她們主要從事服侍、灑掃、雜役等粗活。內務府包衣三旗，或罪犯留在旗內的，其家屬稱「辛者庫」，被認為是低賤的人。所以，八旗秀女和內務府三旗宮女，其政治地位和社會地位是截然不同的。《宮女談往錄》記載，女孩子長到十三四歲，內務府就要按冊子送交宮裏當差了，這是當奴才應當孝敬的差事。有的人家希望女孩子出去見見世面：一來，每月能掙幾兩銀子，家裏又能按時按節得到賞錢；二來，女孩子學點規矩，在宮裏調理出來的，圖個好名聲，借此往高枝上攀，找個好婆家；三來，真要是嫁個頭等侍衛之類的，再有人一提拔，不幾年也許就發跡了。

培訓　宮女被選入宮後，要進行培訓。宮女的培訓內容：一是文化，每天以一小時寫字及讀書，次日有宮人考查；二是女紅，教以刺繡等活計；三是灑掃等雜役活；四是教宮裏的禮儀和規矩。不合格的出宮，依次遞補。一年後，俊優者侍后妃起居，次者為尚衣、尚飾，再次者做雜役。各有所守，絕不紊亂。出宮之後，任擇婚配。

《宮女談往錄》記載，當宮女的有句話：「老太后好伺候，姑姑不好伺候。」「姑姑」是新宮女對老宮女的稱呼。專管新宮女的姑姑權很大，可以打，可以罰，可以認為你沒出息，調教不出來，打發你當雜役去。不過她們都是當差快滿的人，急着要找替身，自己好回家，也盡心地教，還會替新宮女說幾句好話，以便把自己替換下來。姑姑的火氣非常大，動不動就拿新宮女出氣，常常是不說明原因，就先打先罰。打還好忍受，痛一陣過去了。就怕罰，牆角邊一跪，不一定跪到什麼時候。小姐妹常常哀求：「好姑姑，請您打我吧！」

出路　一是晉封主位。有的宮女，被皇帝看上，如明成化帝的紀妃（弘治帝生母）和萬貴妃，隆慶帝的李妃（萬曆帝生母）等，都是宮女出身。清朝規定：「宮女子侍上，自常在、答應，漸進至妃、嬪。」（《清史稿．后妃傳》二百十四）二是獲任宮廷女官。三是年限滿了，出宮嫁人。

懲罰　明朝宮中，體罰很多。有宮詞云：「十五青娥誦孝經，嬌羞字句未分明，纖纖不忍教扳著，夜雨街頭唱太平。」所謂「教扳著」，就是受罰宮女面北站立，彎腰伸手，自扳兩腳，一彎一立，不停反復，頭暈目眩，重者倒地。所謂「唱太平」，就是受罰宮女提着鈴，每夜從乾清門到日精門、月華門，回到乾清宮前，高唱「天下太平」，聲音緩而長，與鈴聲相應，徐行正步，風雨不避（《天啟宮詞注》）。再嚴重者，處以死刑。明嘉靖帝處死宮女楊金英等就是一例。

出宮　明朝沒有宮女放出的規定，放出宮女，偶爾施行。成化帝即位，大學士李賢上言：天時未和，由陰氣太盛，自宣德至天順間，選取宮人太多，愁怨尤甚，宜皆放還。於是皇帝才放還一些宮女。自宣德元年（一四二六年）到天順八年（一四六四年），已經三十八年，才放了這一次。宣德間進宮的宮女，如十三歲入宮，這時已年過半百了。

清朝宮女，可以出宮。出宮的宮女，有的是因到年齡，有的是因有病，有的是因笨拙，還有的是因犯錯。乾隆帝嘗選秀女，忽見地上出現粉印蓮花，是因她的雕鞋底作蓮花形，裏面裝粉，所以使地上蓮花隨步而生。乾隆帝怒，令內監驅逐其出宮（《清稗類鈔．宮闈篇》）。又如檔案記載：敬事房交出，儲秀宮未滿年限出宮女子，蘭貴人位下因病出宮一名，英嬪位下因病出宮一名，麗貴人位下因笨出宮一名（《內務府奏銷檔》）。又載：敬事房交出，翊坤宮未滿年限出宮女子，祥貴人位下因笨、懶、受責出宮三名，李答應位下因病出宮一名，瑃常在位下因病出宮一名（《內務府奏銷檔》）。清朝宮女按期出宮，大體施行。史載：「後宮使令者，皆係內務府包衣下賤之女，亦於二十五歲放出，從無久居禁內者，誠盛德事也。」（《嘯亭雜錄》卷十）出宮的宮女，官員不能娶。和珅娶出宮女子為次妻，被定為大罪之一。這是為什麼呢？可能怕大臣知道後宮隱秘。

但是，蘇麻喇姑是明清宮女的一個特例。

二 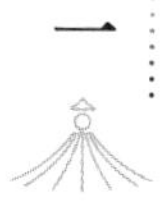 蘇麻喇姑

蘇麻喇姑是清朝一位特殊的宮女。她是莊妃結婚時的陪嫁女，身歷天命、天聰、崇德、順治、康熙五朝。她心靈手巧，擅長女紅，清初定冠服制度，曾參與其事。但是，有一說蘇麻喇姑與康熙帝愛戀得死去活來，是這樣嗎？請看史實。

第一，從身世年齡看。蘇麻喇姑是蒙古族科爾沁部人，出身貧苦牧民之家。她名叫蘇墨兒，被稱為「蘇麻喇姑」。《嘯亭雜錄》記載蘇麻喇姑「終歲不沐浴，惟除夕日，量為洗濯，將其穢水自飲，以為懺悔云」。這刻印着她深受草原文化影響視水如命的舊俗。年僅十三歲的孝莊嫁給皇太極，將年紀相近的蘇麻喇姑作為隨身侍女帶到盛京瀋陽。

康熙帝生於順治十一年（一六五四年），比蘇麻喇姑小四十歲左右，他們應是祖孫輩分的關係。蘇麻喇姑聰明好學，也有悟性，通蒙古語和滿語。寫一手漂亮的滿文。孝莊選她為玄燁「手教國書」。玄燁幼時，「賴其訓迪，手教國書」（《嘯亭續錄》卷四）。蘇麻喇姑是康熙帝的啟蒙老師。

第二，從主僕關係看。先講兩件事。其一，孝莊派隱瞞真實身份的「三位滿族婦女」，去向耶穌會士湯若望求醫，患者很快病癒。求醫病癒者就是順治帝的未婚皇后博爾濟吉特氏。孝莊派蘇麻喇姑給湯若望送去厚禮表示謝意。這說明孝莊太后非常信任蘇麻喇姑。其二，福臨大婚後，內大臣席納布庫對蘇麻喇姑不滿，路遇蘇麻喇姑，將她捶楚致傷，太后托言墜馬，令御醫調治（談遷《北遊錄．紀聞下》）。這說明蘇麻喇姑有時騎馬出宮，為太后辦事。

順治時期，北京痘症流行，康熙帝長兄牛鈕前已夭折，次兄福全被寄養在大臣家裏。玄燁降生後，孝莊命蘇麻喇姑照料孫兒。康熙帝約三歲時，為了避痘，住在宮城西華門外今北長街路東一所宅第（雍正時改名為福佑寺）。康熙帝晚年回憶道：「世祖章皇帝因朕幼年時，未經出痘，令保母護視於紫禁城外。父母膝下，未得一日承歡。」（《清聖祖實錄》卷二百九十）康熙帝幼年在宮外避痘，到皇父逝世前不久，出痘痊癒，重返皇宮。幼年玄燁主要由三個人——保母樸氏（先為順治帝乳母）、乳母瓜爾佳氏和蘇麻喇姑等撫育。她們對玄燁晨昏調護，夙夜殷勤，「克慎克勤，惟愛惟和」（鄂爾泰等修《八旗通志》卷二百三十九）。

第三，從撫子經歷看。蘇麻喇姑不僅照料孝莊的兒子福臨、孫子玄燁，而且撫養其曾孫、康熙帝第十二子履親王允祹將近十年。清后妃中嬪以上主位（含嬪），均可撫養皇子，蘇麻喇姑撫養皇十二子允祹，當是以嬪的地位行事。允祹生於康熙二十四年（一六八五年），生母是萬琉哈氏（享年九十七歲）。蘇麻喇姑先後照顧和調護福臨、玄燁、允祹三代皇子，長達六十二年，是清宮早期一位身份和地位都很特殊的宮女。

第四，從情感稱謂看。孝莊寡居四十四年，身歷五朝，飽經風雨，蘇麻喇姑陪侍左右。福臨有時經月不見母親，玄燁住在宮外避痘，都是得到蘇麻喇姑照看。孝莊雖身為國母，位及至尊，但作為一位女性，不能沒有可訴衷腸之人，而聰穎伶俐、善解人意的隨嫁侍女蘇麻喇姑，則以一顆在情感上同樣欠缺的心伴慰着她，是孝莊可以無話不談的閨密和知己。時宮中稱蘇麻喇姑為「額涅媽媽」（「額涅」，是滿語「額娘、母親」的意思，也可用來泛稱年長的婦人）。還稱其為格格、額娘、母姑，如同家人。蘇麻喇姑的這幾種稱謂，體現出她同孝莊、玄燁及其兒女們之間的關係。玄燁稱其為「額涅」，皇子、公主們則稱其為「媽媽」，合乎情理。蘇麻喇姑沒有子女，她對照料多年的玄燁懷有祖母之愛。

第五，從職務名分看。玄燁是個重感情的人。他幼年時很少得到親生父母愛撫，繼位後對待兒時曾照顧過自己的人，如乳母、保母等格外親近。保母朴氏和乳母瓜爾佳氏，分別被封為「奉聖夫人」與「保聖夫人」。她們去世後，玄燁都親臨弔唁，並前者五次、後者四次遣官諭祭。康熙帝不稱逝者為「乳母」（滿語為「嬤嬤額涅」），而謂「阿母」（滿語為「額涅」，即母親），反映出他對瓜爾佳氏的真摯感情。蘇麻喇姑同瓜爾佳氏、樸氏是受到康熙帝敬重的三位長輩。

蘇麻喇姑在宮中的名分，並不算高，在嬪之下，介於「主子」與宮役之間。她是按此名分，領取宮內一應錢物，其數額甚至不及玄燁的乳母。玄燁對瓜爾佳氏和蘇麻喇姑，都懷有深情，但兩相比較，他與瓜爾佳氏更為親近，對蘇麻喇姑則更為敬重，因為前者是其乳母，而後者是其祖母輩的啟蒙老師。

第六，從患病葬禮看。康熙四十四年（一七〇五年）八月末，蘇麻喇姑患「血痢」，日瀉十餘次，夜間五六次。康熙帝降旨：「着十二阿哥（允祹）日夜看護。」她不肯服藥，只答應戴止血石在身上。她說，主子原本知道，自己「從小不吃任何藥」。蘇麻喇姑病逝，年近九十高齡，時距孝莊去世已十八年。在京年輕皇子知道後，立即趕至病榻前。康熙帝朱批：「將媽媽（遺體）存放七日後，再洗身穿衣。因朕（本月）十五才能抵京，故再存放七日，俟朕到家後再定奪。」允祹請求「百天之內供獻飯食，三七念經」。得到允准。

蘇麻喇姑去世後，被「葬以嬪禮，瘞於昭西陵側，以示寵也」（《嘯亭續錄》卷四）。清嬪喪禮，康熙間定：「嬪薨逝，皇帝輟朝三日。大內以下，宗室以上，二日內咸素服，不祭神；嬪所生暨撫養皇子、皇子福晉，截髮辮，剪髮，摘冠纓，去首飾成服，二十七日除服，百日剃頭。」（《光緒大清會典事例》卷四百九十五）

蘇麻喇姑的人生，值得人們思考。蘇麻喇姑是清宮一位身歷天命、天聰、崇德、順治、康熙五朝，服侍孝莊、順治、康熙、允祹四代，忠實可信、勤懇細心、竭盡心力、始終如一的老宮女。最後榮以嬪禮下葬，算是得到靈魂安慰。蘇麻喇姑，地位不高，掙錢不多，但她「克慎克勤，惟愛惟和」，生前受人尊重，身後被人懷念，此生，足矣！

但與蘇麻喇姑相反，宮女五妞的結局，卻是十分悲慘。

三　五妞自殺

宮女在宮中，面對着三種關係：與主子的關係，與太監的關係，與同伴的關係。她們在宮中地位低下，沒有獨立人格，處於青春時期，長期閉塞孤寂，心靈苦惱，無處發洩，宮女自殺，時有發生。

《宮女談往錄》裏講過一段外人不知道的關於宮女的兩條規矩：一是「許打不許罵」，二是「打人不打臉」。為什麼「不許罵」呢？因為她們的祖先都是從龍入關的，罵誰老家也不合適。因為不許罵，所以只能用打來出氣了。為什麼「不打臉」呢？大概因為臉是女人的本錢，女人一生榮華富貴多半在臉上。掌嘴是太監常見的事，可在宮女就不許，除非做出下賤的事來。宮女頭上的暴栗子（疙瘩），是經常不斷的。先打後說，這已成為宮裏的規矩。說宮女是打出來的，這話一點也不過分。「許打不許罵」，結果打出人命來。在乾隆朝先後發生兩個五妞（同名）宮女因打而引發的自殺事件。

宮女五妞自殺未遂事件　乾隆十五年（一七五〇年）九月初五日，寧壽宮西所洛貴人的宮女五妞，到太監趙國寶住處，用小刀自刎尋死，後被人救治。此事上奏乾隆帝，諭旨：「將太監趙國寶上九條鎖，交內務府總管。」經審訊，

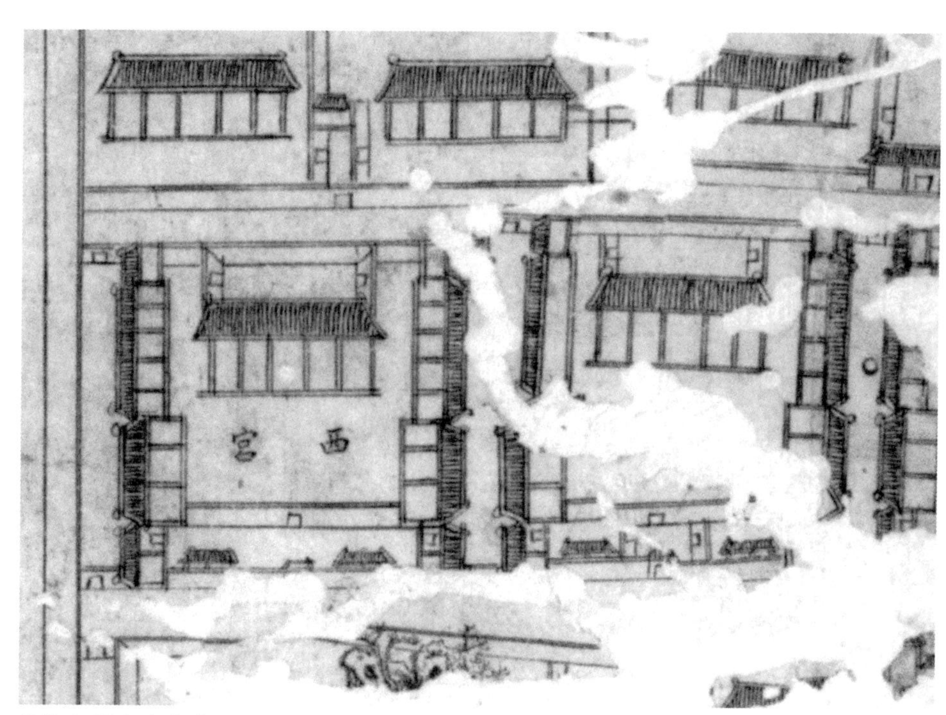

乾隆年間寧壽宮東西所平面圖

太監趙國寶供：他是東安縣（今河北省廊坊市）人，時年三十六歲。九歲淨身入宮，在寧壽宮西所當差。宮女五妞與他相好，替他漿洗衣物。後雙方發生口角，五妞不再漿洗，兩人反目成仇。先是八月中旬，趙國寶因與主子洛貴人頂嘴，被交給首領太監管教，因此心存不滿，私下抱怨洛貴人，恰被五妞聽到，說他罵了主子。趙國寶由此懷恨在心，欲行報復。九月初五日，趙國寶密告洛貴人說：五妞每晚二更或三更時分都在燒香，恐怕不小心失火（火是宮中大忌），還借燒香詛咒人。他還向洛貴人說五妞偷過主子的東西。當晚二更，趙國寶值班去後，聽到宮中有人聲喧嘩，找尋失蹤宮女，直到從他所住屋內找到五妞，他這才知道五妞在他的房裏自殺之事。

宮女五妞的供詞則與趙國寶不盡相同。她是原內務府拜唐阿（當差）沈常韶之女，時

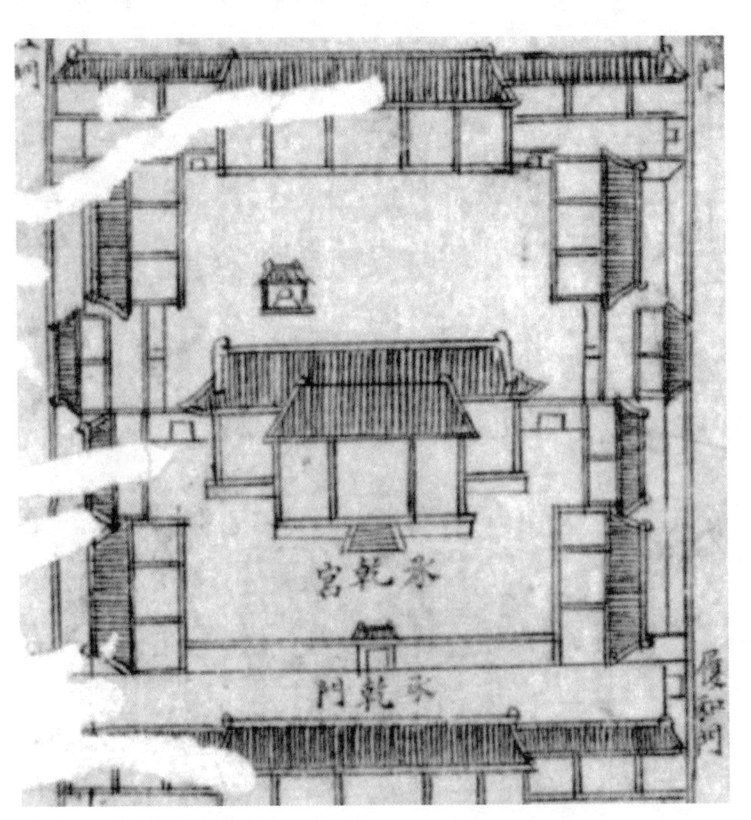

乾隆年間承乾宮平面圖

年十八歲。五年前進宮時，與太監趙國寶並無相好之事。趙的衣物原來是由宮女巴顏珠替他漿洗，後巴顏珠年滿二十五歲出宮，趙國寶就讓五妞給他漿洗衣物，稍不順眼，開口便罵，五妞不堪忍受，兩人反目。這天聽說趙國寶向主子洛貴人告她偷竊、咒人後，五妞極度驚恐，因為從前曾發生過某宮女偷竊主子白蠟事件，該宮女在被打八十大板後，逐出了宮門。為了免於被逐的恥辱，情急無奈的五妞選擇了自殺。九月初五夜，她在西所的東牆根下，靠着台階放了一張馬杌子，上面再放一個小板凳，扒上牆頭，順着牆外棗樹溜出宮牆，來到趙國寶的屋內抹了脖子。

這一宮女五妞自殺事件，觸犯了《欽定宮中現行則例》的規定：

其一，宮女與太監不許私交。康熙四十四年（一七〇五年）諭旨：近來太監不守規矩，與各宮內女子、親戚、叔伯、姐妹，往來結識，斷乎不可。太監趙國寶和宮女五妞，兩人都違反了宮規。

其二，宮女與太監不許自傷。宮規：「凡太監、女子，在宮內用金刃自傷者，斬立決；欲行自縊自盡，經人救活者，絞監候。」可見，五妞冒死選擇走上自殺之路，確是極端恐懼後，萬念俱灰，死意已決。

乾隆帝聽奏後，諭旨將太監趙國寶發往黑龍江，給披甲人為奴，將宮女五妞給年老有病的宮女使喚，永遠不許出宮。

宮女五妞投井自殺事件 乾隆五十三年（一七八八年）三月十六日午前，承乾宮的宮女九妞，奉那答應之命，尋找宮女五妞（與上述自刎未死的五妞並非一人），沒有找到，就告知首領太監昌進朝到各處尋找，在井亭邊見有棉襖和女鞋，便懷疑五妞投井了。於是稟告總管太監，傳來石匠夫役，將井幫撬開，打撈出五妞屍體，並傳來穩婆[2]（女驗屍者）、仵作（男驗屍者）到現場驗屍。經驗得：十七歲的五妞面色微赤，兩眼泡閉，兩鼻竅連口內俱有水沫流出，左肩甲（胛）有青赤傷一處，量長六分、闊三分，木器傷。臍肚以下穩婆驗：左臀偏左腿有青赤傷一處，量長五寸五分、闊三寸二分，重疊木器傷。右腿有青赤傷一處，量長三寸、闊二寸二分，重疊木器傷。左腿肚近下有青赤傷一處，量斜長一寸六分，闊六分，木器傷。右腿肚偏右有青赤傷一處，量斜長一寸六分，闊六分，木器傷。肚腹膨脹，十指微曲，十指甲縫俱有沙泥，係身帶木傷水淹身死。驗屍之後，內務府大臣伊齡阿等親臨現場實地考察，並詢問承乾宮有關太監、宮女等，得出的結論是：「五妞受責後投井身死。」伊齡阿向乾隆帝奏報，其中對打人者及其主事者的責任隻字未談。乾隆帝閱折後，口傳朱批：「知道了。欽此。」一件宮女命案就這樣結束了。

宮女也是人。她們的青春——正值現代青少年中學和大學階段，其美貌、智慧、靈巧和心血，都為帝后服務。想寬了如蘇麻喇姑嬪禮下葬的結局，想窄了如宮女五妞

2 穩婆，《六部成語・刑部・穩婆》注解：「驗屍之女役也。」就是驗女屍者。仵作，《中文大辭典・仵作》釋文：宋已有之，舊時官署驗男屍者。仵作驗男屍，穩婆驗女屍。

投井自殺的悲劇。所以，作為宮女的蘇麻喇姑和五妞，既是宮女人生的兩面鏡子，也是普通人生的兩面鏡子。

第五十四講　宮廷御膳

「王天下者食天下。」皇帝君臨天下，吃遍天下山珍海味、新鮮珍奇的食品。雖享受天下美味，但皇帝的飲食缺乏監督，缺乏科學，缺乏節制，缺乏平衡。這是帝王多短壽的一大原因。

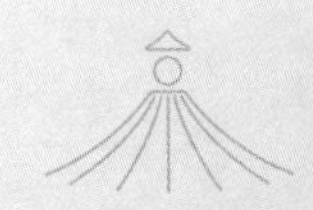

⌂ 明清皇家的御膳，就是皇家吃飯——吃什麼，怎麼供，怎麼做，怎麼吃。分作三點，簡要介紹。[1]

一 宮廷膳食

「王天下者食天下」。皇帝君臨天下，吃遍天下山珍海味、鮮美稀罕的食品。管理宮廷膳食的機構，明主要是尚膳監等機構。清總機構是御茶膳房，在箭亭東，為膳食總匯，分發各自膳房、灶房等。宮廷御膳食品的來源，主要有三：貢、買、種。

一**說貢**。明上林苑是宮廷食品的重要供應者。明初，各地貢香米、人參、黃酒等，南京附近貢黃牛、糖蜜、果品、腒脯、酥油、茶芽、粳糯、粟米（《明史·食貨六》卷八十二）。清帝御膳的主食——五穀雜糧有：東北的黏高粱米粉子，山西的飛羅白麵，陝西的紫麥，寶雞的玉麥，蘭州、西安的掛麵，山東的抻麵、博粉，廣西的葛仙米，河南的玉麥麵，河北的福壽字餑餑，山東的耿

1 本節參閱邱仲麟，〈皇帝的餐桌：明代的宮膳制度及其相關問題〉，《臺大歷史學報》二十四期（二〇〇四年），頁一—四十二。

餅，安徽的青餅。在北京僅選用玉泉山、豐澤園、湯泉三處的黃、白、紫三色老米。副食方面——有直隸進奶豬、乳羊、雞、野雞、鴨，崇文門每年春季進的黃花魚，秋季進的銀魚，直隸保德州冬季進的石華魚，山東進的麒麟菜、海帶、紫菜、吉祥菜、魚翅，兩淮進的風乾豬肉、糟鵝蛋、糟鴨蛋，湖廣進的銀魚乾、蝦米，外藩蒙古進的鹿肉乾，長蘆鹽政進的豬、羊、雞、鴨、魚等。小菜方面——有山東的扁豆、鳳尾菜，浙江的醬菜，江蘇的小菜，福建的閩薑等。

貢鮮魚　如江蘇鎮江貢鰣魚。鰣魚是今南京、鎮江一帶的特產。每年春季溯江而上，初夏時洄游甩子。鰣魚稀缺，味美鮮嫩，價錢昂貴，明為貢品，清廷沿習。每年第一網鰣魚，送皇帝嘗鮮。宮廷在桃花盛開的時候，舉行「鰣魚宴」，皇帝賜朝廷重臣一同品嘗。鰣魚捕到後，用冰船和快馬，分水、旱兩路，沿途設冰窖、魚場保鮮，行程三千里，限三天內送到。鰣魚一到，立即烹調。民謠云：「三千里路不三日，知斃幾人馬幾匹。馬傷人死何足論，只求好魚呈聖尊。」

貢鮮果　明代如天順八年（一四六四年），光祿果品物料凡百二十六萬八千餘斤（《明史・食貨六》卷八十二）。後來數字大體相仿。清代數量也很大。太后、后妃、皇子、公主等都有分例。如皇后每日鮮果二筐，甜桃、蘋果、秋梨、紅梨、棠梨各十個，葡萄三斤，做餡桃仁二兩，黑棗三兩二錢。各地果園、地方大員，交納果品。如盛京將軍送香水梨一千個，甘肅提督送哈密瓜六十個等。

清康熙時蘇州織造李煦等按季進貢：春季，貢碧螺春茶；初夏，貢蘇州枇杷果；秋季，貢蘇州洞庭山杏子；入冬，貢冬筍。康熙三十七年（一六九八年）十月，李煦向清宮呈進：「佛手計二桶，香橼計二桶，荔枝計二桶，桂圓計二桶，百合計二桶，青果計二桶，木瓜計二桶，桂花露計一箱，玫瑰露計一箱，薔薇露計一箱，泉酒計一壇。」

二說買。有的東西，官府出錢，鋪行採買，卻常賒帳。「買於京師鋪戶，價直不時給，市井負累。」（《明史．食貨六》卷八十二）關於宮廷採買的花費，有兩個小故事。

明隆慶帝有一天想吃果餡餅，第二天御膳房做麵食的、剝乾果的、製糖的等開支五十兩白銀，這個數接近一位知縣一年的工資。隆慶帝笑道：「只須銀五錢，便可在東華門口買一大匣也。」原來他在做皇子的時候，早就知道市面上果餡餅的價錢（《兩般秋雨盦隨筆》）。

清乾隆帝有一天召見大學士汪由敦，問道：「卿昧爽趨朝，在家亦曾用點心否？」汪答：「臣家計貧，每晨餐不過雞子數枚而已。」乾隆帝愕然道：「雞子一枚需十金，四枚則四十金矣，朕尚不敢如此縱欲，卿乃自言貧乎？」汪由敦不敢直言，就巧辯地回答：市面賣的雞子，都是殘破的，臣買的便宜，每個只幾文錢（《春冰室野乘》）。事情無獨有偶。光緒帝每日必吃四個雞蛋，而御膳房開價是白銀三十兩（《南亭筆記》）。

三說種。明嘉靖帝在西苑（今中南海）種田，清康熙帝也在西苑種田。他在西苑豐澤園，辟一片水田，種植稻穀，每年收穫。他在避暑山莊也有田種莊稼。講一個故事。六月

養心殿御膳房

的一天，康熙帝在西苑稻田邊走，時稻子剛抽穗，忽見一棵高出眾稻之上，籽粒飽滿，他掐下稻穗，收回宮裏。來年播下，此種先熟。於是將稻穗掐下再種。年復一年，生生不已。這種稻米，色微紅而粒長，氣香郁而味美，一歲兩熟，稱作「御稻米」（玄燁《幾暇格物編．御稻米》）。康熙帝說：「四十餘年以來，內膳所進，皆此米也。」在皇宮，在熱河，吃的都是自己種的御稻米。清在玉泉山開闢水田，種御稻。這就是「京西稻」的來源。後康熙帝命官在天津推廣，改良鹼地，獲得成功。這是天津「小站稻」的來源。當然，宮廷御園種稻，只是象徵而已。

俗話說：「美食不如美器」。宮廷食器，極其精美，價值昂貴，

清宮御用五件套餐具

種類繁多，如金、銀、銅、錫、瓷、漆、玉、角等器皿，又如琺瑯、象牙、翡翠、瑪瑙、玻璃等質料。其中如明宮膳食器皿，有南京工部燒造三十萬七千，還有江西饒州燒造金龍鳳白瓷諸器，內廷燒造朱紅膳盒諸器等（《明史．食貨六》卷八十二）。如皇帝用的金壺、金杯、金盤、翡翠碗、瑪瑙碗等。還有五件套的餐具：（一）銅胎鍍金掐絲琺瑯萬壽無疆碗，（二）青玉柄金羹匙，（三）青玉鑲金箸（筷子），（四）金鑲紫檀把果叉，（五）乾隆款金胎琺瑯柄鞘刀（《清宮生活圖典》）。上述餐具，可見一斑。

明宮的廚役，洪熙時六千三百餘名，成化時近八千名（《明史．食貨六》卷八十二）。最多時達九千四百多人。清宮廚師，比明少些。廚師規矩，非常嚴格。如明制：「造御膳，誤犯食禁，廚子杖一百；若飲食之物不潔淨者，杖八十；揀擇不精者，杖六十；不品嘗者，笞五十。」（正德《大明會典》卷一百二十九）清朝宮廷廚師，來自四個方面：其一是「從龍入關」帶來的滿洲廚師，他們多子承父藝，為清宮廚師的主體。其二是沿襲明宮的山東廚師。其三是康乾南巡時帶回的淮揚、蘇杭的南方廚師。後乾隆帝指名要某人做某飯菜。其四是帝后依飲食愛好選用的廚師。如乾隆帝的維吾爾族香妃，特為她招來回族廚師，做清真膳。清末民初溥儀御膳房十幾名廚師中，烹飪廚師鄭大水和主食廚師鄭恩福，是從北京著名飯莊召來的。

二 帝后進膳

天下美味食品進入宮廷，清帝享受美食佳餚文化。宮廷帝后是怎樣用膳的呢？本節分開來

《觀花行樂圖》

講。

御膳時間。明帝用膳，一日三餐，日出而作，日落而息，這是農耕文化的三餐習俗。明帝重視晚餐，晚餐吃飯、飲酒、賞樂、觀舞等外，還欽點侍寢的宮眷一同用膳。清帝用膳，一日兩餐，這源於其先祖日出上山，過午回家，這是森林文化漁獵採集經濟的兩餐習俗。清帝用膳，時間固定。清帝每天有早、晚兩膳，早膳卯正（六時）二刻，晚膳午正（十二時）二刻（《養吉齋叢錄》）。御膳時間，隨季變化。夏、秋季，晝長夜短，早、晚膳則提早半個時辰；冬、春季，晝短夜長，早、晚膳則推後半個時辰。特殊情況，也有變通。除正餐外，隨時需要，另行承應。

御膳地點。雍正以前，皇帝用膳地點主要在乾清宮及其附近，而後經常在養心殿東暖閣進膳。但飯隨帝走，地點

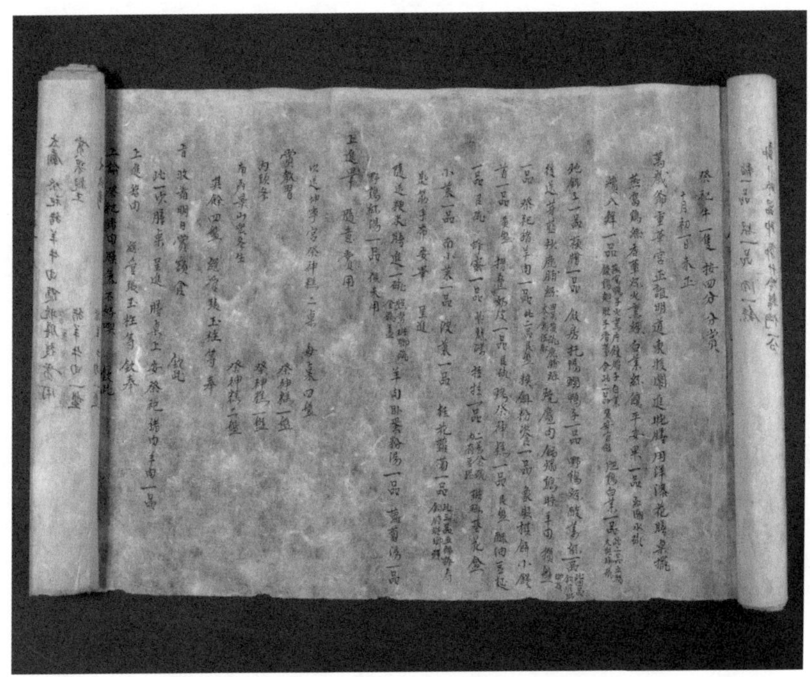

清宮膳單

不固定。皇帝走到哪兒，傳膳就跟到那裏。皇帝身邊總有幾個「背桌子」的侍從。皇帝想吃飯，一聲「傳膳」令下，侍從立即將三張膳桌一字擺開。傳膳太監手捧膳盒，從御膳房到皇帝用膳的地方，一溜小跑，魚貫而入，把御膳房已準備好的飯、菜、粥、湯等擺在膳桌上。宮外露餐，有圖為證。如清宮廷畫家繪製的雍正帝《行樂圖》，縱二百〇六釐米，橫一百〇一點六釐米，色彩鮮豔，佈局和諧。描繪在春暖花開的季節，雍正帝及眾皇子等人在苑囿中遊樂，正要擺膳的情景。右邊山石上放着盛食品用的提盒、捧盒、果盒、執壺、酒杯、茶壺及碗、箸（筷子）等。疊石間盛開着玉蘭、海棠、牡丹等，寓意「玉堂富貴」（萬依主編《清宮生活用具》）。

皇帝進膳有膳單，就是食譜、菜譜，御膳所用食品及烹調廚師，逐日開單，具稿畫行。每日用膳前，膳單要寫明某菜為某廚師烹製，以備核查。膳單匯總，月成一冊。

御膳特色。明宮以魯菜、

花梨木雕提梁食挑盒

蘇菜、皖菜為主。清宮飲食特點，主要有五：滿洲風味為主；蒸燉煮燒居多；南北風味兼取；加進西餐元素；忌吃牛肉狗肉。總之，兼採滿漢、南北、中西之長，體現出清廷融合多元飲食文化的情懷。

（一）滿洲風味為主。滿洲屬於東北森林文化，其祖先生活於白山黑水之間，習慣於吃獵捕的飛禽（如飛龍、野雞、山雀）、走獸（如鹿、狍、熊掌、獐子、野豬）、魚類（如鱘鰉魚、鯉魚），採摘的山珍（如蘑菇、木耳、松茸）等。《北京竹枝詞》寫道：「關東貨始到京城，各路全開狍鹿棚。鹿尾鯉魚風味別，發祥水土想陪京。」滿洲崛起之後，吸收漢人食品。清帝入主中原，吸收關內食品。滿洲風味菜肴，溥儀出宮之後，故宮廚師傳廚藝到今北海仿膳和頤和園聽鸝館等餐館。

（二）蒸燉煮燒居多。主食以面、副食以肉為主。烹飪以煮、燉、蒸、燒、烤、炸為主。如乾隆帝晚年一次早膳，有燕窩燴糟鴨子熱鍋一品，燕窩掛爐鴨子熱鍋一品，燕窩鴨絲熱鍋一品，燕窩白鴨子一品，口蘑拆肉一品，托湯鴨子一品等。這麼多的火鍋，是因為關外氣候寒冷，又便於加熱保溫，特別是冬天可以在爐火上或在熱水中長時間煨着，方便帝后隨時傳膳。

（三）南北風味兼取。原明宮廚師有山東人、江南人等，清初帝后嘗到魯菜和蘇菜的美味。魯菜如全聚德烤鴨進入宮廷。清朝康熙帝和乾隆帝各六次南巡，地方官員接駕，呈進淮揚菜、蘇杭菜品嘗。回京後，康熙帝「改燔炙為肴羹」（《清史稿·禮志七》卷八十八），烹飪方法，有所改變。器皿既有大碗大盤，也有小碗小碟。乾隆時御膳房有「蘇州廚役」張成、張東官、宋元等人，做淮揚、蘇杭佳餚美味。從此，清宮御膳，滿漢兼取，南北兼味。

（四）加進西餐元素。耶穌會士來華，西餐影響宮廷。法國傳教士張誠等在京，康熙帝在暢春園款待他們，所賜食品有「堆成金字塔形的冷肉」，有「用肉凍、豆莢、菜花或菜心拼成的冷盤」。康熙帝還邀請傳教士一起用除夕晚膳，賜給他們「年飯」十二盤菜肴，二十一種果品。菜肴、果品一改滿洲烹製方法，中西餐結合。乾隆帝吃過西餐。乾隆十八年（一七五三年），命先後製作「西洋叉子」、西洋小刀、西洋布墊單。晚清和民初，溥儀對西餐感興趣。他讓廚師鄭大水向外國廚師學做西餐和擺飾餐桌，還在紫禁城麗景軒設置西餐飯房。

（五）御膳兩大禁忌：一是不吃牛肉（可用牛奶），二是不吃狗肉。

為什麼不吃牛肉呢？清在關外，重視農耕。耕牛奇缺，明又禁賣。所以清初規定，除重大祭祀等外，不准宰殺耕牛。入關後，就是薩滿祭祀的耕牛也不宰殺，而是賣掉，形成不吃牛肉的習俗。

為什麼不吃狗肉呢？相傳清太祖努爾哈赤在危難之時，被犬救了性命。所以，滿洲習俗，不吃狗肉，不穿狗皮。

清帝的膳食，舉幾個例子。

康熙帝尚節儉。康熙帝鑒於明因奢而亡的教訓，戒奢華，行節儉。他平日兩膳，每膳一味，不食兼味，多餘部分，賞賜他人。兩膳之後，「夜不可飯食，遇晚則寢」。提倡多蔬食，「每兼菜食之則少病，於體有益」。對於鮮果及菜蔬，不可過貪，略嘗而已。他不主張吃反季節蔬果，「必待成熟之時始食之，此亦養身之要也」（《庭訓格言》）。在外巡幸時，遇到當地官民供獻吃食，僅「取米一撮、果一枚」，不可貪食。康熙帝提倡節儉，「明光祿寺每年送內用錢糧二十四萬餘兩，今每年只用三萬餘兩」，為明代八分之一。康熙帝說：「朕之調攝，惟飲食有節，起居有常，如是而已。」（《清聖祖實錄》卷二百三十）雍正帝也注意不浪費飯菜，諭膳房：剩飯剩菜不可抛棄溝渠，可與服役人吃；人不能吃，可喂貓狗；再不可用，就曬乾以飼禽鳥（《清雍正二年六月諭旨》）。

乾隆帝重養生。乾隆帝吃飯重養生，講究葷素、貴賤搭配。滿洲入關，已過百年。關外人常食含熱量高的鹿肉、熊掌，濕熱相搏，容易得病。乾隆帝對飲食結構進行調整，並規定皇帝、太后、皇后標準：每次進膳用全份膳四十八品；每天用盤肉十六斤、湯肉十斤、豬肉十斤、羊兩隻、雞五隻、鴨三隻、蔬菜十九斤、蘿蔔六十個、蔥六斤、玉泉酒四兩、青醬三斤、醋兩斤和米、麵、香油、奶酒、酥油、蜂蜜、白糖、芝麻、核桃仁、黑棗等。皇后以下妃嬪等，按等級相應遞減。

乾隆帝八十九歲高壽，他除習武狩獵、嗜好書法、讀書作詩、注重健身外，還注重食醫保健。每年春季，他要清宮食榆錢餑餑、榆錢糕、榆錢餅。他自己吃，還以此祭祖，表示不忘本。初夏食碾轉兒（嫩麥製作），端午吃粽子，重陽吃花糕。隨季節，吃蔬菜——黃瓜蘸麵醬、炒鮮豌豆、蒜茄子、芥菜纓、酸黃瓜、酸韭菜、秕子米飯等。乾隆帝在避暑山莊如意洲的一頓晚膳很有意思：這頓御膳既有雞、鴨、豬、羊、狍五種肉食，又有白菜、蘿蔔、扁豆、茄子、鮮蘑五種蔬菜；主食還加大棗、豆餡，並點了兩道農家素菜——拌豆腐和拌茄泥。這種葷素搭配、粗細兼顧、糧菜互補、食品多樣的合理膳食，有利健康，有益長壽（李國榮主編《清宮檔案揭秘》）。

道光帝太摳門。道光帝時，財政窘困，入不敷出。他簡樸得出奇，如夏天覺得吃西瓜貴，令太監「取消西瓜，只供水」。道光帝一年四季每日早晚兩膳，都以「五品」為限，就是主、副食各五品；道光七年（一八二七年）除夕晚膳和翌晨正旦早膳，也是各五品。他宣諭：「朕居阿哥所時，自奉極約，每晚只買燒餅五個，朕與孝穆皇后各食二個，餘其一給大阿哥食之。」他規定嬪侍非慶典不得食肉（《清宮述聞》）。

三 節令飲食

宮裏重視過節，除了三大節（元旦、中秋、萬壽）之外，一年四季，不同節令，宮廷都有不同過節飲食（劉若愚《酌中志》）。

元旦節 明宮正月初一日，五更起床，飲椒柏酒，吃水點心、就是餃子。餃子裏包着錢，圖討個吉利。明宮還吃「百事大吉盒」，把柿餅、荔枝、桂圓、栗子、紅棗等裝在一個盒裏，大家共食，分享吉祥。後來北京過年吃「雜拌兒」，有人認為是由此而來的。清宮元旦早四時起，皇帝到堂子、奉先殿行禮後，回乾清宮進奶茶，後到西側弘德殿，進吉祥餑餑，就是吃餃子。其中一個餑餑內包小銀錁，放在表面，一口咬住，象徵吉利。

元宵節 宋以來有在元宵夜吃煮浮圓子的習俗，所以上元節又稱元宵節。明宮自正月初九起，要逛燈市買燈。十五日，吃元宵。元宵的製法是用核桃仁、白糖、玫瑰等做餡，灑水滾糯米細麵而成，與現在的元宵相似。清宮在正月十五日前後，帝后、妃嬪等在晚膳中都有「元宵一品」，乾隆帝在南巡路上也是如此。

二月二 明宮各宮門撤出所設之彩妝（門神），各家吃油炸黍面棗糕，或吃黍子煎餅，名曰「薰蟲」。是時吃河豚，飲蘆芽湯，以解毒火。

清明節 坤寧宮後院及東西六宮，「皆安秋千一架」（《酌中志》卷二十）。烙春餅，吃寒食。民間吃香椿芽拌面，柳葉拌豆腐，這也影響到宮廷的飲食。

四月四 牡丹盛開過後，即設席賞芍藥花。初八日進不落夾，即用葦葉包糯米，長可三四寸，闊一寸，味與粽子相同。是月內還嘗櫻桃，為本年諸果新味之始。吃筍雞，吃白煮豬肉。又以各樣精肥肉、薑、蔥、蒜，搓如豆粒大小，拌在飯裏，以大萵筍葉裹食之，名曰「包兒飯」。四月末，取新麥穗煮熟，剝去芒殼，磨成細條食之，名曰「稔轉兒」，為嘗本年五穀新味之始。

端午節 明宮端午時，飲朱砂、雄黃、菖蒲酒，吃粽子，吃加蒜過水面。夏至後伏日，戴草麻子葉，吃「長命菜」，即馬齒莧。清宮五月初一到初五，帝后、妃嬪等用膳時，都有粽子，並用粽子供神敬祖。

三伏日 明宮每年六月初六日吃過水面，宣武門外要洗象。初伏、中伏、末伏日，也吃過水面。吃銀苗菜，即藕之新嫩根。初伏日造曲，以白麵用綠豆黃加料和成曬之。末伏前立秋之日，吃蓮蓬、藕。天啟帝愛吃鮮蓮子湯，又好吃鮮西瓜子，微加鹽焙熟用之。

中秋節 明宮自八月初一日起，即有賣月餅者，加以西瓜、藕，互相饋送。西苑也採藕。到中秋節，供月餅瓜果，待月亮上升，焚香之後，大肆飲宴，有時徹夜，始散宴席。中秋蟹肥，用蒲包蒸熟，大家五六成群，攢坐共食，嬉嬉笑笑，自揭臍蓋，細細挑剔，蘸醋蒜以佐酒。或剔蟹胸骨，八路完整如蝴蝶式者，以為最巧。食畢，飲蘇葉湯。另有大石榴，大瑪瑙葡萄，此時剪下，封存缸內，可存到正月，尚鮮甜可口。清宮中秋節，由皇帝拈香行禮，再由后妃等行禮；若在避暑山莊，就在煙波致爽院內擺月供，有月餅多種，祭畢分賜宮內眾人。隨往山莊的妃嬪、阿哥等，每位各有自來紅月餅一盤。

重陽節 明宮自九月初一日起，吃花糕。初九日為重陽節，皇帝到萬歲山或兔兒山登高，吃迎霜麻辣兔，喝菊花酒。是月，還要吃龍眼、糟瓜茄，喝牛奶等。王世貞〈弘治宮詞〉云：「雪乳冰糖巧簇新，坤寧尚食豐慈綸。」

臘八節 明清宮廷自十二月初一日起，便吃灌腸、油渣鹵煮豬頭肉、燴羊頭肉，火碟鐵腳小雀加雞子，清蒸牛乳白、酒糟蚶、糟蟹、火碟銀魚、醋溜鯉魚。初八日，吃臘八粥。粳米、白果、核桃仁、栗子、菱米煮粥，供佛、聖前，及戶牖、園樹、井灶之上。舉家皆食，亦互相饋贈。清宮臘八粥用料為黃米、白米、江米、小米、黍米、紫米、薏仁米、菱角米等，外加桃仁、杏仁、瓜子仁、花生仁、榛仁、松子、蓮子、栗子八樣等。

中國農耕文化，重視二十四節氣，每個農曆節日，都有文化含義。

皇帝的飲食，雖享盡天下珍鮮美味；但其飲食缺乏監督，缺乏科學，缺乏節制，缺乏平衡。這是帝王多短壽的一大原因。

第五十五講　宮廷造辦

清康雍乾時期，為古代瓷器工藝的高峰；雖都華美，但有不同。瓷如其人，人如其政——康熙瓷器質樸，雍正瓷器雅重，乾隆瓷器華麗。這和康雍乾三帝之為人、為政，何其相似乃爾！

⌂ 清宮造辦處是內務府下屬負責宮廷器物製造、維修和貯存的機構。宮廷造辦器物，既可見帝王生活之華奢，又可見各行匠師之智巧。

一  內府造辦

內府早有造辦機構，如宋內苑造作所，明御用監，都下設作坊。清康熙時設養心殿造辦處和武英殿造辦處。前者，包括養心殿內、慈寧宮內和白虎殿後的房屋三百餘間。武英殿造辦處後來以修書為主，為武英殿修書處。造辦處在地方有分支機構，如江寧、蘇州、杭州織造局和江西景德鎮御窰廠等。

造辦處下設機構，乾隆中期，調整為七類四十二作：一類有匣作、裱作、畫作、廣木作四作，二類有木作、漆作、雕鑾作、鏇作、刻字作五作，三類有燈作、裁作、花兒作、條兒作、穿珠作、皮作、繡作七作，四類有鍍金作、玉作、累絲作、鏨花作、鑲嵌作、牙作、硯作七作，五類有銅作、鋄[1]作、雜活作、風槍作、眼鏡作五作，

1 鋄：《王力古漢語詞典》音「晚」，馬冠，馬頭上的裝飾物；又讀「簡」，在鐵器上鏨陰文，捶入金銀絲。另與「鋄」字相近似的「鋑」字，音「搜」，意鏤刻。

六類有如意館、造鐘處、玻璃廠、鑄爐處、炮槍處、輿圖房、弓作、鞍甲作、琺瑯作、畫院處等十作，七類有盔頭作、擺錫作、香袋作、大器作等，以上共有四十二處工藝作坊。每作派庫掌、催長等，負責視察活計，領辦錢糧，進行稽核，完成奏報等。

造辦處既造皇帝家使用和賞賜的器物，還製作軍需用品。如「輿圖作」繪製軍用地圖，「炮槍作」製造數以萬計的槍炮及彈藥。其中雍正七年（一七二九年）二月，一次製造火槍一萬一千三百桿、銅炮一千門、火箭筒一萬個，「錠子藥作」還製作大量官兵用的丸散膏丹等中醫成藥。

造辦處雖為「局級」單位，卻為「部級」序列，對各部和督撫行文用「諮文」。設總管內務府大臣（二品），有時特命管理造辦處大臣，由親王或一品大臣擔任，如怡親王允祥、莊親王允祿等，便於皇帝直接指揮。其中以怡親王允祥審美力高，信任度大，權力也重。

造辦處的匠役，主要類別有三：一為「旗匠」，是從內務府三旗內挑選的，為內務府包衣（奴僕），

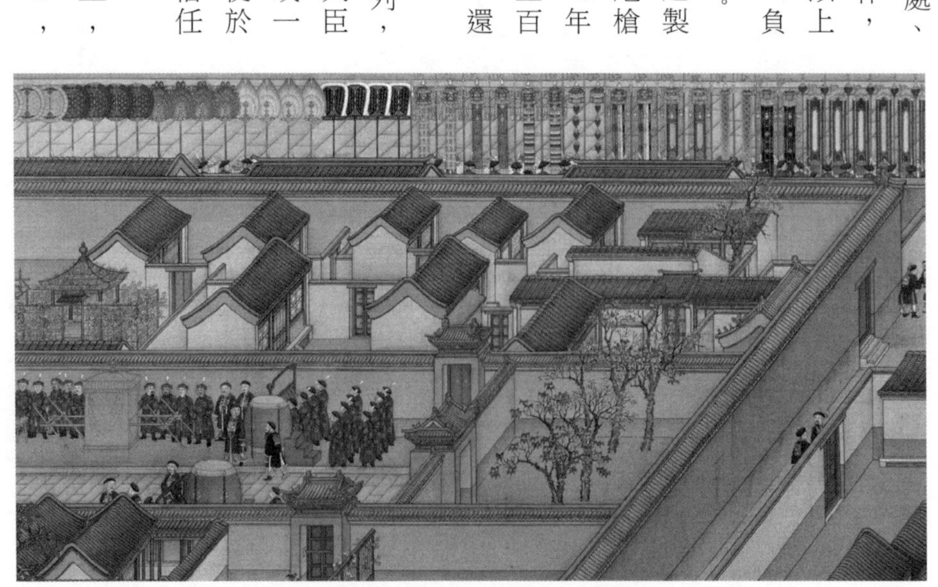

清宮造辦處

所佔人數最多。他們每月食一二兩錢糧和每日半份口分銀，是養家糊口的錢糧。他們承辦活計沒有工價銀（計件工資）。二為「南匠」，是從廣東、江寧、蘇州、揚州、杭州等地選送的工匠。他們技藝高超，有工食錢糧銀、春秋衣服銀。三為「民匠」，是從各地招募的南北手工藝人。如玻璃廠每年八月開窯熬煉玻璃，用山東博山縣人。還有「畫師」等。他們屬特殊工匠，賞給住房和原籍安家銀。匠役人數不固定。如嘉慶四年（一七九九年），自有匠役四百二十六名，借用內務府其他各處匠役三百八十三名，共八百〇九人。《京師偶記》裏載述了一個聰明匠人的小故事：康熙時朝廷需用裱匠，蘇州特送來四人，剛一到就接活，要裱糊細腰葫蘆的裏面。這位「南匠」沉思良久，想出主意——將葫蘆去其蒂，裝入碎碗碴，幾個人輪流搖晃，使其極光潔，然後把白棉紙用水浸一夜，調勻灌入，隨即倒去，乾了再灌，如是數次，然後呈上。皇帝打開葫蘆一看，葫蘆裏面有紙，沒有補綴痕跡（引自《清宮述聞》）。

造辦處的主官為「監造」，靠近皇帝，權力很大。我介紹兩個重要的監造，一個是趙昌，另一個是唐英。先說趙昌。

二 小臣趙昌

趙昌（一六五七～一七三一年），與康熙帝大體同時。作為宮廷造辦處監造的趙昌，有三種身份：康熙帝的小臣、近臣、能臣。

一是小臣。趙昌出身內務府包衣，「包衣」是滿語音譯，漢語意思是「家內奴僕」，身世

《玄燁戎裝像》中的康熙皇帝與近侍

卑微，地位不高。許多同時期有名的內務府包衣（如曹寅等），都任過內務府屬旗的佐領（牛錄章京）或包衣大。「包衣」已解釋，「大」也是滿語音譯，漢語意思是「頭兒、首領」。趙昌沒有任過佐領或包衣大之類的職務。到康熙中期，趙昌升為養心殿總監造，自然不能算是顯貴，而只是皇帝身邊的一個小臣。

二是近臣。趙昌比康熙帝小三歲，從發小兒就和康熙帝在一起，是康熙帝的哈哈珠子。「哈哈珠子」是滿語音譯，漢語意思是「阿哥的隨侍男童」，就是侍童，跟班男童。耶穌會士徐日昇在一封信中說：「趙（昌）是皇帝最早的侍童。」耶穌會士馮秉正（法蘭西籍）在報告趙昌受洗信中，談到趙昌時說：「當他很年幼時，便是宮中業績最佳者之一——他成了那些人們最早選出來的青年皇帝的陪伴人之一。」趙昌因離康熙帝太近，經常傳達聖旨，而成為皇帝近臣。趙昌的一個特殊任務，是在康熙帝與耶穌會士之間，做聯絡，傳信息。

第一個例子。耶穌會士在宮廷講解西方科學知識，從事工藝製造，編譯西方圖書，參與美術創作，他們在武英殿和養心殿附近，因此趙昌就以宮廷造辦處監造身份，做康熙帝同耶穌會士的傳話即聯絡工作。如康熙帝上諭所說：「養心殿、武英殿等處，管製造、帶西洋人事，並傳諭旨事。」這裏的重要人物之一就是趙昌。康熙二十三年（一六八四年）、二十八年（一六八九年），康熙帝兩次南巡，趙昌都隨駕，負責聯絡傳教士。據耶穌會士蘇霖報告說：「皇上南巡的時候……每次路經有我們傳教士的地方，都會派兩個特使請他們拜見皇上，對他們恩待有加，巡撫與地方官吏不敢再為非作歹。」其中一位特使就是趙昌。康熙帝這樣做的一個目的是了解傳教士與地方官的資訊。

第二個例子。康熙帝再次南下時，趙昌與傳教士的關係更為融洽。在濟南天主堂與傳教士柯若瑟「敘話待茶」；在南京時，畢嘉、洪若翰兩位傳教士，留趙昌等在教堂待茶談敍，直到飯後才去。康熙帝離開南京前，趙昌告訴畢、洪二人，御舟離開的時間以及路線，使他們得以「至揚州灣頭恭候送駕」。在康熙帝回鑾到濟南時，傳教士利安寧（西班牙籍）攜帶方物四種要見康熙帝。康熙帝起初不肯接受他的禮品，也是因趙昌勸說，康熙帝才改變主意接受的。這件事情的原委是，利安寧所敬獻的禮物，康熙皇帝不忍心收下，但對其心意深表感謝。見此情景，那位對天主教頗有好感的侍衛開了口：「皇上，濟南府之臣民未能趕上陛下龍船已傷心不已，若陛下拒納其贈禮，恐其不悅也。」侍衛的話感動了康熙帝，他揀了兩個水晶小瓶收下，並對利安寧說：「朕謹收此物，以示紀念。」這個侍衛也是趙昌。

三是能臣。趙昌在養心殿造辦處，不僅負責聯繫耶穌會士，還負責管理火器等事務，表現出他被信用，以及勤慎多能。舉三件事例。

第一件，康熙二十一年（一六八二年），耶穌會士利類思（義大利籍）在東堂病重，趙昌向康熙帝奏報：「利類思年老久病，甚是危篤。」七十七歲的利類思病故後，康熙帝特賜銀二百兩、緞十匹，並派侍衛護送靈柩到墓地。

第二件，法國使團「國王數學家」張誠等一行五人，於康熙二十六年（一六八七年）七月到寧波時，浙江巡撫金鋐不讓他們進入。他們通知了南懷仁。南懷仁「於九月十五日寫信給在熱河的趙昌」，「使皇帝知道這些人是他的耶穌會同伴，帶來了珍貴的科學儀器和書籍」。這批「國王數學家」得以入京，並於康熙二十七年（一六八八年）二月二十一日，在乾清宮叩見康熙皇帝。「徐日昇俱為代奏，天顏喜悅，賜茶優待，各賜資銀五十兩，遣侍衛趙（昌）同回天主堂寓所」。

第三件，值得注意的是趙昌為促成康熙三十一年（一六九二年）「容教令」施行所做的努力，為此他還被蘇霖譽作是「中國教會的功勳元老」。這一年，浙江蘭溪地方官禁止天主教，接着擴大到整個浙江。禮部支持浙江巡撫的做法。在這次交涉中，傳教士的想法與情緒通過趙昌順暢地傳達給康熙帝。這次事件中，趙昌作為康熙帝身邊的包衣，憑藉對康熙帝的了解——康熙帝對傳教士的同情與理解——從而給他以影響，進而促使朝廷最終作出了對耶穌會士包容的決定。

趙昌還管理火器。史書記載：「如放炮、放鳥槍及扛抬鹿角者，俱係八旗漢軍，從前內府佐領下那爾泰、趙昌善於放炮、放鳥槍，皇考（指康熙帝）因交與那爾泰、趙昌管轄。」（《上諭內閣》卷二十）

趙昌是康熙帝身邊的小臣、近臣和能臣，服侍康熙帝一生，任事並無大錯，仕途也沒有大的波瀾。趙昌憑藉皇帝的賞賜，以及西洋人的饋贈，積聚了不少家產。康熙帝在一份滿文朱批中稱：「趙昌、王道化等人，俱係名富，眾人皆知。」趙昌獲罪，雍正帝查抄趙昌家產，滿文檔案記載：男女大小（含包衣）共二百一十九口，房屋共五百零五間半，田地五十六頃七十六畝，莊田漢子約一百八十九人，共有馬、騾、駝、牛一百五十三頭匹，有銀三千一百九十兩，借出銀四千九百一十九兩，皮衣帽等二百六十九件，玻璃器皿二百零五件，西洋物品一百七十四件，又有各種甲、盔、腰十金刀、槍、鳥槍，鐘錶、玻璃器皿、西洋藥、東珠、手鐲、銀器皿、珠子、寶石、元狐皮、貂皮、人參、書畫等（《內務府奏查趙昌家產事摺》）。趙昌獲罪下獄的政治原因是什麼？

雍正元年（一七二三年）正月初六日，趙昌獲罪，鋃鐺入獄，籍沒家產。罪名是：其一，借欠內庫銀五千兩。憑趙昌的家財，補還欠款不是難事。其二，利用職務安插親人。其三，私給廢太子允礽之子弘晳製作火鐮。康熙五十五年（一七一六年）十一月，趙昌和養心殿其他主管應弘晳的要求，讓養心殿工匠華色為他製造逾製的琺瑯火鐮（打火器）。事發，工匠華色被流放，而趙昌也與養心殿的另一位監造王道化一併受到處罰。以上三件小事，純屬小題大做，借題發揮。雍正帝一上台就收拾趙昌，主要是政治原因——知康熙帝私密太多，離廢太子允礽太近，從而引起疑心太重的雍正帝懷疑。趙昌於雍正九年（一七三一年）在獄裏，由一位奉教的看監武官給他代洗，入天主教，教名「若瑟」，那年他七十五歲。不久，趙昌就死在獄中。趙昌以康熙帝起，以康熙帝沒。還是應了《左傳》那句話：「君以此始，必以此終。」

三　唐英燒瓷

說清宮造辦，必說景德鎮；而說景德鎮，又必說唐英。

景德鎮瓷，歷史悠久。明宮在江西饒州府（今上饒市）屬浮梁縣（今景德鎮屬）景德鎮大量燒造瓷器，始於洪武，永樂、宣德，已具規模。宣德帝派太監張善到江西饒州督造，後改巡道，督府佐司其事，燒造奉先殿幾筵龍鳳文白瓷祭器。正統元年（一四三六年），浮梁民進貢瓷器五萬餘件（套）。此舉，既給景德鎮迎來發展機遇，也給景德鎮帶來巨大災難。此期，禁民間燒造黃、紫、紅、綠、青、藍、白地青花諸瓷器，違者罪死。接着，三大殿重修告成，命造九龍九鳳膳案諸器等。大太監王振以瓷器有璺（裂紋），遣錦衣指揮杖責提督官，敕太監前往監督重造。成化間，遣太監到景德鎮，燒造御用瓷器，數量多，時間久，費用大，任務急。自弘治以來，燒造未完者三十餘萬件（套）；嘉靖三十七年（一五五八年）造內殿醮壇瓷器三萬件（套）；隆慶時，詔江西燒造瓷器十餘萬件（套）；萬曆十九年（一五九一年）命造十五點九萬件（套），又增加燒造八萬件（套）（《明史·食貨六》卷八十二）。僅以上五批，竟達六十七萬餘件（套）。

精美的景德鎮御窯瓷器

明亡清興，清初因之，設立御窯廠。康熙中，郎廷極為江西巡撫，督造瓷器，精美有名，以「郎紅」為極品，世稱「郎窯」。以後御窯大興，陶器盛備，朝廷派官督造瓷器。雍正朝，年希堯曾奉使督造瓷器，既精又美，世稱「年窯」。希堯賦詩有云：「陶熔一發天地秘，神功鬼斧驚才雄。文章制度雖各別，以今仿古將毋同。」（《清宮述聞》）雍正六年（一七二八年），唐英受命繼年希堯後，監督景德鎮窯務，歷監粵海關、淮安關。乾隆初，調九江關，仍監督窯務，形成淮安關遙管、內務府官駐辦景德鎮的燒瓷制度（乾隆《浮梁縣志》卷五）。唐英所製之瓷，又稱「唐窯」。

景德鎮官窯每年秋冬二季，雇船解送圓、琢器皿六百餘桶到京。歲例：盤、碗、鐘、碟等上色圓器，由一二寸口面，到二三尺口面的，一萬六七千件。其選落之次色，尚有六七千件，一併裝桶解京，以備賞用。其瓶、罍、樽、彝等上色琢器，由三四寸高，以至三四尺高，大者亦歲例二千餘件。尚有選落次色二三千件等，一併裝桶解京，以備賞用（《陶成紀事》）。

每年兩萬八千餘件（套）清宮燒造瓷器，卻要地方買單。嘉慶四年（一七九九年）十二月，九江關燒造瓷器，每年動支該關盈餘項下銀一萬兩，以後每年以五千兩為率，道光時再減到二千兩（《欽定總管內務府現行則例》）。缺口太大，百計填補。

唐英（一六八二～一七五六年），今遼寧瀋陽人，字俊公，清內務府八旗滿洲正白旗包衣。身歷康雍乾三朝。在康熙朝，十六歲入內廷，侍直養心殿。為人聰慧，博學強記，酷愛書畫，頗有造詣。接觸王原祁等大畫家，講求「趣味在有意無意之間，彩澤含若隱若現之中」，追求「意托於畫，畫寫於意」的境界，主張「筆外求筆，墨外求墨」的風格。在雍正朝，唐英初到景德鎮，自己茫然不曉，唯從工匠意旨。唐英在學言學，在工言工，「用杜門，謝交遊，聚精會神，苦心竭力，與工匠同其食息者三年」，成為既有文化藝術修養，又懂陶瓷工藝製作的瓷器專家，可謂是「冠蓋陶人，風塵學者」！後唐英講求陶法，於泥土、釉料、坯胎、色彩、火候，親自指揮，頗有心得。撰《陶務述略》，並撰《陶成紀事碑記》，備載經費、諸色釉彩，仿古採今，凡五十七種。自宋大觀，明永樂、宣德、成化、嘉靖、隆慶、萬曆諸官窯，及哥窯、定窯、鈞窯、龍泉窯、宜興窯、西洋、東洋諸器，都有仿製。其釉色，有白粉青、大綠、米色、玫瑰紫、海棠紅、茄花紫、梅子青、騾肝、馬肺、天藍、霽紅、霽青、鱔魚黃、蛇皮綠、油綠、歐紅、歐藍、月白、翡翠、烏金、紫金諸種。又有澆黃、澆紫、澆綠、填白、描金、青花、水墨、五彩、錐花、拱花、抹金、抹銀諸名。奉敕編《陶冶圖說》[2]，以圖像配文字的形式，記錄製瓷工藝過程。又著有《陶人心語》，唐英所督造官窯瓷器，世稱「唐窯」（《清史稿．唐英傳》卷五百五）。

唐英督窯，困難亦多。如乾隆二年（一七三七年）正月，一次欽燒宮廷用瓷四萬七千一百二十件，工程緊，任務重。完成後運往北京，上面挑錯：花紋遠遜從前，運輸器有破損，嚴加御責，甚至補賠銀二千一百餘兩，相當於四年多的工資。乾隆八年（一七四三年）冬，命唐英燒造各款各色鼻煙壺。時值泥土凝凍，歲例停工，各種工匠都已回家，諸窯爐火亦皆停歇。唐英便派人到各匠家傳集工匠，烘化凍泥，製坯彩畫，親自指點，星夜彩畫，松柴燒製，趕製四十件，派家人恭進宮廷。

唐英視陶御窯瓷事「蝸居」近三十年，自稱「蝸寄

2 唐英等《陶冶圖說》二十篇並圖：採石製泥、淘煉泥土、煉灰配釉、製造匣缽、圓器修模、圓器拉坯、琢器做坯、採取青料、煉選青料、印坯乳料、圓器青花、製畫琢器、蘸釉吹釉、鏇坯挖足、成坯入窯、燒坯開窯、圓琢洋彩、明爐暗爐、束草裝桶、祀神籌原。各附詳說，備著工作次第，後之治陶政者取法焉。

老人」。半官半野，半士半工，一飲食，一寢興，一俯仰，一交遊，都貫穿着陶人之心，既仿古守正，又研發出新，成為中國陶瓷史上既有理論著作，又有精美作品的一代陶瓷大師。唐英自製或題款的瓷器，如唐英製粉彩山水詩文方筆筒、青花纏枝蓮唐英書款花觚（一對）、唐英自製仿汝釉竹節詩文方筆筒、唐英製珊瑚紅釉粉彩纏枝詩文臥足碗等流傳至今（《乾隆皇帝與督陶官唐英》）。

「真清真白階前雪，奇富奇貧架上書。」唐英為官清廉，勇於創新，苦於讀書，勤於著述，作詩六百餘首，著《陶人心語》，有今人輯《唐英全集》傳世。

另一瓷器名家是劉源。

劉源，字伴阮，河南祥符（今開封市）人，隸漢軍旗籍。康熙中，官刑部主事，供奉內廷，技巧絕倫。曾繪

唐英督燒的各種釉彩大瓶

功臣像，鐫刻行世。在宮廷殿壁畫竹，風枝雨葉，極為生動。又能製清煙墨，在「寥天一」、「青麟髓」之上，視為佳品。在一笏上刻《滕王閣序》、《心經》，字畫嶄然。劉源在景德鎮的御窯，參古酌今，發揮新意，繪畫人物、山水、花鳥，呈瓷樣數百種，爭奇鬥勝，過於明窯（《清史稿．劉源傳》卷五百五）。

琺瑯彩瓷器，就是瓷胎畫琺瑯彩的瓷器。先在景德鎮御窯廠製瓷胎，到北京內務府造辦處繪畫、施彩、燒製。康熙年間，用九種顏色的西洋琺瑯料開始創燒，數量極少，尤為珍貴。到雍正，首先是怡親王命拜唐阿宋七格、鄧八格試燒琺瑯料九種，燒煉成功，又自煉燒成九種西洋料所沒有的色料。這一時期，琺瑯彩瓷器的

畫琺瑯提梁壺

器型、胎骨、釉色，畫面的山水、人物、花卉等，有發展，有創新。乾隆極盛，豐富多彩，精美至極，物華天寶，尤為珍貴。

清宮燒瓷，數量很大，僅康熙十九年（一六八〇年）到二十五年（一六八六年），就燒造共十五萬二千餘件。乾隆四十三年（一七七八年），命撥送避暑山莊乾隆年款圓器二萬件。四十四年（一七七九年），又命撥送盛京康熙年款圓、琢器三萬五千件，雍正年款圓、琢器二萬五千件，乾隆年款圓、琢器四萬件。以上三項共十二萬件。康、雍、乾瓷器，製造之富，可想見矣。而後，清宮庫存官窯瓷器，據檔案記載：乾隆四十六年（一七八一年）閏五月，清查瓷庫實存康熙年款圓器十四萬九千二百五十一件、琢器五千七百四十七件，雍正年款圓器九萬二千一百二十五件、琢器五千零十三件，乾隆年款圓器十五萬一百八十二件、琢器一萬二千八百三十三件、琺瑯圓琢瓷器一百四十八件（《內務府奏銷檔》）。以上康雍乾三朝共實存瓷器四十一萬五千二百九十九件。據估計，唐英督陶三十年間，御窯燒製瓷器約有一百萬件之多。清朝後期，內府瓷器，庫存太多，每隔數年，發出變賣，流入民間。史書記載，道光五年（一八二五年），奏准瓷庫變賣瓷器，計乾隆年款、嘉慶年款各色盤碗等共一萬餘件（《內務府奏銷檔》）。售價多少？檔案記載：乾隆年款各色盤一千零八十七件，每件銀四分；各色碗二千七百二十二件，每件銀三分；各色酒盅二百件，每件銀一分；各色樽十三件、瓶九十一件、壺四十一件、罐一百二十八件，每件銀一錢五分；各色靶鐘一千件，每件銀三分；各色供托六十一件，每件銀六分等。賣出的舊瓷器，間有明代者。「其式樣之工，顏色之鮮，質地之美，往時外人偶得一具，必將珍為古玩，今乃為酒席之用。每一庖人且備至數十席」（《竹葉亭雜記》卷二）。

清康雍乾時期，為古代瓷器工藝的高峰，粉彩、琺瑯彩，不斷出新，爭奇鬥豔；雖都華美，但有不同。瓷如其人，人如其政——康熙瓷器質樸，雍正瓷器雅重，乾隆瓷器華麗。這和康雍乾三帝之為人、行政，何其相似乃爾！

第五十六講　御醫御藥

名醫多非御醫，御醫多非名醫。清代醫學，重於考據，沒有解剖學。康熙帝的人體解剖學著作，尚不能出版，遑論他人？名醫王清任夜間解剖死刑者屍體，參證獸畜，著《醫林改錯》，為中國人體解剖學開山之作。後唐宗海推廣發揮，著《中西匯通醫經精義》。「兩人之開悟，皆足以啟後者。」

△明清帝后看病吃藥是怎樣的？皇家醫院太醫院是怎麼回事？本講〈御醫御藥〉，來做簡要回答。

一 皇家醫院

清太醫院初設在北京正陽門內東江米巷，今東交民巷西口路北附近。太醫院大門懸掛「太醫院」匾。大門前左為「土地祠」，右為「聽差處」。太醫院有大堂五間，懸掛康熙帝御賜名醫黃運的詩文：「神聖豈能再，調方最近情。存誠慎藥性，仁術盡平生。」醫生講求「誠慎仁術」四字。大堂左側南廳，是御醫辦公廳堂，右側為北廳。後為先醫廟，供奉伏羲、神農、黃帝的塑像，有康熙帝御書「永濟群生」匾。先醫廟裏有銅人像，廟外有藥王廟，廟連接大堂的是二堂、三堂。

光緒二十七年（一九〇一年）「辛丑合約」後，東交民巷劃為外國駐華使領館區。翌年，太醫院遷到新建衙署，在今地安門東大街一百一十三號院，大堂東西三間，進深三間，現基本保存。東院為藥房。在宮內上駟院北，太醫院還設有待診、休息的處所，舊稱「他坦」[1]，歲月流逝，現已無存。

明清的太醫院，兼具衛生部、總醫院、醫學院和保健局四種功能。《明史・職官志・太醫院》記載：院使（院長）一人，正五品；院判（副院長）二人，正六品；其屬，御醫四人（後增到十八人），正八品。生藥庫、惠民藥局，各大使（主任）一人，副使（副主任）一人。清朝略同，但有變化：其一，設管院事王大臣一人（滿人）。其二，分為院使和院判、御醫、吏目、醫士、醫生五個等級。其三，院使後為正四品，院判後為正五品，都是漢一人。其四，所屬御醫十三人，後為正六品，吏目三十人，後為七品八品，醫士二十人，給從九品冠帶，醫生三十人。清康熙朝，太醫院的御醫，每日輪流值班一百一十一人，總數達到一百二十五人（《清史稿．職官志．太醫院》卷一百十五）。

太醫分科　明依照傳統，分為十三科：大方脈、小方脈、婦人、瘡瘍、針灸、眼、口齒、接骨、傷寒、咽喉、金鏃、按摩、祝由[2]。清朝則合為九科：大方脈、小方脈（含痘疹）、傷寒科、婦人科、瘡瘍科、針灸科、眼科、咽喉科（含口齒）和正骨科（含按摩），取消祝由科。其實，還有「食醫」。《周禮．天官．塚宰》將食醫與疾醫、瘍醫等並列。漢鄭玄注：「食有和齊藥之類。」可見古人對「食醫」的重視。康熙間西藥進入宮廷，後引進西醫、西藥。康熙三十二年（一六九三年）五月，

1　「他坦」，又作「塌潭」，為滿語音譯，漢譯是「住屋、住所」。

2　大方脈科，診治成人雜病；小方脈科，即小兒科；祝由科，治病不以醫藥，而以符咒。分見《南村輟耕錄》和《中文大辭典》。

康熙帝因患瘧疾，服用法國傳教士洪若翰等進的金雞納霜（奎寧）而病癒。光緒二十四年（一八九八年）九月初四日，法國駐華公使館多德福醫生曾為光緒帝診病開藥。但是，太醫院始終是以中醫中藥為主。

御醫職掌　主要八項：侍直、進御、扈從、奉差、儲藥、祭先醫、診視獄囚、施藥等。其侍直，各以專科，分班輪值，在宮中稱宮直，在外廷稱六直。宮直在御藥房及各宮外班房值班，六直在外直房（如暢春園、圓明園）值班。扈從，皇帝出巡，御醫或奉旨點用，或按班輪值，都給夫馬、車輛裝載藥材，還給帳房需用等物。此外，王府、公主府、文武大臣等，太醫奉旨前往看病。還給監獄囚犯、瘟疫患者等治病。所以，御醫不一定都能給皇帝看病，給皇帝看病的不一定都是御醫。

清宮御藥房（左遠波攝）

考選遷轉 太醫院的御醫，來自全國各地，從民間醫生以及舉人、貢生等有職銜的人中，挑選精通醫理，情願為宮中效力的人，量才錄用。如康熙年間，北京同仁堂創始人樂顯揚曾任太醫院吏目一職，其子鳳鳴承襲父業，雍正年間同仁堂供奉御藥房的宮廷藥材，前後八代一百八十八年。太醫院還設有教習廳，培養醫務人才。經歷六個寒暑，通過考試合格，才能錄用為醫士或醫生（《光緒大清會典事例》卷一千一百零五）。他們的晉升，六年考試一次，成績合格，沒有差錯，一次升補。考試受八股文影響，如一次考題為「知者樂水，仁者樂山」，還看重書法。太醫開藥方，要字跡端好。這項人事錄用和晉升制度的優長是：第一，將考選、遷轉限制在院內，調出、調入均少，利於人才隊伍穩定；第二，御醫、吏目、醫士

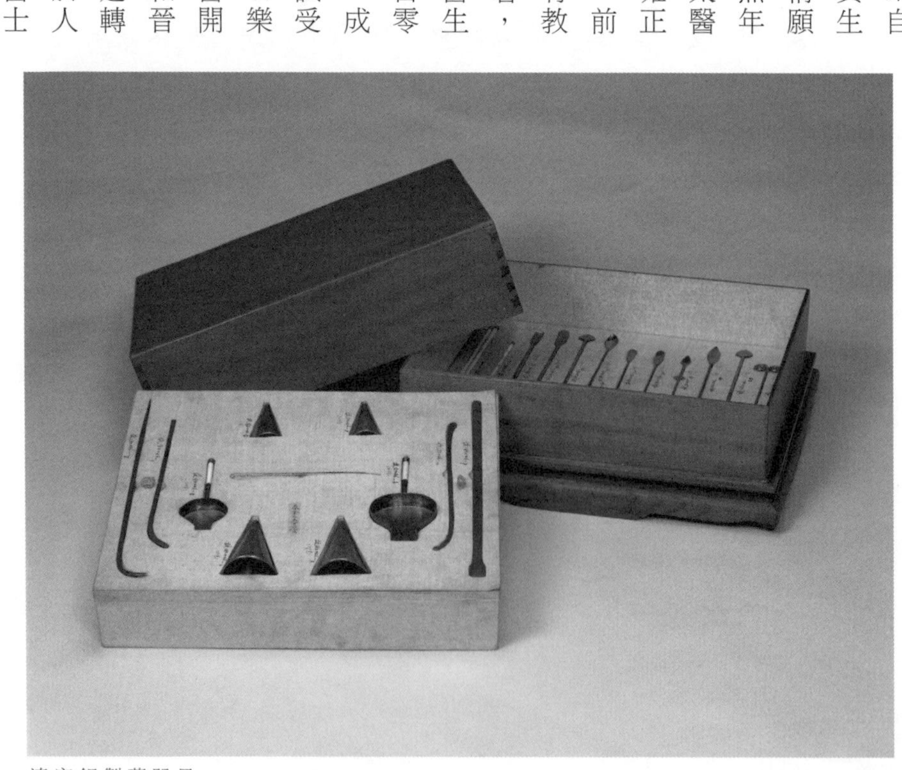

清宮銀製藥器具

等採取考試方式選拔，擇優錄用，利於業務水準提升。

薪資待遇 太醫院的院使月銀三兩，左右院判、七品御醫均月銀二兩二錢，吏目、醫士月銀一兩五錢（《光緒大清會典事例》卷二百五十）。雍正元年（一七二三年）規定：醫士月給公費飯銀一兩五錢、米九斗。而一個普通太監月銀二兩，可見御醫的俸銀是偏低的。

御醫治病 《明史・職官志》記載，給皇帝看病六要：一要組成班子，院使、御醫和內臣三方共責，相互監督。二要會診，共同診斷。三要共同選藥，聯名封記藥劑。四要共同監視煎藥。五要共同嘗藥，就是每二劑合為一，煎熟，分作二器，一份御醫、內臣先嘗，一份進御。清朝比明朝嘗藥更為嚴格：一器由御醫、院判、內監依次嘗藥；另一器進御（《光緒大清會典事例》卷一千一百五）。六要脈案方劑存檔備查。

藥房 設藥庫儲存藥材。藥材按定例給價，由藥商採辦，內藥房醫生切造炮製。清宮藥房名目繁多，如御藥房、壽藥房、東藥房、西藥房、內藥房、外藥房、乾清宮藥房、長春宮藥房、永和宮藥房等。有儲藥、煎藥、配製藥品等職能。

二 明宮御醫

明宮出現許多名醫，前面講過太醫許紳。下面再介紹幾位名醫。

戴思恭，字原禮，浙江浦江縣人。洪武中，徵為御醫，治療立效，洪武帝愛重之。燕王朱棣患瘕，就是蠱脹病。洪武帝派思恭往治，見所用的藥都對，但不見效，便問燕王好吃什麼，回答：「嗜生芹。」（喜歡吃生芹菜）。思恭說：「得之矣！」《明史》記載：「投一劑，夜暴下，皆細蝗也。」（《明史．戴思恭傳》卷二百九十九）於是，燕王病癒。晉王朱棡病，思恭給治癒。不久，復發死。洪武帝大怒，逮治王府諸醫。思恭從容進道：「臣前奉命視王疾，啟王曰：『今即愈，但毒在膏肓，恐復作，不可療也。』今果然矣！」諸醫由是免死。洪武帝不豫，少間，出御右順門，懲治侍疾諸御醫無效者，獨慰思恭曰：「汝仁義人也，毋恐。」不久，洪武帝死，建文帝立，懲治諸御醫，唯獨思恭沒受懲罰，還提升他為太醫院院使。永樂初，又徵入，免其拜。後病卒，年八十二。

盛寅，江蘇吳江（今蘇州市）人。永樂初，為醫學正科。一位太監腹脹危重，盛寅投藥，藥到病除。恰好永樂帝在西苑校射，這位太監前往侍隨。永樂帝遙見，愕然道：「謂汝死矣，安得生？」太監以實情奏告，因稱讚盛寅，召入便殿，令其診脈。寅奏，上脈有風濕病，帝大然之，進藥果效，遂授御醫。一日，盛寅與同官在御藥房下棋。永樂帝突然駕到，兩人收拾棋盤，伏地請罪。命下完棋，且坐以觀，盛寅三勝。永樂帝喜，命賦詩，立就。帝益喜，賜象牙棋盤並詞一闋。永樂帝晚年要出塞，寅以帝春秋高，勸毋行。不納，果然死於返回途中的榆木川。洪熙帝在東宮時，妃張氏經期不至者十月，眾醫以懷孕祝賀。寅獨謂不然，說出病狀。張妃遙聞之說：「醫言甚當，有此人何不令早視我！」及疏藥方，乃破血劑。皇太子怒，不用。數日後，病加重，命寅再視，疏方如前。張妃令進藥，而皇太子慮墮胎，寅戴枷鎖，以待結果。不久，血大下，病旋愈。盛寅被繫後，闔門惶怖曰：「是殆磔死。」三日後，紅仗前導，送還邸舍，賞賜甚厚（《明史．盛寅傳》卷二百九十九）。

吳傑，江蘇武進人。以善醫術，徵至京師，禮部考試，列為高等。故事，高等入御藥房，次等入太醫院，下等遣還。傑對尚書說：諸醫被徵，待在都下，已十餘載，一旦遣還，流落可憫，願辭御藥房，與同人入院。獲准。正德帝得病，吳傑一藥而愈，即擢御醫。一日，帝射獵還，憊甚，感血疾。服傑藥愈，進一官。此後，每愈帝一疾，就進一官，積至太醫院院使，其他賞賜，極為豐厚。帝每行幸，必以傑扈行。帝欲南巡，傑諫曰：「聖躬未安，不宜遠涉。」帝怒，叱左右掖出。返駕到清江浦，溺水而得病。到臨清，急召吳傑。時佞臣江彬怕擔責任，力請幸宣府。吳傑擔憂，語近侍說：「疾亟矣，僅可還大內。倘至宣府有不諱，吾輩寧有死所乎！」近侍害怕，百方勸帝，始還京師。甫還而帝崩，江彬伏誅，中外晏然，傑有力焉（《明史·吳傑傳》卷二百九十九）。

凌雲，浙江歸安（今浙江湖州市）人。為諸生，棄學，北游泰山，在古廟前遇病人，氣垂絕，遇一道人，用針刺其左股，立愈。這位道人教授凌雲針灸術，治病無不效。鄉里人病嗽，絕食五日，眾投以補劑，更加嚴重。凌雲說：「此寒濕積也，穴在頂，針之必暈絕，逾時始蘇。」命四人分牽其發，使勿傾側，乃針，果暈絕。家人皆哭，凌雲言笑自如。一會兒，氣漸蘇，復加補，始出針，嘔積痰斗許，病即除。淮陽王病風三年，請於朝廷，召四方名醫，都治不好。凌雲用針灸，不過三天，行步如故。金華豪富婦人，少年守寡，得了狂疾，裸形野立。凌雲令二人扶持病人，用涼水噴面，用針刺之，果然病癒。吳江一位臨產婦人，胎兒三日不下，產婦苦叫，呼號求死。凌雲施以針灸，小兒出生。弘治帝聞凌雲之名，召他到京，命太醫官出銅人，蔽以衣而試之，所刺無不中，乃授御醫。年七十七，卒於家。海內稱針法者，曰歸安凌氏（《明史·凌雲傳》卷二百九十九）。

三 清宮御醫

清宮帝后看病，有新的特點：一是皇帝多懂點醫藥知識，二是西醫西藥傳入，三是漢醫、蒙醫、西醫在交流。下面講幾個名醫故事。

綽爾濟，墨爾根氏，蒙古族。天命中人，善醫創傷。時白旗先鋒鄂碩臨戰，中矢垂斃，綽爾濟為拔鏃，敷良藥，傷尋愈。都統武拜身被三十餘矢，已經昏死，綽爾濟令剖白駝腹，置武拜其中，很快蘇醒。有患臂屈不伸者，令先以熱鑊薰蒸，然後斧椎其骨，揉之有聲，即愈。蒙古醫士，長於外科，跌打損傷，有獨到處（《清史稿·綽爾濟傳》卷五百二）。

覺羅伊桑阿，清乾隆中期，以正骨起家。伊桑阿教授徒弟的方法是，將筆管削為數段，包在紙裏，打亂摩挲，使其節節都相接合。他用這種方法接骨，屢有奇效。講一個故事。清廷選滿洲鑲黃旗、正黃旗、正白旗，就是上三旗士卒中懂骨法的人，每旗選十人，隸屬上駟院，名為「蒙古醫士」。所以，蒙古醫士原指蒙古骨科醫士，後來也培養滿洲骨科醫士，都稱作蒙古醫士。他們平時不在太醫院，而分佈在各旗裏。凡內廷人員有跌打損傷的，命其醫治，限日報愈，如果逾期，則受懲治。禮部侍郎齊召南墜馬，傷首，腦出。蒙古醫士以牛脬蒙其首，其創立愈。時有秘方，能立奏效。在蒙古醫士中，以伊桑阿最為著名（《清史稿·覺羅伊桑阿傳》卷五百二）。

又一例。耶穌會士馬國賢，在前往熱河途中，從馬上摔傷，頭部傷勢嚴重。康熙帝派蒙古醫士去治療。蒙古醫士對他頭上傷口，用填塞燒焦棉花治好。對摔傷的肋骨處，突然潑冰水，促使其肋骨復位。對重傷的頭骨，用帶子綁頭震動，使頭部錯位處復位。結果治癒了馬國賢的病（轉引自關雪玲《清代宮廷醫學與醫學文物》）。

吳鑒，安徽人。雍正中，官太醫院判。雍正帝苦頭風病，御醫們束手無策，吳鑒一藥而愈。賞賜他，不接受。問他要什麼，願子孫以此為業，允許（《醫宗金鑒》外科一門）。

徐大椿，江蘇吳江（今蘇州市）人，為人聰明，長身廣顙，精慧過人。為學生時，探研易理，好讀黃老與陰符家書，無不通究，尤精於醫。他給人治病的故事，民間廣泛流傳。乾隆二十四年（一七五九年），大學士蔣溥病，乾隆帝命徵召海內名醫，大椿被薦入都。徐大椿奏蔣溥病不可治，乾隆帝嘉其樸誠，命入太醫院。不久請求歸里。後二十年又被召到京，已七十九歲，後卒於京師（《清史稿．徐大椿傳》卷五百二）。

皇帝得病是天下最難對付的患者。這種困難體現在三個方面：保密性嚴，療效性高，風險性大。

第一，保密性嚴。舉一例。商景霨，浙江淳安人，明大學士商輅十世孫。商輅在鄉試、會試、殿試中都是第一名。「終明之世，三試第一者，輅一人而已。」（《明史．商輅傳》卷一百七十六）景霨精醫學，任太醫院院判，醫術高，多奇效。清禮親王昭槤說：「予嘗鼻衄，出血數升，公曰：『督脈未絕，尚可醫治。』煮參數兩，飲之立愈。性直愨，撫諸弱弟甚友愛，所蓄醫金，盡為其弟盜用，殊不較也。供奉大內數十年，不洩漏禁中事，有詢之者，惟曰『聖躬萬安』而已。有某太醫性便佞，好與儀、成藩邸交接，公立劾罷，曰：『是人心術不純，不可侍上左右。』」（《嘯亭續錄》卷四）嘉慶帝賞他五品銜，以示榮寵。

第二，療效性高。宮中治病，首重療效。如療效不佳，常受申斥，甚至受到嚴懲。如康熙四十五年（一七〇六年）十一月二十四日，太醫院院使孫之鼎等，奉旨治療領侍衛內大臣頗爾盆痔漏復發症，病勢發展到臀部，濃血每天可流一碗，散發惡臭，病情嚴重。御醫束手無策，只得如實奏報。康熙帝對此不滿，在孫之鼎奏摺上朱批：「庸醫誤人，往往如此。」不滿之情，躍然折上，御醫得知，心驚肉跳！乾隆二十年（一七五五年），太醫院院使劉裕鐸領旨治療領侍衛內大臣伯依勒慎傷寒發疹之症，經過治療，病情加重，劉裕鐸急忙呈奏皇上。乾隆帝聞訊不滿，降旨內務府大臣：你去守着他們，看其如何治病。又如光緒帝死前一年，因為病情複雜，太醫久治不愈，而光緒帝心情煩躁，常對御醫發洩不滿。光緒三十四年（一九〇八年），他諭示：「近來耳堵鳴響，日甚一日，幾不聞聲，屢服湯藥，寸效全無，名醫伎倆，僅止如此，亦可歎矣！」醫治療效果不佳，受到嚴厲申斥（《清宮檔案揭秘》）。

第三，風險性大。一藥誤投，生死所繫，出了事故，要遭不測。御醫入診，視為危途。發生醫患矛盾，有時性命難保。如明劉文泰任右通政，管太醫院事，以藥劑不當導致成化帝喪命，受到參劾，降為院判。弘治十八年（一五〇五年）夏，弘治帝本來患熱病，文泰誤投大熱之劑，弘治帝病加重，煩躁不堪，以至病死。正德帝繼位，廷臣以「文泰一庸醫，致促兩朝聖壽」（《萬曆野獲編．劉文泰》補遺卷三）。奏請斬首，後改遣戍。

清帝多以知醫自詡。如康熙四十二年（一七〇三年）七月十三日，康熙帝在御醫張獻等人治療宗室赫世亨疾病奏摺上朱批：「理氣健脾丸藥，有補脾助消化之效，着每日早晨將一錢藥以小米湯同時服下，想必有益。着由御藥房取藥試用。除此之外，禁止服用其他補藥及人參等。」皇帝開方，敢不照辦！如乾隆十九年（一七五四年）閏五月初九日，乾隆帝得知大臣梁九功額頭生有一個黃豆大的瘡，朱批：「着速用黎峒丸。」不久，梁九功就痊癒了。再如光緒三十三年（一九〇七年）八月的一天，光緒帝在御醫給他開的處方上寫道：「若常用熱劑一味峻補，恐前所發之恙復見於今。尚宜斟酌立方，如生地、元參、麥冬、菊花、桑葉、竹茹等清涼養陰之品，每日稍佐兩三味，以防浮熱時常上溢。」不管用藥是否對症，御醫也需遵旨照辦（《清宮檔案揭秘》）。

明清帝王對御醫也有恩遇。雍正七年（一七二九年）三月二十三日，太醫院院使劉裕鐸治好了侯陳泰的傷寒病，雍正帝降旨：侯陳泰病症難為，經劉裕鐸診治痊癒，着賞記功一次。給慈禧皇太后治過病的薛福辰又是一例。薛福辰本是江蘇名醫，慈禧患病，應召入京。經精心治療，效果頗佳。慈禧病癒後，特賜「職業修明」匾給薛福辰。大功告成，本應回籍，但「老佛爺」卻不准他出京，還須舊恙全無，方許報安。不料，

上傳太醫院記事簿

其間小女竟在家染病身亡，薛福辰悲言難訴（《清宮檔案揭秘》）。

《明史·方技傳》載醫生十九人，其中御醫六人。《清史稿·藝術傳》載醫生四十五人，其中御醫三人。名醫多非御醫，御醫多非名醫。清代醫學，重於考據，沒有解剖學。康熙帝的人體解剖學著作，尚不能出版，遑論他人？名醫王清任夜間解剖死刑者屍體，參證獸畜，著《醫林改錯》，為中國人體解剖學開山之作。後唐宗海推廣發揮，著《中西滙通醫經精義》。「兩人之開悟，皆足以啟後者。」（《清史稿》卷五百二）

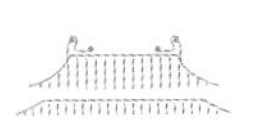

第五十七講　皇家敬畏

明君有畏，昏君無懼。做帝王將相，做平民百姓，常敬常謙，日勤日慎，都是應當去做的，也是很難做到的。人，不可沒有敬畏之心。學點歷史，以此共勉。

⌂ 古往今來，人有敬畏。有人問：皇帝有敬畏嗎？有。「國之大事，在祀與戎。」（《左傳·成公十三年》）祭祀是古代國家和帝王的大事。皇家敬畏，分開來講。

一 敬天敬祖

明清皇家祭祀形成了一套完整的國家壇廟祭祀體系，這大體分為三類：一是「天地」，如祭祀天、地、日、月、山、川等；二是「法祖」，如太廟、奉先殿、孔廟、歷代帝王廟之祭等；三是「宗教」，如祭祀佛、道等。俗稱「九壇八廟」。「九壇八廟」指的是什麼？有不同說法。其中的一說，「九壇」是指天壇、地壇、日壇、月壇、社稷壇、先農壇、先蠶壇、神祇壇和太歲壇，「八廟」是指太廟、孔廟、歷代帝王廟、堂子、雍和宮、奉先殿、傳心殿和壽皇殿。這些壇廟的祭祀，按清朝禮制，分為三等——大祀十三、中祀十二、群祀五十三，共七十八祀。大祀由皇帝（或遣官）主祭。皇帝親祭天地、宗廟、社稷（或遣官告祭）等，其他或親祭，或遣官。如祭先農，本來是中祀，但雍正帝在位十三年，親祭十二次。

「九壇八廟」七十八祀太多，我着重講中軸線上的「左祖右社」和「左天右地」。

「左祖」是宮左前祭祀皇帝祖先的太廟（今北京市勞動人民文化宮）。太廟前殿後寢，翼以兩廡，黃琉璃瓦頂。四季孟月（每季第一個月）及歲末共五次祭祀。皇宮裏還建了一座皇帝家廟——奉先殿。奉先殿前為正殿，重簷黃琉璃瓦廡殿頂，後為寢殿，中間以穿廊連接，呈「工」

字形，坐落在漢白玉石須彌座上。凡遇朔望、萬壽、元旦、冬至及國家大慶等祭儀，皇帝都要到奉先殿舉行告祭禮。

家廟所供物品，各月不同，每日不同，所謂「月薦新，日供養」，而且都是新鮮上好的食物。

明清兩代皇帝家廟每月薦新：

月份	明代	清代
正月	韭菜、生菜、薺菜、雞子、鴨子	鯉魚、青韭、鴨蛋
二月	芹菜、苔菜、蔞蒿、子鵝	萵苣菜、菠菜、小蔥、芹菜花、鱖魚
三月	鯉魚	黃瓜蔞、蒿菜、雲台菜、茼蒿菜、水蘿蔔
四月	櫻桃、杏子、青梅、王瓜、雉雞	櫻桃、茄子、雛雞
五月	桃子、李子、茄子、小麥、嫩雞	杏、李、蕨菜、香瓜子、鵝桃、桑葚
六月	蓮蓬、甜瓜、西瓜、冬瓜	杜梨、西瓜、葡萄、蘋果
七月	棗子、葡萄、梨、鮮菱、芡實	梨、蓮子、榛仁、藕、野雞
八月	藕、茭白、嫩薑、粳米、粟米	山藥、栗實、野鴨
九月	橙子、栗子、小紅豆、沙糖、魚	柿、雁
十月	柑子、橘子、山藥、兔、蜜	松仁、軟棗、蘑菇、木耳
冬月	鹿、雁、蕎麥面、紅豆、沙糖	銀魚、鹿肉
臘月	菠菜、芥菜、鯽魚、白魚	蓼芽、綠豆芽、兔、湟魚

「右社」是宮右前祭祀土地和五穀的社稷壇（今中山公園）。社稷壇祭祀的是土地和五穀。社稷壇中心為五色土——中為黃，東為青，南為紅，西為白，北為黑。我小時候不知這是為什麼，大些了知道五行說，再大些行萬里路時看到：黃河中原土地為黃色，東方土地色發青，南方雲貴土地為紅色，北方黑龍江土地為黑色，而西方呢？我到伊黎河去考察，看到土地是白色。所以，社稷壇上的五色土是中華大地五方土地顏色的縮影與象徵。

「左天」是中軸線南端左面的天壇。天壇周圍十里，主要建築有圜丘、祈年殿、皇穹宇和齋宮等。記得有一次我同幾位法國教授談話，我問：你們認為北京哪兒最好？他們共同的回答是：天壇的圜丘和祈年殿。後來我又求證中國和外國朋友，也是同樣的回答。天壇

太廟舊影（二十世紀50年代）

就其建築藝術與哲學理念，是中華傳統文化的精粹。

「右地」是中軸線南端與天壇對應的先農壇（今北京古代建築博物館）。先農壇周圍六里，主要建築有太歲殿、先農壇、觀耕台等。先農壇的一畝三分地，是皇帝的親耕田。皇帝行耕耤禮，表示重視農業。

我國古代，「國以民為本，民以食為天」。蒼天之下，土地之上，農民辛勞，種植五穀，所以需要「五敬」——敬天時、敬土地、敬五穀、敬先農、敬祖宗。這是農耕文明敬畏的集中體現。

祭祀要敬誠。一次，孝莊太皇太后病，康熙帝往白塔寺進香。出宮之前，大雨如注，近侍奏請稍後雨小再行。康熙帝說「近因聖祖母偶爾違和，朕心深切憂慮」，為示誠敬，遂冒雨行（《清聖祖實錄》卷一百二十二）。乾隆帝敬祀時自責道：「罪不在官，不在民，實臣罪日深」（《清高宗實錄》卷五百八十八），「惟予小子，臨民無德」（《清高宗實錄》卷一百六十六）等。乾隆帝可能言行不一，但總比文過飾非為好。

皇家敬畏，禮制完備。宗教祭祀方面，主要是佛與道。

二　奉佛奉道

在紫禁城裏有大量宗教建築，佛堂、藏傳佛教佛堂、道觀以及薩滿祭祀等，一年四季，祭祀不斷。皇宮禮佛念經的殿堂，有西北角的英華殿，東北角的景福宮，呈犄角形，建築對稱。

英華殿為明萬曆帝生母李太后禮佛所建，是故宮僅存的明建佛堂。後為清皇太后及太妃、太嬪們禮佛之處。英華殿區東西七十米，南北一百零四米，佔地七千二百八十平方米，建築慈嚴，環境肅幽，內蒼松翠柏，外宮牆環護。英華殿大佛堂建築規格高，為面闊五間黃琉璃瓦歇山頂，左右垛殿，各為三間，前出月台，經通道與英華門相接。門兩側有琉璃影壁，仙鶴靈姿，欲飛欲落。院內有兩株菩提樹，為李太后手植。盛夏開花，為淡黃色，有菩提子，色黃瑩潤，可做念珠，乾隆帝為此題詩立碑並建御碑亭。清沿明舊，太皇太后、太后太妃們常在殿裏，拈香禮佛，誦經祈願。

景福宮是皇宮東北角一處獨

中正殿佛堂內景　（1900 年）

立宮院。康熙二十八年（一六八九年），康熙帝為孝惠太后建造了這座禮佛殿堂。前為景福門，門內為景福宮，後有兩座供佛的樓閣：佛日樓和梵華樓。康熙帝在景福宮建成後寫了一首頌詩：「慈顏懿教，祗奉銘箴。福祉靈壽，遐齡喜深。松筠玉樹，繞徹清音。淑德純嘏，萱枝茂林。揮毫敬頌，永日葵心。」乾隆帝也在詩文中說，此宮是「我皇祖奉孝惠太后所居也」。乾隆帝晚年，喜得五世同堂，對景福宮重新修葺，書寫「五福五代堂」匾，懸掛在景福宮。此後景福宮又被稱為「五福五代堂」。

藏傳佛教自十三世紀傳入內地，得到元朝皇帝的敬奉。明清皇帝都奉行扶植藏傳佛教的政策。清帝更把扶植藏傳佛教作為治理蒙藏地區、鞏固皇權的重要國策，故藏傳佛教的佛堂在宮內逐漸增多。清康熙年間，特設專門管理宮中藏傳佛教事務

雨花閣（二十世紀初）

的機構「中正殿念經處」，主辦宮中喇嘛念經，造辦佛像、法器、供器等事務，將佛事活動作為一項制度列入《大清會典》。乾隆帝師從三世章嘉呼圖克圖活佛，學習密宗佛法，今見宮中各處眾多的佛堂大都是乾隆朝所建，為宮內佛堂專門製作的神像、神器、唐卡，都是精美華麗的藝術佳作。

中正殿一組建築是宮中佛教活動的中心，位於內廷西六宮的西側，共有建築十餘座，從南到北依次為雨花閣、寶華殿、香雲亭、中正殿（已毀）、延春閣，最後為建福宮花園等。中正殿供奉無量壽佛，念誦無量壽經，祝福皇帝長壽，是皇帝做佛事的佛殿。殿前香雲亭內設大小金塔七座，金佛五尊，又稱為金塔殿，極為精美，可惜中正殿、香雲亭、淡遠樓等在一九二三年年毀於建福宮花園的一場大火。今建福宮花園、延春閣等已經復建。

寶華殿是一座三間小殿，供奉釋迦牟

雨花閣（二十世紀初）

尼像。清宮每年在這裏舉辦大型佛事活動「送歲」，由喇嘛表演「跳布紮」，俗稱「打鬼」。在宮中表演這種帶有濃郁的西藏風格的宗教舞蹈，濃烈隆重，極有特色，皇帝也常親臨觀看。與寶華殿同期建造的有雨華閣。

雨華閣為明三暗四——外觀三層、內裏四層的樓閣式建築，帶有濃厚的西藏佛教建築特點。雨華閣是我國現存最完整的藏密四部即事部、行部、瑜伽部、無上瑜伽部的神殿，嚴格按照藏密的四部設計。一層稱「智行層」，懸掛着乾隆帝御書匾額「智珠心印」，供奉無量壽佛，乾隆十九年（一七五四年）添做的三座精美琺瑯壇城，至今保存完好。二層為夾層，稱「奉行層」，供佛九尊，中為菩提佛，左右供佛母、金剛各四尊，牆壁掛滿唐卡，夾層祥淡光線，襯映佛堂神秘。三層供奉瑜珈部五尊佛像，又稱「瑜珈層」。四層為「無上層」，供奉密集、大威德、勝樂佛三尊，為雙身像，即「歡喜佛」，青銅鑄造，精美絕倫，為佛像中之精品。雨華閣不僅是一座神秘的佛樓，而且是一座漢藏建築合璧的典型作品。雕龍穿插枋、柱頭上的獸面裝飾、鎏金銅喇嘛塔寶頂、四條金龍飛躍脊上等，都具有鮮明的藏式建築風格。再襯以藍琉璃瓦，建築形制，精巧獨特。從保和殿往西北看，紅牆黃瓦的宮殿建築群中，雨華閣光彩絢麗，格外奪目。

閣西北的梵宗樓，三間，兩層，供奉宮中高一點七二米的最大青銅佛像，稱大威德怖畏金剛，以威猛降伏惡魔，是重要的護法神。乾隆帝將自己用過的盔甲、衣冠、兵器供奉在佛像前。

雨華閣前東西配樓，乾隆年間曾供奉三世章嘉呼圖克圖和六世班禪的影像，表達了乾隆帝對藏傳佛教，對班禪六世和章嘉呼圖克圖國師的崇敬。

清宮的佛堂多，佛事多。如中正殿全年三百六十五天都有喇嘛念經，雨華閣、養心殿、慈寧宮花園等佛堂每月有固定的天數念經。由於佛堂設在內廷，念經的喇嘛也多由太監充任。

清宮有大量佛教用品，如供器、供品、唐卡、佛像等。這些用品多為清宮造辦處、中正殿念經處承做，製作精美，氣派高雅，大多完好地保存下來，成為藏傳佛教藝術珍寶，更是中華文化的珍貴遺產。

明清宮廷祭祀，皇宮內外，既有佛堂，也有道觀。

說起道場，大家都知道唐朝皇帝姓李，道教始祖老子也姓李，所以唐高宗李治時，以老子為李氏祖先，尊為「太上玄元皇帝」，州郡設道觀。宋朝大建宮觀，在太學設《道德經》、《莊子》博士，道教大盛。元帝也尊崇道教。全真教創始人丘處機，山東登州棲霞（今煙台棲霞）人，遠達阿姆河，與成吉思汗對話——問為治之方，答：「敬天愛民為本。」問長生之道，答：「清心寡欲為要。」被賜「神仙」，尊為「大宗師」，住大都（今北京）白雲觀。明朱元璋是和尚出身，但他的子孫永樂帝、弘治帝、嘉靖帝、萬曆帝等都也尊崇道教。

燕王朱棣起兵，據說得到真武大帝佑助，取得皇權，北興皇宮，南建武當，大尊道教。在紫禁城建欽安殿，供奉真武大帝，保佑江山平安。欽安殿坐落在紫禁城中軸線北端，重簷盝頂，面闊五間，進深三間，有漢白玉石須彌基座，前出寬敞月台，四圍望柱欄板，上設鎏金寶頂，造型別致，宮中僅見。後嘉靖帝在欽安殿外，增築燎垣（圍牆），建天一門，自成院落。在二〇〇四年大修欽安殿時，發現寶頂內珍藏三千餘卷佛經，後回歸原位。

永樂帝在興建欽安殿時，又敕建武當山道觀（在今湖北省十堰市境內）。武當山氣勢雄奇：「氣吞秦華銀河近，勢壓岷峨玉壘高。」（徐霞客語）「七十二峰接天青，二十四澗水常鳴」，形勢險峻，溪澗四佈，山巒險處，高築城牆，構建金殿，太和金頂，海拔一六一二米，重簷廡頂，偉麗壯觀，高峻雄險，燦爛輝煌。金殿的全部銅件，在京鑄造，運到武當，上山安裝，其瑰麗與價值如「皇冠上的寶珠」。殿外簷下懸掛鎏金匾額「金殿」。五百年來，香火不斷，出現「五里一庵十里宮，丹牆翠瓦望玲瓏」的道界盛景。武當山宮觀被列入「世界文化遺產」名錄。武當宮觀至今六百年。有曰：「不到名山武當，人生白來一趟。」在武當山還有張三丰的故事。

張三丰，遼東懿州（今遼寧省黑山縣一帶）人，名全一，號三丰。因不修邊幅，外號張邋遢。民間傳張三丰：寒暑一衲一蓑，吃飯升斗輒盡，或數日一食，或數月不食。喜遊蕩，善嬉諧，口如懸河，旁若無人。嘗游武當山，跟人說：「此山異日必大興。」明洪武帝聞其名，派官尋找，沒有找到。後居陝西寶雞金台觀。一日，自言當死，果然死了，被裝棺入殮。葬時，棺內有聲，打開棺材，人復活了。三丰再入武當，行蹤奇幻莫測。永樂帝派給事中胡濙偕太監朱祥攜帶璽書香幣往訪，遍歷山川，數年不遇。永樂帝命工部侍郎郭璡等，督丁夫三十餘萬人，大營武當宮觀，費以百萬計。既成，賜名大嶽太和山，設官鑄印以守。這竟符合了張三丰的預言（《明史·張三丰傳》卷二百九十九）。武當山九宮八觀之一的遇真宮，相傳是張三丰結庵修道處而敕建，至今六百年。現存遇真宮山門和東西宮門，因丹江水庫工程所需，在原地整體提升十五米，成為文物保護的一段佳話。

明嘉靖帝重道，在紫禁城外西北建道教殿閣一區，大高玄門裏，前為大高玄殿，中為「九天應元雷壇」，後為乾元閣——樓閣式，外觀二層，內部三層，上圓（藍琉璃瓦）下方（黃琉璃瓦），造型獨特，國內僅見。嘉靖時，道士煉丹藥，佞臣寫青詞，道香繚繞，齋醮不斷，求長生不老，祈羽化成仙。

清帝不僅禮佛、敬道，而且信仰薩滿教。薩滿教是東北地區普遍流行的的原始宗教。清代重要的皇家祭祀場所，一在坤寧宮，一在堂子（今北京貴賓樓飯店址）。本書前文已述，不再重複。

清雍正帝既禮佛，也重道。他在圓明園煉丹藥，求長生。但道教在宮中地位遠不如佛教。體現明清皇帝敬畏的重要儀式，是在齋宮齋戒。

三　齋宮齋戒

祭祀是宮廷的重要典禮，凡是皇帝親祭，則要先期齋戒。祭祀與齋戒，是對受祭者誠敬的一種禮儀，表達對所祀之神的自省，也是對敬祀者的一種約束。齋戒時要外淨其身（沐浴），內淨其心（修省），講「三齋五戒」。「三齋」是大祀齋戒三日，「五戒」是不飲酒、不吃葷、不作樂、不理刑名、不近女色，以示敬誠。齋戒時進銅人，明製鑄銅人高一尺五寸，手執牙簡，大祀書「齋戒三

清宮齋戒牌

日」，中祀書「齋戒二日」。據傳「銅人」是以唐朝著名諫臣魏徵的形象鑄造的。

明帝齋戒在文華殿（或武英殿）。齋戒時，皇帝白天在文華殿的東室齋居，西壁上寫有「正心誠意」字樣，門楣上寫有「敬一」字樣，晚上在西室齋宿。當時文華殿西北有「省愆居」，為簡陋木製小屋，地基高三尺，木牆下不接地，好似大囚籠，國家逢大祀和遭大災時，皇帝要在這裏修省。崇禎年間，內外亂事不斷，崇禎帝多次來省愆居修省。

說到齋戒，必講齋宮。

雍正九年（一七三一年）在紫禁城內建齋宮，將齋戒儀式改在宮中進行。齋宮位於乾清宮東、毓慶宮西、景仁宮南，為獨立宮院。齋宮門內，兩進院落。前院正殿，齋宮五間，內懸「敬天」匾，為乾隆帝御筆。宮內藻井，雕懸蟠龍。東暖閣為書屋，西暖閣為佛堂。後院為寢殿，初名「孚顒殿」，後改為「誠肅殿」，寢殿五間，黃琉璃瓦歇山頂。東西配殿，各為三間。規定祭天、祈穀、常雩等大祭，祭前三日，皇帝御大內齋宮齋戒；祭地、太廟、社稷等中祀，祭前二日，在養心殿齋戒。養心殿東暖閣後室東一間小室，無窗，內有仙樓，為供佛之處，室內有床，為皇帝在殿內齋戒時寢室，有乾隆帝〈御製養心殿齋居詩〉為證。

清帝宿齋宮齋戒時，進銅人。自雍正十年（一七三二年）始，致齋之日，皇帝與王公大臣、宮中行走人員，都佩戴齋戒牌。《清會典》載：「齋戒牌木製，飾以黃紙，以清、漢文書齋戒日期。」齋戒牌，寬一寸，長二寸，形狀質地，各有不同，有方形，也有圓形，有銀、玉、木、象牙質地等，懸於衣襟之前（類似胸牌）。遇齋日，宮眷不得在其附近行走。齋戒期內，宮中各門額均懸掛齋戒木牌，結束後撤去。如遇祭天，齋戒三日，皇帝在齋宮只住兩日，第三日住天壇齋宮。

天壇齋宮坐西面東，由兩重宮牆、兩道御河圍護，平面呈「回」字形[1]，有前正殿、後寢殿、鐘樓、值房等建築。齋宮正殿為無梁殿，建於明永樂十八年（一四二〇年），高約十八米，綠琉璃瓦廡殿頂，五間，殿內為磚券拱頂，沒有樑柱，殿前月台，崇基石欄。無梁殿是皇帝白天齋戒場所，殿內陳設樸素，懸乾隆帝御筆「欽若昊天」匾。齋宮佈局嚴謹，環境典雅肅靜，是中國祭祀齋戒建築的傑作。齋宮後寢殿，也是五間。乾隆帝〈齋宮詩〉云：「引仗青旗出禁城，祥凝樓雪曉風輕。祈辛預日齋宮宿，又得新詩紀上庚。」（《日下舊聞考》卷五十七）先農壇齋宮在東外壇，圍牆護衛，清中期改為慶成宮。

天壇齋宮西為神樂署（神樂觀），是祭祀樂隊聯合演習的場所。裏面的鼓，有兩面、四面、六面和八面等，笙簫管籥，中和韶樂。

到天壇祭祀，明朝最勤的皇帝是成化帝和弘治帝，每年都親祭；最懶的是萬曆帝，在位四十八年，僅去天壇祭祀四次。清朝皇帝最勤的是康熙帝（八十七次）和乾隆帝（一百五十八次）；較少的是同治帝（七次）。

1 清乾隆帝建齋宮後寢殿時，將內御溝西面填平，呈「冂」字形。

開頭我提出：皇帝有敬畏之心嗎？有。我舉兩個史例。康熙帝一次在宮中設壇祈禱，長跪三晝夜，日惟淡食，不御鹽醬，到第四日，步詣天壇，大雨如注，水滿兩靴，衣盡沾濕，步行回宮。其敬誠之心，諸臣莫不感動（《清聖祖實錄》卷二百七十五）。唐太宗說：「朕每思出一言，行一事，必上畏皇天，下懼群臣。」（《貞觀政要．謙讓》）所以，唐太宗時以「常謙常懼，日慎一日」自警。然而，明君有畏，昏君無懼。總之，做帝王將相，做平民百姓，常敬常謙，日勤日慎，都是應當去做的，也是很難做到的。人，不可沒有敬畏之心。因此學點歷史，以此共勉。

明朝皇帝祭天年數表

年號	在位年數	天地合祭	祈穀	冬至祭天	祈雨祈雪謝雨謝雪	告祭
永樂	二十二	四				
洪熙	一	一				三
宣德	十	九				
正統	十四	十				三
景泰	八	七			一	
天順	八	六				三
成化	二十三	二十三			一	
弘治	十八	十八				
正德	十六	十五				
嘉靖	四十五	九	一	七	五	三
隆慶	六			四		
萬曆	四十七			三	一	
泰昌	一					
天啟	七			一		
崇禎	十七		二	五	二	
十四位	二百四十三	一百〇二	三	二十	十	十二

清朝皇帝祭天年數表

年號	在位年數	孟春祈穀	冬至祀天	常雩 大雩	其他（告祭等含遣官告祭）
順治	十八	三	十	二	四
康熙	六十一	三十八	四十四	五	五
雍正	十三	十二	十一		一
乾隆	六十	五十八	六十	四十	一
嘉慶	二十五	二十五	二十五	二十五	
道光	三十	二十七	二十七	二十九	
咸豐	十一	七	五	八	
同治	十三	二	二	三	
光緒	三十四	十九	十九	十八	
宣統	三				一
十位	二百六十八	一百九十一	二百〇三	一百三十	十二

注：表格由天壇公園管理處于輝副主任提供。

第五十八講　廟學聯珠

疾風知勁草，秋霜見柿紅。以李時勉、徐元夢、王懿榮、蔣衡等為代表的明清正氣士人，明志篤學，堅韌挺拔，功成而敗，敗而再成，學績卓越，風節高亮，一代楷模，後人景仰。

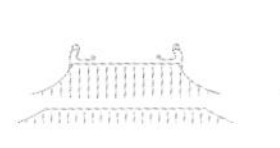

⌂ 今北京東城區安定門內的成賢街（國子監街），被譽為中國第一歷史文化名街，街的東西豎立着四座牌坊。街中左廟（孔廟）右學（太學即國子監），坐北面南，彼此相鄰，廟學聯珠，蔚為壯觀。北京孔廟和國子監是元明清六百多年間國家最高文化教育的殿堂。

一  三大殿堂

孔廟和國子監既彼此為鄰，又各成院落。孔廟的大成殿，國子監的辟雍和彝倫堂，是其典型的、精美的歷史文化殿堂。

孔廟是祭祀儒家學派創始人、大思想家和大教育家孔子的廟堂。成吉思汗起兵初期，攻城掠地，擄掠焚殺，耶律楚材向蒙古大汗諫言，要尊儒，被採納。後元建大都後的大德十年（一三〇六年），建成大都孔廟。元亡明興、永樂遷都北京後，先後經明、清改建和重建，成為孔廟和國子監現在的格局，佔地二萬二千平方米，建築面積七千四百平方米，院內蒼松翠柏，古樹參天[1]。

大成殿 孔廟中軸線上有三進院。大門（先師門）內為第一進院，東西有碑亭等，院內布列進士題名碑。大成門內為第二進院，主體建築大成殿，面闊九間，進深五間，建在二點二十四米高的露台上，露台三出陛，四周有石護欄。大成殿通高三十三米，殿內有孔子塑像、

神位，上懸康熙帝御書「萬世師表」匾。殿前東西廡對稱[2]，各十九間，長八十米，寬十三米，面積一千零四十平方米。從祀先賢先儒一百五十六人。崇聖門內為第三進院，有祭祀孔子先人的崇聖祠五間，上覆綠琉璃瓦。雍正五年（一七二七年）二月初七日諭：「定八月二十七日，先師誕辰，官民軍士，致齋一日，以為常。」（《清史稿．禮志三》卷八十四）這是清代的「孔子節」，也是清代的「教師節」。孔廟是中華傳統文化的象徵，體現中華儒家文化之魂[3]。

清朝對孔廟做了重大禮制提升舉措：

其一，稱謂。「大成至聖先師孔子」，孔子由「文宣王」，被尊為「繼堯舜禹唐文武」後的「至聖先師」。

其二，殿瓦。大成殿原是灰瓦，明萬曆二十八年（一六〇〇年）下詔換成綠琉璃瓦。清乾隆二年（一七三七年），命孔廟「大成門、大成殿，着用黃瓦」（《清高宗實錄》卷五十）。

其三，殿頂。大成殿的殿頂，為最高建築等級的廡殿頂。與皇宮的太和殿、奉先殿、皇極殿同為廡殿頂。其大小枋額，用和璽彩畫。曲阜孔廟的大成殿，也為黃

1 觸奸柏：今孔廟有古樹一〇八棵，國子監有古樹四十三棵，其中孔廟內最大的一顆柏樹，相傳是元代國子監祭酒許衡手植，近七百年樹齡，繁枝盤錯，挺拔蒼翠。傳說明朝嚴嵩代嘉靖帝祭孔時，行至樹下，樹枝揭掉了他的烏紗帽。幾年後又長出了一個樹瘤，橫看似一個龍爪抓住了一個人頭。人們便認為柏樹有知，能夠辨認忠奸，因此稱之為「觸奸柏」或「辨奸柏」。

2 中國書店於一九六一年四月到一九六四年四月，將專家服務部及部分內櫃書遷到孔廟東廡營業，那時我常去看書，中午帶個窩窩頭，書店先生極為熱情，供應開水。有時也到其西院國子監的首都圖書館善本部看書。孔廟的書，全部開架，閱讀方便，獲益良多，至今銘記。

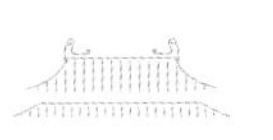

孔廟大成殿內景（1900 年）

琉璃瓦廡殿頂。

其四，大祀。以孔子「德配天地，萬世師表」，着由中祀，升為大祀（《清德宗實錄》卷五百六十六）。祭孔子的文廟，同祭天、地、宗、社等並列為大祀。

在國內，山東曲阜的孔廟是孔子的家廟。各府州縣都有孔廟（今存約五百零九座）。在台灣，清台灣府（今台南市）也建有孔廟。今台北市孔廟保護完好，大成殿內高懸康熙帝御書「萬世師表」匾。

在國外，越南、日本、韓國都有孔廟。越南河內孔

3 硯水湖：北京孔廟中的一眼古井，因坐落在德勝門至安定門內地帶的水線上，井水常溢到井口，水清澈而甘冽。相傳進京科考舉子在孔廟拜謁後，如飲井中「聖水」，便能文思泉湧，筆下生花。以井水磨墨，會濃墨噴香，落筆如神。清乾隆帝特賜其名為「硯水湖」。

廟（文廟），有九百多年歷史，佔地二萬四千五百平方米，內有進士題名碑八十二通，鐫刻一千三百零六名進士的姓名和籍貫。日本東京的孔廟曾是國家文廟，今足利孔廟仍供奉木雕孔子坐像，今長崎孔廟巍然屹立。韓國成均館是「前（文）廟後（太）學」的佈局，也有與中國孔廟同名的大成殿等建築。

國子監 明永樂遷都北京後，在北京設國子監。明朝國子監有兩處，在南京的叫南監，在北京的叫北監。監的正堂為明倫堂（彝倫堂）。國子監的貢生、監生分別在率性、修道、誠心、正義、崇志、廣業六堂中學習。太學設施齊全，有會饌堂（餐廳）、廚房、庫房、浴所，還有監生的集體宿舍，叫作「號房」。帶家屬的監生要在外邊居住，每月發給定額白米作為生活費。

清代國子監生員有滿、蒙、回、漢

國子監辟雍（1900年）

等族學生，還有朝鮮、暹羅（今泰國）、安南（今越南）、俄羅斯、日本和琉球的留學生。在監生員多時有一萬人。如琉球曾先後派遣八批共三十多名留學生，來國子監學習。清對琉球學生更為優待，設「琉球學館」，供應他們每人每日雞一隻，肉二斤，茶五錢，豆腐一斤，椒、醬、油、菜具備。乾隆朝又給每位留學生增加黃酒一瓶、菜一斤、鹽一兩、油二兩。春秋發錦緞袍褂，紡絲綢、靴襪、涼帽各一；夏天賜紗袍褂、羅衫褲各一；冬季賜緞面細羊皮袍、棉襖棉褲各一，貂皮帽、鹿皮鞋、絨襪、被褥、席枕俱全；文房用品每月給銀一兩五錢，人人有份。

國子監太學門內，有琉璃牌樓，牌樓北就是辟雍。

辟雍是國子監全部建築的中心。辟雍是一座方殿，面闊一六點九六米。為乾隆四十九年（一七八四年）修建，高二十二點四四米，屋簷四角攢尖頂，上蓋黃色琉璃瓦，最高端為銅胎鎏金寶頂，高三十二米。它坐落在圓形水池中央，四面有四座石橋，白石護欄圍飾，這就構成了天圓地方、辟雍環水的建築格局。為什麼叫辟雍呢？環形碧水，如古玉璧，故為「辟雍」。辟雍為一座高大和諧、雍容華貴的仿周代形制的禮制建築。雍正、乾隆帝到國子監講學，講壇就設在辟雍。

乾隆五十年（一七八五年）春天，七十五歲高齡的乾隆帝在辟雍舉行盛大的「臨雍講學」典禮。他講的內容是《大學》中的名言：「為人君，止於仁；為人臣，止於敬；為人子，止於孝；為人父，止於慈；與國人交，止於信。」王公大臣，國子監師生，都要跪着聽，僅聽講學生就有三千零八十八人，再加上各級官員、朝鮮使臣等，總數不下四五千人。那時沒有麥克風，通過「傳臚」官員，層層傳聲。講後國子監師生到成賢街跪送。

辟雍東西兩側各有簷廊周房三十三間，每十一間為一堂，設置為東、西六堂。東為率性、修道、廣業三堂，西為誠心、正義、崇志三堂，是國子監分班肄業的場所。晚間要上晚自習，「傳柝三更靜，挑燈六館明」，是對學生們苦讀經書的真實寫照。

彝倫堂 懸掛康熙帝御書「彝倫堂」匾。彝倫堂具有朝參、臨雍、會講等作用：清朝國子監「堂期」逢一、六日（十六日改為十五日）向祭酒和司業行朝參禮儀。在辟雍興建之前，皇帝臨彝倫堂執經進講。新科進士在廟學行釋褐禮[4]，「始為士」（才開始成為士）。

國子監官員品級不高。清國子監祭酒（大學校長）滿、漢各一人（從四品），司業（副校長）滿、漢、蒙各一人（正六品），博士（相當於教授）二人（從七品），助教若干人，還有其他教學與管理人員。國子監官員雖然官品不高，但國師的人品與學品，時至當今，令人尊敬。

二 三大國師

國子監祭酒是國子監的一把手，也是德高望重的國學大師。國子監祭酒極少有貪官污吏、道德敗壞者。他們多

4 釋褐禮：新科進士一甲三名已受職、服頂戴、掛朝珠，率二、三甲均常服的進士，先謁孔廟行釋菜禮，再向國子監祭酒行脫去布衣換上官服的釋褐禮，開始為士（《國子監志》卷二十九）。

展現出一代大師風範。

李時勉（一三七四～一四五〇年），江西安福人。家境貧寒，童時讀書，天氣寒冷，身上裹着被子，腳放在熱水桶裏，誦讀不已。永樂中進士，官翰林侍讀。李時勉性格剛耿，志願宏大，以天下為己任，但四蒙大難。

永樂一難。永樂時上疏，觸犯了帝意，疏被扔在地上，復取後再讀，多被採納。不久，被讒下獄，關押年餘。是為李時勉一難。

洪熙二難。永樂帝死，洪熙帝立，李時勉又上疏。洪熙帝大怒，把李時勉召到便殿，時勉不屈答對。洪熙帝命武士將李時勉撲倒，以金瓜痛打，打斷三根肋骨，拖出殿外，奄奄一息。明日，改為交阯道御史，命一天重審一名囚犯，一天上言一件要事。李時勉三上奏章，又被下獄。因他曾對錦衣千戶某人有恩，這位官員秘密召來醫生，給他治病，得以不死。是為李時勉二難。

宣德三難。洪熙帝臨終前，對尚書夏原吉說：「時勉廷辱我」。當晚，帝崩於欽安殿。宣德帝繼位後，聽說李時勉得罪先帝皇父的事，大為震怒，立命使者：「縛以來，朕親鞫，必殺之。」（把李時勉抓來，我親審，定殺他！）一會兒，又下令王指揮：「我不見他，立即逮捕，斬於西市！」很巧，王指揮從西門出，前使者捆着李時勉從東門進，沒有相遇。宣德帝遙見李時勉，罵道：「爾小臣敢觸先帝！疏何語？趣言之。」（你都說了些什麼，快說給我聽。）李時勉叩頭說：「臣言先帝不宜近妃嬪，皇太子不宜遠左右。」宣德帝聽後，氣消些。令全說，回答道：「臣惶懼不能悉記。」又問：「草安在？」（草稿在哪裏？）對曰：「焚之矣。」宣德帝歎息，稱讚李時勉忠心，立命赦免，官復原職。等王指揮回來，見李時勉已冠帶整齊站在殿前。是為李時勉三難。

正統四難。後李時勉參與修纂《明成祖實錄》，告成，遷侍讀學士。宣德帝到史館，撒金錢賜諸學士。諸學士都俯身拾取，唯獨李時勉正立不屈。宣德帝便取出餘下的錢賜給他。後與修《明宣宗實錄》成，升內閣學士，兼經筵講官。正統六年（一四四一年）為國子監祭酒。時大太監王振奉命到國子監，祭酒李時勉待王振沒有格外奉承。王振記恨在心，伺機報復。有一件小事被王振利用：彝倫堂前樹木旁枝下垂，妨礙師生走路，李時勉便下令修剪。王振借此上綱上線，誣奏：李時勉擅伐官樹入家。他派錦衣衛到國子監，時勉正在閱生員考卷，被押到院裏，在師生前，戴枷示眾。時值酷暑，戴枷三日，折磨不堪。千餘生員跪在宮前請願——「諸生圜集朝門，呼聲震徹殿庭」。助教李繼感於時勉舊恩，請於太后父親孫忠，孫忠又轉請太后，太后給皇帝說了，時勉才被釋放。是為李時勉四難。

正統九年（一四四四年），正統帝到國子監視學。李時勉進講《尚書》，辭旨清朗，氣宇軒昂，皇帝大悅。連上疏三年，方允其退休。朝臣及國子監師生三千人，在都城門外為祭酒餞行。有的遠送，舟發才去。

景泰元年（一四五〇年）李時勉病故，年七十七。李時勉一生，蒙四難，歷五朝，為祭酒六年，訓勵嚴格，學風醇正，督令讀書，燈火達旦，吟誦聲不絕。他教育學生重誠正、崇廉恥、抑奔競（跑關係）、別賢否，培養出一批傑出人才。貧窮生員，不能婚葬，他節省餐錢，給予補助。李時勉生前受到敬重——英國公張輔暨諸侯伯奏請，到國子監聽講。時勉升師席，諸生以次立，講「五經」各一章。講畢，設宴，諸侯伯謝讓道：「受教之地，當就諸生列坐。」以學生身份入座。諸生歌〈鹿鳴〉之詩，賓主雍雍，盡暮散去。李時勉身後受到稱讚：「以直節重望為士類所依歸者，莫如時勉。」（《明史．李時勉》卷一百六十三）

徐元夢（一六五五～一七四一年），字善長，舒穆祿氏，滿洲正白旗人。康熙十二年（一六七三年）進士，年十九，改庶起士，後充日講起居注官。徐元夢以講學負聲譽，大學士明珠要籠絡他，但他一次也不登權相明珠的大門。他的好友德格勒轉送明珠送給他的衣服進行籠絡，他也予拒絕。徐元夢雖沒有做國子監祭酒，但任翰林院掌院學士，為一代大儒，受三大坎坷。

一大坎坷。康熙二十六年（一六八七年）夏，康熙帝御乾清宮，召陳廷敬、湯斌、徐乾學、耿介、高士奇等及德格勒和徐元夢入試，題為「理學真偽論」。剛起草稿，傳旨詰責德格勒和徐元夢二人。德格勒在文後申辯，徐元夢卷未答完。康熙帝看完卷，命同試官互校，太子師傅湯斌仍稱徐元夢的文章為好。不久命徐元夢授諸皇子讀書。

二大坎坷。同年秋，康熙帝御瀛台，教諸皇子射箭。徐元夢因不能彎強弓，康熙帝不高興，譴責徐元夢。徐元夢奏辯，康熙帝更怒，命撲倒杖責，創傷很重，並籍其家，戍其父母。當夜，康熙帝氣消，派御醫給他治療創傷。第二天，命元夢照舊教諸皇子讀書。徐元夢請求赦免父母，時他父母遣戍已經在路上，派官追還。

三大坎坷。同年冬，翰林院掌院學士庫勒納奏劾日講起居注官德格勒私抹《起居注》，並捎帶說德格勒與徐元夢互相標榜，命將德格勒奪官下獄（《清史稿．德格勒傳》卷二百八十二）。二十七年（一六八八年）春，獄上，擬德格勒立斬，徐元夢絞。康熙帝命免徐元夢死，荷校（戴枷）三月，鞭一百，入辛者庫（奴僕，或罪人家屬）。

康熙帝後經考察，發現徐元夢很忠誠。康熙三十二年（一六九三年），命值上書房，仍授諸皇子讀書。徐元夢學問醇厚，品德優秀。康熙五十年（一七一一年），康熙帝諭：「徐元夢翻譯，現今無能過之。」他的滿語、滿文應是清定都北京後水準最高的。翌年，徐元夢任會試考官。康熙五十二年（一七一三年），升為內閣學士，仍回歸原旗。翌年，任浙江巡撫。行前，受賜《御製詩文集》及鞍馬。在任期間，疏請賑災，緩徵額賦。又修復萬松嶺書院，康熙帝賜「浙水敷文」榜，因名敷文書院。康熙五十六年（一七一七年），任左都御史和翰林院掌院學士，後任工部尚書。康熙六十年（一七二一年），康熙帝病中賜詩給徐元夢，詩前有小序：「病中偶爾問及工部尚書、翰林院掌院學士，乃同學舊翰林，康熙十六年以前進士，再無一人矣。率賦一律，以遣悶懷。」詩曰：「七旬彼此對堪憐，病裏回思一慨然。少小精神皆散盡，老年歲月任推遷。常懷舊學窮經史，更想餘閒力簡編。詩興不知何處至，拈毫又覺韻難全。」雍正帝即位，徐元夢仍值上書房，授諸皇子讀書。雍正元年（一七二三年），徐元夢署大學士，充《明史》總裁，後兩次奪官。

乾隆帝即位，徐元夢奉詔與鄂爾泰等纂輯《八旗滿洲氏族通譜》。不久，乞休，命解侍郎職，拿尚書俸，領諸館編書事。徐元夢年雖逾八十，仍在供職。乾隆六年（一七四一年）秋，發病，遣御醫診視。十一月，病重，乾隆帝諭：「尚書徐元夢，人品端方，學問優裕，踐履篤實，言行相符。歷事三朝，出入禁近，小心謹慎，數十年如一日，謂之完人，洵可無愧。」（《欽定八旗通志》卷一百六十）病危，乾隆帝遣使問有什麼話要說。徐元夢伏枕流涕曰：「臣受恩重，心所欲言，口不能盡！」使出，呼曾孫取《論語》檢視良久。第二天病故，年八十七（《清史稿．徐元夢傳》卷二百八十九）。他的孫子舒赫德，官武英殿大學士，以軍功圖形紫光閣。《清史稿》論道：「朱軾以德望尊，徐元夢以忠謇重。世宗譴允禩、允禟，徐元夢言：『二人罪當誅，原上念手足情緩其死。』二人者既死，吏議奴其子，軾言：『二人子實為聖祖孫，孰敢奴之？』

世宗皆為動容。諒哉，古大臣不是過也。古所謂大人長者，殆近之矣！」

王懿榮（一八四五～一九〇〇年），福山（今山東省煙台市福山區）人。祖巡撫，父道台，少聰穎，學勤奮。光緒六年（一八八〇年）進士，後為翰林，值南書房。甲午戰起，日據威海，又陷榮城，登州大震，王懿榮請歸練鄉團。和議成，回北京，為祭酒。凡三任，共七年，為人師表，諸生咸服。

國子監祭酒王懿榮，為後人永久記憶的是其學問與人品兩件事。

其一，學問。王懿榮泛涉書史，酷嗜金石，「篤好古彝器、碑版、圖畫」，歷時十九年，撰成《漢石存目》、《南北朝石存目》、《天壤閣藏器目》等書，成為著名的金石文字學家。他「平日不問家人生產，至購買書畫古器，則典衣質物亦所不計」。他幾乎花盡了俸祿，甚至把妻子的嫁妝也拿去典賣得錢購買文物。他作詩說：「廿年冷臣意蕭然，好古成魔力最堅。隆福寺歸誇客夜，海王村暖典衣天。從來養志方為孝，自古傾家不在錢。墨癖書淫是吾病，旁人休笑余癲癲。」王懿榮的重大貢獻是，他最先發現了甲骨文。光緒二十五年（一八九九年），他在中藥「龍骨」中首先發現甲骨文刻辭，並斷為古代文字，是我國第一位甲骨文學家。

其二，人品。光緒二十六年（一九〇〇年），八國聯軍入侵，時任團練大臣的王懿榮面陳：「拳民不可恃，當聯商民備守御。」時事已不可為。七月，八國聯軍攻東便門，王懿榮率勇抵拒，不勝。回家說：「吾義不可苟生！」家人環跪泣勸，但死意已決。仰藥未即死，在牆壁上題〈絕命詞〉：「主憂臣辱，主辱臣死。」擲筆投井死。妻謝氏等同殉。太學生捐錢埋葬之（《清史稿·王懿榮傳》卷四百六十八）。王懿榮自殺殉國，捨身成仁，體現士人的高風亮節。

三　三大石刻

在孔廟和國子監裏，有西周石鼓、進士題名碑和十三經刻石三大石刻。

石鼓　是西周宣王（一說為秦）時文物，共十個，每個重約一噸，被譽為中國「石刻之祖」。唐時出土於陝西鳳翔。北宋運汴京（今開封）。金陷汴京，運到燕京（今北京）。金亡元興，列在孔廟大成門內左右（《欽定國子監志》卷六十一）。明清依然。抗戰前夕，形勢危急，文物南遷，石鼓隨行。八年抗戰勝利，石鼓回到北京，現藏故宮博物院。現存大成門外的石鼓，是乾隆朝複製品。還有清書法家張照書韓愈〈石鼓歌〉等石碑兩通。

進士題名碑　明清科舉每三年舉行一次會試。明從永樂十三年（一四一五年）乙未科開始在北京舉行會試、殿試，到崇禎十六年（一六四三年）癸未科，共有七十七科，二萬二千六百四十九人在北京成為進士。清代共舉行會試、

石鼓

殿試一百一十四科，有二萬六千八百四十人在北京成為進士。光緒九年（一八八三年），應會試考生一萬六千餘人。會試考生年齡最小者十六歲，最大者一百零三歲。

北京元明清金榜題名者的姓名刻在石碑上，立於孔廟，這就是進士題名碑。明代則常將元代進士題名碑上的文字磨去，刻上當時進士的姓名，所以元代進士題名碑保存較少。孔廟內今存元明清進士題名碑一百九十八通，其中元碑三通，明碑七十七通，清碑一百一十八通，上面記載五萬一千六百二十四名進士的姓名、籍貫和名次，是一份珍貴的文化遺產。

蔣衡寫經 蔣衡（一六七二～一七四三年），江蘇金壇人，初名衡，改名振生，字拙存，號湘帆。祖、父皆精書法，幼承家學，自小臨摹，尤工行楷，苦練有成。蔣衡科試不第，轉意遊學，浪跡江湖，尋師訪友，切磋書藝，足跡半海內。史書記載：「先生好遠遊，既不遇，遂東詣曲阜，謁孔林，至會稽，涉西江，歷嵩少，導荊楚，登黃鶴磯，過大庾嶺，升白鶴峰，訪東坡故宅，抵瓊海，觀扶桑日出，登雁門山，歷井陘，逾龍門，為終南嶽之遊，浴驪山溫泉，登慈恩寺雁塔，縱觀碑洞金石遺刻，所至以筆墨自隨，賦詩作畫，或歌哭相雜，至不能自止。」（《國朝耆獻類徵．蔣衡傳》初編，卷四百三十三）

他在長安觀摩碑林時，痛覺唐代《開成石經》出於眾手，雜亂不齊，於是發願重寫「十三經」[5]——《周易》、《尚書》、《毛詩》、《周禮》、《禮記》、《儀禮》、《春秋左傳》、《春秋公羊傳》、《春秋穀梁傳》、《論語》、《孟子》、《孝經》和《爾雅》。決心下定，矢志不移。雍正四年（一七二六年）授英山教諭，自稱才疏，力辭不赴。他書成一半時，上司又催促就職，他仍以老病為由，上書求免，並抱病親到官衙求情，終於獲准。他在揚州瓊花觀即番釐觀（今揚州市文昌中路三六〇號）專心寫經。當年瓊花觀內，亭台樓榭，軒坊花石，幾焚幾建，遺韻猶存。今揚州以瓊花為市花。蔣衡在揚州瓊花觀，青燈相伴，中正靈靜，握管不輟，篤志寫經。自雍正四年（一七二六年）至乾隆二年（一七三七年），「鍵戶十二年，寫十三經」（《清史稿·蔣衡傳》卷五百三），六十二萬餘字，書寫工整，前無古人。乾隆中，進上，授衡國子監學正，終不出。大成垂名，常在身後。蔣衡所書「十三經」，身後五十年，乾隆帝命將蔣衡所書的「十三經」刻石，貞珉工竣，御製序文，立於太學，以垂萬世。

蔣衡書寫「十三經」的成功，得到三位貴人相助：

第一位是揚州富商馬日琯。馬氏出資兩千金，將蔣衡手書「十三經」裝裱成三百冊，五十函冊（《清史列傳》卷七十一）。這才有可能進獻給乾隆帝。

第二位是江南河道總督高斌。乾隆五年（一七四〇年），高斌將蔣衡手書裝裱成冊的「十三經」正文，進呈乾隆帝。後收藏在大內懋勤殿[6]。清賞給蔣衡國子監學正（正八品）職銜，但終未出山。

第三位是乾隆帝。蔣衡手寫「十三經」進呈後，乾隆帝先要將其雕版印刷，但受阻未果。乾隆五十六年

5 中國有刻石經的傳統，重要的有七次：
第一次是《熹平石經》，東漢，收入七經，刻於四十六塊石碑上，二十餘萬字。蔡邕以當時通行的隸書寫就，「及碑始立，其觀視及摹寫者，乘日千餘輛，堵塞街陌」。
第二次是《正始石經》，三國魏正始年間（二四〇—二四九年）刻成。
第三次是《開成石經》，唐大和七年（八三三年）至開成二年（八三七年）立。五代雕版印刷第一部監本《九經》以此為底本，今存於西安碑林。
第四次是《廣政石經》，後蜀廣政七年（九四四年）於成都開始鐫刻，後相延，直到宋，歷時百年，有千餘石。
第五次是北宋《嘉祐石經》，今杭州尚餘四十四枚殘石。
第六次是南宋《紹興石經》，今杭州尚存四十四枚殘石。
第七次是清朝《乾隆石經》，

（一七九一年），命以蔣衡手書「十三經」為底本，刻石太學，定名「乾隆石經」。乾隆五十九年（一七九四年），石碑刻成，立於國子監東西六堂。全部石碑一百八十九通，加上告成表文「諭旨」碑一通，共一百九十通，現藏於北京孔廟和國子監博物館。

蔣衡手書、乾隆刻石的「十三經刻石」即「乾隆石經」，其規模之宏大，楷法之工整，筆力之雄健，毅力之堅韌，學志之專一，價值之珍貴，國內僅有，世界無雙。一九五六年，石經被移至孔廟與國子監之間的夾道內專存。一九八一年在夾道上加蓋屋頂。二〇一一年重修，遮擋風雨，恒溫恒濕，妥為保護。這是中國現存最完整的十三經刻石。

此外，今揚州大明寺東牆外「淮東第一觀」五個大字，為蔣衡手書。蔣衡死後葬於揚州大明寺外斜坡下，有《蔣衡書十三經墨蹟》《拙存堂詩文集》《拙存堂臨古帖》《書法論》等傳世。

疾風知勁草，秋霜見柿紅。以李時勉、徐元夢、王懿榮、蔣衡等為代表的明清正氣士人，明志篤學，堅韌挺拔，功成而敗，敗而再成，學績卓越，風節高亮，一代楷模為後人景仰。

6
即蔣衡書寫的「十三經刻石」，存國子監。
《蔣衡書十三經墨蹟》（七箱），三百冊，五十函，現藏台北故宮博物院。經該院林天人研究員測量示知：《蔣衡書十三經墨蹟》本葉寬十九釐米，高三十三釐米。另有拓本兩套，葉寬十四點五釐米，高二十八釐米。

第五十九講　宮外三宮

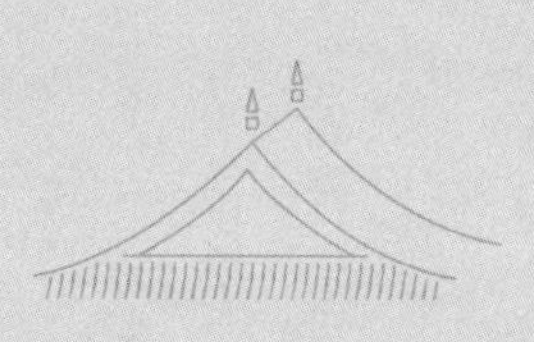

「紂之跡，周之鑒。」宮外三宮是一面鏡子，將正統帝、正德帝和嘉靖帝後宮的縱淫放蕩、胡作非為、專制濫權和醜惡靈魂，映現得淋漓盡致。皇權應當被約束，君權必須受監督。

△ 明朝皇宮之外，還有三組宮院。哪三組宮院呢？就是正統的南宮、正德的豹房和嘉靖的西宮。下分三節，簡略介紹。

一 正統南宮

南宮，位於今北京東城區南池子一帶，清初為攝政睿親王多爾袞的府邸，後為普度寺，今有殿宇遺存。

明英宗朱祁鎮，在正統十四年（一四四九年）土木堡之役中被俘[1]。弟郕王朱祁鈺繼位，改年號為景泰，是為景泰帝。景泰元年（一四五〇年）八月，正統帝被放回北京，稱太上皇，住在南宮。天順元年（一四五七年）正月，英宗復辟，重新登上皇位，這就是「南宮復辟」。明英宗南宮復辟，既有深層原因，也有直接原因。

深層原因是「天無二日」。當時天上有兩個「太陽」：景泰帝朱祁鈺和太上皇朱祁鎮（年齡差一歲）。他們兄弟矛盾的焦點是皇位。景泰帝將太上皇軟禁在南

1 《萬曆野獲編．英宗即位日期》記載：「英宗在位，前十四年，後八年。先以正統十四年八月十五日壬戌車駕北狩，至次年八月十五日丙戌還京，凡蒙塵恰一年，不差一日。自是居南宮者七年。以天順元年正月十七日壬午復辟登極，至天順八年正月十九日己巳晏駕，前後不差一日。豈運會偶爾相值，抑果如術家所云，星命必然之數耶！」。

宮，派兵駐守，正旦、生日，不許朝賀，形同囚犯。太上皇起碼的生活得不到保障：「膳饈從竇入，亦不時具。」（《萬曆野獲編．南內》卷二十四）人身也受到威脅：增高南宮城牆，伐去城邊大樹，宮門之鎖灌鐵，派兵嚴加戍守，加強防禦，以備非常。太上皇嘗憩於樹蔭，城邊大樹砍伐後，便問其故，內臣實說，心裏大懼。既有朝廷兩個「太陽」，便有朝臣兩派勢力。景泰帝不予重用的，或有野心的大臣，站在太上皇一邊，同氣相投，秘密謀劃，尋找機會，發動政變。

直接原因是廢立太子。明英宗有九個兒子。皇長子朱見深已立為太子。景泰三年（一四五二年）五月，景泰帝廢皇太子朱見深為沂王，出京就藩。景泰帝只有一個兒子朱見濟，他要立見濟為皇太子，「恐文武大臣不從，乃分賜內閣諸學士金五十兩，銀倍之」（《明史紀事本末》卷三十五），籠絡朝臣，兼作收買。新太子朱見濟立後第二年就死了。那麼，再立誰呢？有人主張復立被廢的皇太子沂王朱見深。禮部郎中章綸、御史鍾同等，上疏力倡立朱見深，被下詔獄，嚴刑鞫訊，殘酷折磨，體無完膚。立太子之事懸而未

普度寺明南宮舊址

決，景泰帝患病不能上朝，這就為明英宗南宮復辟提供了時機和條件。

密謀　景泰八年（一四五七年）正月十五，景泰帝朱祁鈺因病，免文武百官宴賀。他實際上因病已經三天不上朝了。景泰有病，群臣洶洶。太上皇勢力在暗做準備：如內臣司禮監曹吉祥，文臣副都御史徐有貞（珵），武官都督張軏，武將石亨等，在密室策劃，謀迎太上皇復位。十四日夜，會聚徐有貞家。有貞大喜，說：「須令南城知此意」（就是讓太上皇知道我們的意思）。石亨、張軏說：「一日前已陰達之矣」（一天前已秘密奏達）。讓太監曹吉祥入宮告白孫太后。十六日夜，諸人又在徐有貞家聚會。有貞登上屋頂觀看天象，說：「事在今夕，不可失矣！」這時恰有邊警，以此為名，兵入大內，誰敢阻攔！計定，有貞焚香祝天，與家人訣，說：「事成，社稷之利；不成，門戶之禍。歸，人；不歸，鬼矣！」（《明史紀事本末》卷三十五）凌晨，發動南宮復辟的政變。

政變　正月十六日深夜，石亨掌管宮門鎖鑰，夜四鼓，開長安門，進兵千人。入門後，即關門，理由是「以遏外兵」。另一股兵，趕到南宮。宮城大門錮鎖，叩門不應。徐有貞命眾取巨木懸之，數十人舉起撞門。又令勇士翻牆入，與外兵合毀牆垣，垣壞門開，亨、軏等入南宮。太上皇掌燈出來問是怎麼回事，有貞等俯伏請登大位，遂呼請太上皇進輿。兵士惶懼，不能舉輿。眾俯伏合辭說：「請陛下登位」。有貞率諸人，幫助挽行。到了東華門，守門不讓進。太上皇說：「朕太上皇帝也！」開門進入，到奉天門（太和門）。眾掖升奉天殿。時黼座尚在殿隅，眾挪到正中，遂升座，鳴鐘鼓，啟諸門。十七日晨，百官入候景帝視朝。有貞出列，號於眾說：「太上皇帝復位矣！」（《明史．徐有貞傳》卷一百七十一）有貞等常服拜賀，呼「萬歲」。眾官跪拜。徐有貞即日入內閣，參預機務。明日加兵部尚書，後兼華蓋殿大學士，掌文淵閣事。

廢景泰帝為郕王。郕王朱祁鈺廢後七日薨（《明史·英宗後紀》卷十二）。葬西山。

事後　詔逮兵部尚書于謙、大學士王文等下獄。其理由呢？徐有貞向英宗直前奏：「不殺于謙，今日之事無名。」罪名是「意欲」迎立外藩[2]。王文不服，目如火炬，爭辯不已。于謙笑道：「辯什麼？沒有用。他們不講事實有無，就是要我們死耳！」明英宗決定，將于謙和王文等斬於東市，妻子戍邊。景帝嘗賜謙甲第，于謙辭謝，不許。於是在屋裏放置景泰帝前後所賜璽書、袍鎧、弓劍、冠帶等，加上封條，歲時拜視。于謙以國務繁忙，寓宿直房，夜不回家。謙既死，抄其家，無餘貲，蕭然僅書籍耳。而正室鎖鑰堅固，打開一看，皆帝賜也。謙死之日，陰霾翳天，行路嗟歎，天下冤之（《明史·于謙傳》卷一百七十）。當年，徐有貞等內訌，被謫戍金齒（今雲南保山境），後死。有貞，初名珵，在正統帝被俘國難當頭時，主張都城南遷。于謙當眾斥責：「言南遷者，可斬也！」珵不敢再言。朝廷官員常借此取笑徐珵，因改名有貞。又數年，石亨下獄死，曹吉祥被族誅。後于謙事平反，有《于忠肅集》傳世。

2
「外藩」是指襄王。襄王，為洪熙帝第五子朱瞻墡，時封地在襄陽。英宗被俘，上書「請立皇長子，令郕王監國」；英宗回居南宮，又上書「景帝宜旦夕省膳問安，率群臣朔望見」等。（《明史·諸王四》卷一百十九）。所以，于謙「意欲」迎立「外藩」是為誣陷。

餘說 南宮復辟，多有評論，同情景泰者多，贊同正統者少。但是，可從另一側面思考歷史經驗。正統帝的錯誤在於殺害大功臣于謙、王文，景泰帝的錯誤在於舉措失度，其主要表現在視界窄和視野短。前者如太子廢立，廢朱見深，立朱見濟，屬情有可原，但朱見濟死後自己沒有兒子，又不立皇兄之子朱見深，屬視界窄；後者如太上皇處置，只看到高牆內軟禁的孤家，沒看到高牆外舊臣的勢力，可謂婦人之仁，幼稚之見。對太上皇，只有兩條：留則敬之以禮，否則祭之以鬼；既不敬，又不祭，自招禍，天難救。此外，英宗後八年，他畢竟受過大難，吃過大苦，見過大世面，做過大思考，是經過政治磨煉的人。史稱明英宗釋放建文帝相關人的囚禁，罷宮妃殉葬，則為「盛德之事，可法後世者矣」（《明史．英宗後記》卷十二）。

二 正德豹房

正德帝是明朝洪武、建文、永樂、洪熙、宣德、正統、景泰、成化、弘治之後，第十任皇帝。十五歲繼位，性聰穎，不讀書，好騎射，喜巡遊，是位玩兒皇帝。豹房呢？不在皇宮，而在宮外。正德二年（一五〇七年）八月「作豹房」（《明史．武宗本紀》卷十六）。約在今北海公園以西地方。為什麼叫豹房呢？開始以養豹而得名。豹房佔地大，建築多，如建太素殿、天鵝房、船塢，又別建禁苑，築宮殿，造密室，勾連櫛列，暗室聯通，後來成為正德帝宮外之宮的「安樂窩」。他自稱為「新宅」、「家裏」。正德帝在位十六年，大體來說，前一半住在皇宮，後一半住在豹房。正德帝在豹房做些什麼呢？

第一，樂舞。正德帝日召教坊樂人到豹房演戲。敕禮部發文，取河間等府樂戶，到教坊承應。於是官員押送伶人，日以百計，會聚京城。到京後，選拔其技藝精湛者，給口糧，給建房。正德帝夜間微行到教坊司，觀看諸樂人樂舞及演奏。正德帝還在豹房遊玩，「日率小黃門為角觝蹋踘之戲，隨所駐輒飲宿不返，其入中宮及東西兩宮，月不過四五日」（《武宗外紀》）。宮詞云：「花帽監丞一兩行，西華門外冷秋霜。絳紗車仗吹香過，去伴鑾輿宿豹房。」（《冬青館古宮詞》卷三）豹房佞臣有錢寧。錢寧，以秘戲進帝。正德帝在豹房，恣聲伎為喜，縱淫欲為樂。後錢寧事發，被裸體綁縛，籍沒家產，得玉帶二千五百束、黃金十餘萬兩、白金三千箱等。後磔錢寧於市。其養子十一人全斬首，子永安六歲為都督，年幼免死，妻妾發功臣家為奴（《明史·錢寧傳》卷三百七）。

第二，荒淫。正德帝十五歲登極，在豹房設浣衣局，豢養女寵，蓄集樂工、美女、太監等，朝夕處此，不居內廷（《武宗外紀》）。佞臣進獻能歌善舞的回女十二人入豹房，歌舞達晝夜，猶以為不足。後來正德帝經常微服出宮，甚至到外地巡幸。巡幸所過，閱選美女，充浣衣局，數字不清，僅每年用柴炭即高達十六萬斤。車駕所至，近侍先掠民女，以充幸御，至數十車。各地處女寡婦，聞聽皇帝要來游幸，紛紛擇配，有的搶鰥夫強作婚配，一夕殆盡。正德帝遊幸時，命備大車數十輛，裏面雜坐和尚與婦女，每車數十人，車蓋懸球，迅疾馳行，懸球與僧頭相碰，和尚與婦女相擁，帝視大笑，以為取樂。下舉三例。

馬美女，為閑住將官馬昂之妹，長得美豔，已婚懷孕，諂媚貢獻，送到豹房。馬氏善騎射，長樂舞，尤會西域樂舞，還會民族語言，受到寵幸。馬氏一門，雞犬升天。無論大小，皆賜蟒衣。並在太平倉賜第，熏灼動京師。正德帝嘗從數騎過其第宴飲。言官呂經等言：「今馬姬專寵於內，昂等擅權於外，欲禍機不發，得耶？」俱不報。有的御史以妹喜伐夏、妲己伐商、褒姒伐周為例，冒死進諫說：「積夏、商、周、漢、晉、唐之患於一時也。」仍不報（《勝朝彤史拾遺記》卷四）。正德帝后得劉美人，而馬氏寵衰。而後專寵有劉美人和王浣衣。

劉美人，為晉王府樂戶楊騰之妻。正德十二年（一五一七年），正德帝幸大同，遍索女樂於太原。劉美人偕眾妓雜進，正德帝遙見美人，悅其色，載以歸，命為美人，大見寵幸。初居豹房，受到專寢。飲食起居，必與相偕，言事輒聽。左右或觸上怒，陰求劉美人，輒一笑而解。大太監驕橫貴倨，但見劉美人，觸地叩頭，事若生母，呼為「劉娘娘」。正德帝要南征，秘密移送劉美人到潞河（今通州），約定大駕先發，而後他船迎美人。劉美人脫一簪贈帝行，並說：「見簪而後赴。」正德帝藏簪在衣服裏，過盧溝橋，馳馬失簪。及到臨清（距京近千里），遣內官太監召美人，美人辭道：「無信物，不敢行！」正德帝於是單獨乘船，晝夜疾航，回到通州親迎劉美人，偕行而南（《勝朝彤史拾遺記》卷四）。正德帝的南行，廷臣舒芬等上疏諫止，下令杖之，一意孤行。

王浣衣，名滿堂，霸州（今河北霸州）民王智之女，因貌美參選淑女，落選回家，不肯嫁人。她一天做夢，夢中示意有趙萬興來聘，方可成婚。鄉裏一位和尚出入王家，知道此夢，話傳出去。一位道士聽說，便改名易姓，賄賂那位和尚，讓他前一天到女家說：「爾家明日當有大貴人至。」翌日，果然來一人，問其姓名，答：「我趙萬興也。」闔家羅拜，遂以成婚。這人後來在牛欄山一帶舉事，被捕，斬於西市。正德帝特降旨，勿殺王滿堂，沒入浣衣局，入侍豹房，大獲寵幸。嘉靖帝嗣位，放出浣衣局。人稱「王浣衣」（《勝朝彤史拾遺記》卷四）。

第三，玩武。正德帝好玩武。後江彬等以邊將幸入豹房。又立內教場。選佞幸之人，賜國姓（朱），為義子，其中正德七年（一五一二年）九月，一次就「賜義子一百二十七人國姓」（《明史·武宗本紀》卷十六）。設什麼「四鎮兵」、「外四家兵」，以佞臣江彬兼職統領，為總管。正德帝自領閹人善騎射者為一營，稱中軍。晨夕下操，呼噪鳴炮，火炮之聲，達於九門。時諸軍都衣黃罩甲，就是金緋錦綺，必加罩於甲上。正德帝親自檢閱，稱為「過錦」，就是眼觀如錦。內軍在遮陽帽上披戴靛染天鵝翎，以示尊貴——大者拖三英，次者拖二英。尚書王瓊得賜一英，戴着下教場，以此為殊榮。後巡狩所經之地，侍郎、巡撫、御史等也如此穿戴，叩見正德帝（《武宗外紀》）。這真是一場大鬧劇！

第四，養獸。明朝皇帝喜歡養獸，有虎房、豹房、鳥房、鷹房、狗房、貓房等，算是皇家動物園。裏面有虎、豹、犬、象、犀牛、白水牛、海豹、番狗（藏獒）、貂鼠、猞猁猻、長頸鹿等，百鳥房裏則專門畜養珍禽異鳥，如孔雀、白鶴、文雉、金錢雞、五色鸚鵡等。畜養動物的數量，史書記載：「至天順年間，二萬三百餘個隻；弘治年間，二萬九千四百餘個隻；正德年間，二萬九百三十餘個隻。」（《殊域周諮錄》卷十一）明朝對這些動物的管理，虎、豹、犀牛、大象等，各有職秩，有品科，如虎食將軍俸祿，象食指揮使俸祿等。畜養動物，耗費巨大。嘉靖時，豹房養土豹一隻，「至役勇士二百四十名，歲廩二千八百石，佔地十頃，歲租七百金」（《萬曆野獲編補遺·內府畜豹》卷三）。正德帝玩虎、賞豹，一次「帝狎虎被傷，不視朝」，玩虎受傷，不能臨朝。

第五，酗酒。正德帝嗜飲，經常隨行帶着酒杯、酒勺、酒罌（大腹小口的酒器），走到哪兒，喝到哪兒，醉到哪兒，睡到哪兒。有書記載：「所至輒醉，醒即復進，日以為常」（《武宗外紀》）。一次，正德帝到宣府（今河北宣化），「命群臣具彩帳、羊酒郊迎，御帳殿受賀」（《明史·武宗紀》卷十六）。這座帳殿為「鋪花氈幄，百六十二間，制與離宮等，帝出行幸皆御之」。大明皇帝，醉臥帳裏。佞臣江彬，導引皇帝，多次夜入人家，強索婦女，縱酒淫樂，忘記回宮，夜宿民宅，而稱作「家裏」。正德帝與江彬，聯騎鎧甲，君臣難辨，入豹房，同臥起（《明史·江彬傳》卷三百七）。正德帝在豹房，常醉枕錢寧，酣睡不醒。百官候朝，到了傍晚，不見帝影。

第六，西巡。蘇州才子尤侗作〈威武大將軍〉，描述正德帝巡遊云：「旌旗獵獵向北駐，樓船搖搖望南渡。豹房家裏樂未終，更覓春江花月處。」（《池北偶談·明史樂府》卷十八）正德九年（一五一四年），正德帝開始出遊。這年元宵節，乾清宮大火。正德帝說：「好一棚大煙火也！」為重建乾清宮，「加天下賦一百萬」（《明史·武宗紀》卷十六）。而後，正德帝開始微行。正德帝去過山西、陝西一帶三次。一次，深夜微服出德勝門，到居庸關，被攔回。他更換守關人，又出關，幸宣府，自稱總督軍務威武大將軍總兵官。為此，調撥白銀一百萬兩到宣府。正德十三年（一五一八年）正旦，在宣府過年。後正德帝常以宣府為家。西巡之外，還有南巡。

第七，南巡。正德十四年（一五一九年）四月，寧王朱宸濠反叛，攻陷九江。王守仁率軍收復南昌，尋擒獲宸濠。捷報奏京，秘不公開。八月，正德帝御駕親征。十二月，次揚州，到南京。時淮陽大饑，人相食。正德帝心血來潮，通諭各地，因朱與豬同音，於豬「三禁」：禁餵養，禁宰殺，禁買賣。違者全家老少發往極邊充軍。民間紛紛宰豬醃肉（《萬曆野獲編·禁宰豬》卷一）。十五年（一五二〇年）正月，正德帝在南京過年。八月，在江西獻俘宸濠。令設廣場戎服，樹立大纛，環以諸軍。釋囚，去桎梏，伐鼓鳴金，重新擒之，加以囚械，班師北返。正德帝北還時，令朱宸濠之舟與正德帝之舟，首尾相銜，連接而行，正德帝欲把宸濠放到湖裏，自己親自擒獲。眾諫乃止。九月，還京時到清江，幸太監張楊第。駐留三日，自乘小舟漁於積水池，舟覆，溺水。隨侍大恐，爭入水中，掖之而出。正德帝受到驚嚇，又嗆了水，由是患病。第八，暴死。「帝既南巡，兩更歲朔。」正德南巡，時近兩年。正德十五年（一五二〇年）十二月，正德帝回京師。他殺宸濠，告祭南郊。不久在舉行告捷大典時，突然咯血，滿地殷紅。禮未畢，遂大漸。正德十六年（一五二一年）三月十四日，崩於豹房，年三十一。死時只有兩個太監在身旁。太監將噩耗報到朝廷，上下震悼，放豹房僧人、婦女及教坊樂人。時災異頻仍，人民困苦，兵戈相尋，儲蓄空虛，瘡痍滿目，疲敝極矣。接這個爛攤子的是正德帝的堂弟朱厚熜，就是嘉靖帝。

三　嘉靖西宮

嘉靖帝在西苑興建永壽宮，因在皇宮之西，又稱「嘉靖西宮」。嘉靖帝四十五年的君主人生，以嘉靖二十一年（一五四二年）「壬寅宮變」為分界，大體說來，前一半居住在皇宮，後一半居住在西宮。

嘉靖皇帝有個怪癖，就是「四好」——好大興土木工程，好改變原有規制，好大搞道教崇奉，好祈求長生不老。

永壽宮原為燕王的舊宮，嘉靖帝改名永壽宮。「壬寅宮變」，嘉靖帝差點兒被宮女勒死，驚魂難定，想移宮外。於是，搬到永壽宮。自西苑肇興，尋營永壽宮於其地，未幾而玄極、高玄等寶殿繼起。以玄極殿為拜天之所，當正朝之奉天殿；以高玄殿為內朝之所，當正朝之文華殿。又建清馥殿為行香之所。後建齋宮、紫宸宮、萬法寶殿等。嘉靖帝既遷西苑，不再臨朝聽政，惟日夕事齋醮。凡入直撰玄諸倖臣，皆附麗其旁，就是內閣大臣，也晝夜供事，不再到文淵閣。於是，君臣上下，崇奉道教，朝真醮斗，幾三十年，與嘉靖社稷相終始。直到隆慶帝繼位，將永壽宮夷為牧場，督農官被裁去（《萬曆野獲編．帝社稷》卷二）。

到嘉靖四十年（一五六一年）十一月二十五日，夜火大作，宮宇陳設，乘輿服御，先朝異寶，盡付一炬。這是天火嗎？不是，是人禍。相傳這天夜裏，嘉靖帝與尚美人，在貂帳裏，新幸飲酒，玩耍煙火，半癡半醉，半夢半幻，半睡半醒，半昏半迷，引發火災。其中有數年才能得到八兩的龍涎香，也煨燼於火。到嘉靖四十五年

西苑（十九世紀末）

（一五六六年）八月，命拜未被冊封的宮御尚氏為壽妃，贈其父為驃騎將軍、右軍都督僉事。封妃之日，距嘉靖帝六十壽誕僅二日。據一位宮中太監說，尚氏承恩時，年僅十三，至冊封妃，則已十八矣（《萬曆野獲編．萬壽宮災》卷二十九）。

永壽宮火災後，嘉靖帝暫住玉熙殿，又遷玄都殿，但都不宜帝居。時嚴嵩為相，請移駐南宮，就是明英宗為太上皇時所居住的地方。英宗復辟後，將南宮修飾完整，華美壯麗，勝過永壽宮。但是，嘉靖帝以當時英宗遜位受錮之宮，認為不祥，心裏厭惡，不願入住。當時正興皇宮三大殿工程，於是分撥建材，興築永壽宮。嘉靖帝大悅，不到三月，宮殿告成，即日徙居，賜名萬壽。嘉靖帝死後，宮殿殘破，斷垣壞礎，蔓草叢生（《萬曆野獲編．齋宮》卷二）。

嘉靖在西苑，有佞幸故事。

袁煒佞幸，人皆惡之。嘉靖帝在西苑永壽宮養貓，名叫獅貓。一天，獅貓死，嘉靖帝十分難過，為表示對愛貓的深情，命製作金棺，葬於萬壽山之麓。又命儒臣為獅貓撰寫悼文，薦度超升，進入天界。諸臣以題目難作，故意推辭，拖延時間。唯有禮部侍郎袁煒，阿諛為文，內有「化獅成龍」等語，嘉靖帝御覽，龍顏大悅（《萬曆野獲編．賀唁鳥獸文字》卷二）。袁煒性行不羈，包孝疏劾，帝宥不罪。主編《承天大志》，掠人之美，貪為己功。袁煒官階直升，到戶部尚書、禮部尚書、武英殿大學士、建極殿大學士。袁煒品性差，無他能，善阿諛，犯眾怒，積怨多，患病歸鄉，中途死亡，年五十八，人皆惡之（《明史．袁煒傳》卷一百九十三）。

還有王金，為國子監生，殺人罪當死，畏罪逃亡，隱匿在通政使趙文華家。王金以仙酒獻趙文華，文華又獻給嘉靖帝。一日，嘉靖帝要秘殿扶乩，各地派人，採集靈芝。四方獻靈芝，匯聚在御苑。王金賄賂太監，得靈芝萬株，聚為一山，號萬歲芝山。王金又偽為五色龜進獻。

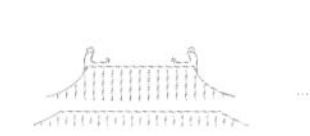

嘉靖帝大喜，遣官告祭太廟，袁煒也上表祝賀，並授王金為太醫院御醫。王金又偽造《諸品仙方》、《養老新書》，與所製金石藥並進。嘉靖帝服用，稍感精神較好。沒多久，帝大漸，遺詔歸罪王金等，命正典刑，下獄論死。後宥王金等死，編口外為民（《明史・王金傳》卷三百七）。

「紂之跡，周之鑒。」宮外三宮是一面鏡子，將正統帝、正德帝和嘉靖帝後宮的縱淫放蕩、胡作非為、專制濫權和醜惡靈魂，映現得淋漓盡致。皇權應當被約束，君權必須受監督。

第六十講　西苑三海

元大都宮城與苑囿的佈局是：「太液為主，宮殿為客。」明則相反：「宮殿為主，太液為客。」究其根因，在於文化：蒙古草原文化，牛羊為衣食之源，牛羊賴草而食，草則靠水而生，水是草原生命之源。明永樂帝生長在農耕文化的江南水國澤鄉，安全為重，水則次之。草原文化與農耕文化之不同，導致元明宮城與苑囿佈局的主客關係不同。

⌂ 在皇宮西面，有西苑三海，就是南海、中海、北海，又稱「太液池」，今稱「中南海」和「北海」。皇宮與西苑，東西兩門，僅隔一街，相距二百四十六米。這是明清宮城外、皇城內最大的皇家宮苑。[1]

一 南海之悲

南海，從寶月樓（今新華門）以北，到蜈蚣橋以南，因在西苑海子（太液池）的南部，所以稱作「南海」。人們從西長安街經過，一眼就看到新華門。新華門的門樓，清朝叫寶月樓（俗稱「望月樓」）。

寶月樓，清乾隆二十三年（一七五八年），乾隆帝建寶月樓。今中南海南門新華門，原有的寶月樓，倚皇城牆而建。民國初年，在寶月樓下皇城牆挖門洞，辟為新華門，寶月樓就成為新華門的門樓。寶月樓上下兩層，面闊七間，朱柱黃瓦，氣派壯麗，相傳是乾隆帝為香妃

1 本講一、二節參考吳空先生《中南海史跡》，紫禁城出版社。

而興建的。香妃就是容妃，出身於新疆維吾爾貴族。一次清軍在南疆的戰爭中，香妃的叔父和兄長立下功勳，受封為公爵等，留居北京。香妃入宮後，人品賢淑，姿色秀美，善於騎射，很受寵愛。據說她身上溢放香味，因稱「香妃」。香妃久居深宮，思念家鄉。乾隆帝命在皇城南面，按回部習俗，建築房屋，遷民居住（今東安福胡同），並建禮拜寺，對面修寶月樓，以為望鄉之閣。乾隆帝〈寶月樓詩〉說：「冬冰俯北沼，春閣出南城。寶月惜時記，韶年今日迎。屏文新茀祿，鏡影大光明。鱗次居回部，安西系遠情。」登樓望月，為了安定對西部疆域的月圓一統。

瀛台，寶月樓（今新華門）以裏，明朝時有一小片平地，地上築台，在太液池之南，稱作「南台」。明代的南台，是永樂年間開挖南海，在南海一隅建立的一個小島。清順治、康熙時對瀛台加以修葺，興建樓閣，使它成為一座水上宮殿，宛如古代傳說中的瀛洲仙境，所以改名為「瀛台」。瀛台在清初為皇帝御政和避暑的勝地。康熙御門聽政，夏天常在瀛台。康熙二十一年（一六八二年）六月，康熙帝下諭旨說，為了慰賞參加聽政的諸大臣，於瀛台橋畔設罾網，大臣們奏事完畢後，可在水邊釣魚，攜回府邸。所謂釣魚，並不是真正的垂釣竿，而是事先由太監張網捕魚，將捕到的魚，用細絲線繫魚口，一串串掛在橋畔水中，大臣經過時，提絲得魚，人必有獲。有一首清宮詞（夏仁虎作）描述這件事情說：「高槐大柳傍宮牆，入奏瀛台趁早涼。舉網得魚歸去樂，不須割肉羨東方。」瀛台建築，錯落有致，自北而南，依次為翔鸞閣、涵元殿、迎薰亭，還有流杯亭等。

翔鸞閣，為康熙年間建，正殿七間，左右延樓各十九間。要登數十台階才能上翔鸞閣，舉目所見，湖光水色，碧波粼粼，凌簷翹頂，色彩繽紛，林木蔥蔭，枝搖影移，奇石峭壁，分外秀麗。

涵元殿，是瀛台的主要建築，原名香扆殿，乾隆六年（一七四一年）改為涵元殿。殿東西有慶雲殿和景星殿、藻韻樓和綺思樓，均為兩層六間的樓閣。涵元殿南有蓬萊閣。蓬萊閣南，東西又有春明樓和湛虛樓。最南面的為迎薰亭，建於水中，有橋與岸相連。

兩幕悲劇，明清兩代的末世悲劇，都同南海相關。

第一個是明天啟帝。先是，元順帝曾在內苑製作大龍舟，舟長三十六米，高六米，舟行時龍的首眼口爪尾全動，用水手多人，在海裏戲遊。順帝還命在太液池上建起浮橋，飾以錦繡，以宮女十六人，表演十六天魔舞。順帝荒淫，元朝滅亡。明朝天啟帝又歷史重演。天啟五年（一六二五年）端午節那

瀛台（1917-1924年）

天，天啟帝到西苑泛舟戲遊。魏忠賢和客氏乘一條大船飲酒作樂，天啟帝和兩個小太監劃一條小船戲遊。驟然風起，浪湧船翻，天啟帝和小太監都落入水中。兩個小太監被淹死，天啟帝被另一大太監托出水面。〈天啟宮詞〉戲云「須臾一片歡聲動，捧出真龍水面來」，說的就是這件悲情故事。兩年後，天啟帝英年早逝，僅二十三歲。

第二個是清光緒帝。瀛台涵元殿，南對寶月樓，海上蕩漾碧波，四面環境幽美。然而，瀛台涵元殿在清末竟成為一座水上孤島監獄。清光緒二十四年（一八九八年），慈禧皇太后發動「戊戌政變」，光緒帝被幽禁在瀛台涵元殿。光緒三十四年（一九〇八年）十月二十一日，在瀛台涵元殿，一代皇帝載湉，以相傳被毒死的悲局，結束了悲劇的一生。

明清兩朝末世，明天啟帝和清光緒帝的悲局，都與太液池有着悲情關係。這或許為歷史巧合，也含有歷史的玄機。

二 中海之雄

中海，從蜈蚣橋以北，到金鼇玉蝀橋（今北海大橋）以南，因在西苑海子（太液池）的中部，所以稱作「中海」。中海主要分為南、西、東三個宮苑區。

南岸宮苑　西苑門裏，與瀛台隔池相望的是勤政殿，曾為康熙帝御門聽政處。殿西為豐澤園，為康熙年間所建。《大清會典事例》記載：「豐澤園在中海，有稻田十畝一分，內演耕地一畝三分。」康熙帝建豐澤園是為勸課農桑，扶犁耕作，以農為本。取名豐澤，寓意是風調雨澤、五穀豐登。康熙帝曾在這裏試種新水稻種，邀集大臣前來觀看並賜宴。園東南有小屋數間，是康熙帝養蠶之處。園後種植桑樹。豐澤園內主體建築為崇雅殿。乾隆七年（一七四二年）在此賜宴宗室王公，並賦詩聯句，敘宗親情誼，因此改名為惇敘殿。光緒年間，因給慈禧皇太后祝壽而改名為頤年殿。民國時改名為頤年堂，袁世凱曾在此辦公。一九四九年後，頤年堂是毛澤東、周恩來等開會的高端會議廳。頤年堂東為菊香書屋，係康熙年間建，曾為書房。後毛澤東主席曾在此辦公、居住，今為「毛澤東同志故居」。菊香書屋後為澄懷堂，康熙帝在此聽文臣進講。園內還有春藕齋，這裏鑿池堆山，亭閣錯落，林木濃陰，景色迷人。齋北為海晏堂，樓房二層，西洋式樣，是慈禧皇太后招待女賓的地方。民國初年袁世凱改為居仁堂（現無存）。

西岸宮苑　紫光閣在中海西岸偏北，明代這裏為一座四方高台，皇帝在台上看騎射、觀龍舟。後改台為閣，稱紫光閣，面闊七間，前抱廈，廡殿頂，綠瓦黃剪邊（綠瓦鑲黃瓦邊）。清帝照例在這裏閱試武進士，觀八旗校射。清乾隆帝仿唐朝麟閣繪形之制，將所謂「十全武功」（平準噶爾二，定回部一，掃金川二，靖台灣一，降緬甸、安南各一，受廓爾喀降二），四次共一百三十五名功臣，「寫圖表跡，永示千秋」（《日下舊聞考》卷二十四），圖像掛在紫光閣。最著名的阿桂和海蘭察，各四次圖形紫光閣。名列前五十位者，乾隆帝親作像贊。乾隆帝還在閣內賜宴蒙古王公、回部伯克等，並請他們觀冰嬉、看歌舞。這批功臣像和戰圖，在八國聯軍進入北京後，「紫光閣功臣像多為敵人竊去，或剪以糊壁」（胡思敬《驢背集》）。紫光閣後為武成殿，以抄手廊連接閣殿的通道，形成獨立院落。回廊的額枋上用江南蘇式彩畫加以點綴，樓閣端莊典雅，體現皇家氣派。紫光閣還是晚清接見外國使臣的殿堂。清同治十三年（一八七四年），同治帝在紫光閣接見日、俄、美、法、荷、英六國使臣，並接受各國使臣呈遞國書，（這是清帝第一次正式接見外國使領館官員遞交國書）。紫光閣門前有寬敞的平台，以白石欄杆圍以欄板，望柱雕龍。現在的紫光閣建築，基本上是清乾隆時的格局。

儀鸞殿（懷仁堂），原在紫光閣南中海西門內，曾做過西太后「頤養」的宮殿。光緒十一年（一八八五年），慈禧皇太后懿旨由醇親王奕譞督建儀鸞殿，並整修三海。儀鸞殿建在春藕齋後，正殿五間，外周圍廊；後殿一座，殿前東西配殿二座，每座五間；還有後罩樓一座十九間、亭式垂花門及轉角遊廊等。儀鸞殿兩旁有跨院，東跨院為壽膳房、茶房、藥房等，西跨院為四居所，每所正房五間，東西配房各五間。光緒二十六年（一九〇〇年）八國聯軍侵入北京，慈禧皇太后偕光緒帝等出走西安。西苑成為八國聯軍總司令部駐地，聯軍統帥瓦德西就住在慈禧皇太后寢宮儀鸞殿。侵略者夜間，脱下衣服，從洞中鑽入，竊取文物，小件裝在懷裏，大件如瓷瓶等，用大衣包藏竊出。第二年二月二十九日深夜，儀鸞殿起火，化為灰燼。瓦德西倉皇逃出，僅以身免，聯軍參謀長被燒死在殿內。後來查明起火原因，據載：「係由於鐵爐之火延燒壁上之木皮紙面所致。」（瓦德西《拳亂

《冰嬉圖》（局部）

筆記》）慈禧皇太后回鑾後，修復儀鸞殿，參用西式，改名海晏樓。另擇址費銀十萬兩建成了新的儀鸞殿，後更名為佛照樓，民國初改名為懷仁堂。

東岸萬善殿，明清時中元節（七月十五日），都在這裏做法事。佛教故事說，釋迦牟尼弟子目連，看到亡母在地獄中受餓鬼包圍，求佛救度。釋迦牟尼要他在中元節準備百味飲食，供奉十方僧眾，可使母親解脫。這一天稱作「盂蘭盆會」[2]，辦道場，設鬼棚，誦經文，放焰口，敲銅磬，燃河燈，布列兩岸，數以千計。太液池上，浮燈萬盞，燦如繁星。清初派太監在殿中削髮為僧，焚香禮佛。順治帝常到萬善殿，同憨璞聰、玉林琇、木陳忞、茆溪森等，徹夜交談，論經說禪。順治帝剃髮的故事就發生在這裏。殿西有亭，稱水雲榭。亭中立乾隆帝御書「太液秋風」石碑，為燕京八景[3]之一。從今北海大橋南望，可以看見。

冰嬉，就是滑冰表演。西苑冰嬉，明朝就有，清更盛行。軍隊專設「冰靴營」。皇帝觀看冰嬉時，太液池冰場四周搭彩棚，掛彩旗，懸彩燈。表演時，按八旗每旗二百人，共一千六百人，分為兩隊：一隊領隊穿紅馬

2 「盂蘭盆」為梵語音譯，是「救倒懸」的意思。

3 燕京八景除西苑「太液秋風」外，還有「盧溝曉月」、「瓊島春陰」、「金台夕照」、「薊門煙樹」、「西山晴雪」、「玉泉趵突」和「居庸疊翠」。

褂，隊員穿紅馬甲；另一隊領隊穿黃馬褂，隊員穿黃馬甲。隊員背上分別插着不同旗色的小旗，膝部裹皮護膝，腳穿裝冰刀的皮靴。冰場上搭三座彩門，兩隊分別從門中穿行，形成兩個雲卷形大圈，滑行飛快，十分壯觀。當時的冰鞋，在木板下鑲銅條或鋼片，綁在鞋下即成。有單刀式和雙刀式。溜冰項目，主要有五：一是速度滑冰，有扁彎子式、大彎子式、大外刃式、跑冰式等。乾隆帝用「列子馭風」、「夸父追日」等形容滑冰快速。二是花樣滑冰，如「大蠍子」、「金雞獨立」、「哪吒探海」、「鷂子翻身」、「仙猴獻桃」等姿勢，還有雙人滑的「雙飛燕」。三是雜技滑冰，有飛叉、耍刀、耍幡、緣竿、使棒、倒立、疊羅漢等名目。四是溜冰射箭，多采多姿，技藝非凡。五是冰球表演：「冰上蹙鞠，皇帝亦觀之，蓋尚武也。」（《帝京歲時紀勝》）有時帝后坐在冰床上，由太監們拖着冰床在冰上戲遊。御製詩「冰床聲裏過長湖，遠岸人們似畫圖」的詩句，就是這種情景的描述。

清代乾隆宮廷畫家的《冰嬉圖》（現藏故宮博物院），形象地反映了宮廷「冰嬉」的盛況。

清光緒十四年（一八八八年），西苑有兩個現代科技的火花：一是建立只有二十馬力的西苑電燈公所，兩年後正式發電照明，這是在北京建立的第一個發電廠，也是清宮採用電燈照明的開始。二是建紫光閣鐵路，南起中海瀛秀門外，沿中海、北海西岸，至鏡清齋（靜心齋）站，總長為二千三百多米。在一段時間裏，慈禧皇太后偕光緒皇帝，每日在勤政殿御政後，乘坐小火車至北海鏡清齋（靜心齋）用午膳。因西太后怕火車轟鳴聲敗了禁城風水，小火車由太監牽繩曳引而行，行車時還有太監持儀仗開路。

三 北海之秀

北海，因在西苑海子（太液池）的北部，所以稱北海（今北海公園）。先有太液池，後有北京城。早在金大定六年（一一六六年），建大寧宮。金章宗曾偕寵妃遊幸於此，二人對詩。帝出上聯曰：「二人土上坐。」妃對下聯曰：「一月日邊明。」元以太液為中心，建立皇宮。明以此為基礎，興建新皇宮。清沿明舊，加以增益，成今格局。北海亭台樓榭，山石樹木，碧波蕩漾，景色絢麗，為三海秀色之冠。

北海正門西南有團城，即圓城，本是瓊華島南一個小嶼。嶼上承光殿為團城中的主體建築，殿內供奉高一點五米的玉佛，用一整塊玉石雕刻而成。八國聯軍入侵北京，玉佛左臂被砍傷，至今留有傷痕。團城現有古樹四十株，其中最著名的是兩株古松：「遮

北海（二十世紀初）

蔭侯」和「白袍將軍」。傳説一次乾隆帝到團城遊覽，時值酷暑，松下坐息，清風拂面，暑汗全消，即封這株油松為「遮蔭侯」，並寫〈古栝行〉詩抒懷。後又封南側古白皮松為「白袍將軍」。如今兩棵古樹依然聳立在團城之上。團城的玉甕，俗稱「大玉海」，重三百多公斤，數十名工匠歷時五年雕成，至今已七百多年。初置於廣寒殿。明萬曆七年（一五七九年），廣寒殿倒塌，移存真武廟。清乾隆帝「命以千金」從真武廟道士手中購得，放置團城。並在甕膛內刻「御製玉甕歌」三首，八百餘字。

白塔山，因瓊華島上有白塔而得名。瓊華島是遼代瑤嶼行宮，金代大寧離宮，元、明廣寒殿及清白塔的所在地。清順治八年（一六五一年），在山上建覆鉢式白塔，塔頂高一百一十二米，塔高三十五點九米，塔肚最大直徑十四米，為全城最高點。白塔內有一根通天柱，高二十八點八米，柱頂放置金盒。這個金盒裏面裝的是什麼？一九七六年唐山大地震後，維修白塔時發現一個銅鎏金圓筒形舍利盒，內藏舍利子十九顆。後將此盒重新放進塔內。塔上設立號杆、龍旗、燈籠、信炮，一旦有警，白天懸旗，夜間掛燈，並發信炮，以傳警報。為什麼要建白塔呢？

早在清崇德七年（一六四二年），達賴喇嘛派活佛到盛京瀋陽，拜謁皇太極。清定都北京後，五世達賴要來京覲見順治帝。順治八年（一六五一年），順治帝為迎接五世達賴喇嘛來京，在北海建永安寺白塔，並在安定門外興建黃寺。翌年十二月，達賴五世一行到京，順治帝在南苑、在太和殿，接見五世達賴喇嘛（《清世祖實錄》卷五十五）。順治十年（一六五三年）四月，順治帝頒給達賴喇嘛刻有滿、漢、藏、蒙四種文字的金冊、金印，冊封達賴喇嘛為「西天大善自在佛所領天下釋教普通瓦赤喇怛喇達賴喇嘛」（《清世祖實錄》卷七十四），是為達賴喇嘛受中央政府冊封之始。布達拉宮壁畫《五世達賴喇嘛朝覲順治帝圖》是這一歷史的畫證。後於

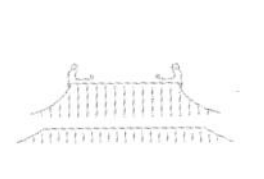

康熙五十二年（一七一三年）正月，康熙帝冊封班禪額爾德尼，並給以金冊、金印，用滿、藏、漢三種文字書寫。在布達拉宮三界殿供奉「長生牌位」，用藏、漢、滿、蒙四種文字書寫：「當今皇帝萬歲萬萬歲」，「當今皇帝」為康熙皇帝。後清朝重建拉薩布達拉宮。

白塔以西的慶霄樓，居高臨下，清朝帝后在此觀賞冰嬉。山北太液池畔，有延樓二十五間，呈半月形，左右圍抱，這就是閱古樓。樓內壁鑲嵌《三希堂法帖》石刻四百九十五方，包括從魏晉到明末一百三十五位著名書法家的三百四十件楷、行、草書作品，另有題跋二百多件，印章一千六百多方，共九萬多字。其「規模之大，收羅之廣，鐫刻之精，以往官私刻帖鮮與倫比。」（萬依《三希堂法帖·序》）初拓五十二份，每份三十二卷（冊），成為歷史珍籍。乾隆帝詩云：「借問延樓何以名？三希古跡聚精英。」因以閱古名樓。閱古樓石刻是中國現存最完整的古代書法石刻集成。它的總監為雍正帝第五子和親王弘晝。雍正帝有十個兒子，其中六個兒子早死。雍正帝繼位後，還剩下四個兒子，其中皇三子削宗籍後死，皇六子弘瞻過繼給果親王允禮，實際上只有皇四子弘曆和皇五子弘晝。雍正十一年（一七三三年），封弘晝為和親王。

乾隆帝登極後，只有弘晝一個皇弟，封為議政王。弘晝少年驕抗，一次皇兄弟言語相撞，在正大光明殿監試八旗子弟考試，日晡（申時，下午三~五時），弘晝請乾隆帝退食，未許。弘晝說：「上疑吾買囑士子耶？」明日，弘晝上朝謝罪。乾隆帝說：「使昨答一語，汝齏粉矣！」（要是你昨天多說一句話，就會把你碎成粉末）但對弘晝相待如初。弘晝喜歡財貨，雍親王邸舊資，都賜給弘晝。弘晝好談喪禮，說：「人無百年不死者，奚諱為？」（人沒有百年不死的，有什麼可忌諱呢！）弘晝親自制定自己死後的治喪禮儀，坐在王府大廳，讓家裏人祭奠哀泣，他卻邊吃邊喝，邊玩邊樂。又做陪葬的明器——鼎彝盤盂等，放置在几案和床榻旁邊。乾隆三十五年（一七七〇年），薨，年六十（《清史稿．諸王傳》卷二百二十）。他長書法，也繪畫，有《稽古齋集》和書法存世。雍正帝第九世孫、和親王弘晝第八世孫愛新覺羅．啟驤先生是當代著名書法家。他收藏弘晝的書法作品，並為《大故宮》題寫片名與書名。

閱古樓下，東為漪瀾堂。西為道寧齋——連接六十間延樓，依山陰作半圓形，延樓回廊外繞長達三百米的漢白玉石護欄，盡頭處各有古堡式小樓一座，東極倚晴樓，西終分涼閣。

北海北岸，由東往西有鏡清齋（靜心齋）、天王殿、九龍壁、鐵影壁、五龍亭、小西天等景觀。鏡清齋建築精美，曾是乾隆帝和皇子們的書齋，也是慈禧皇太后避暑之地，後溥儀在這裏寫了《我的前半生》。

萬佛樓，乾隆帝為其母八十大壽而建造，是一座三層高的大殿堂，有金佛：底層四千九百五六尊，中層三千零四十八尊，上層二千零九十五尊，共有一萬零九十九尊。故名「萬佛樓」，寓意太后萬壽，皇帝「九五之尊」。乾隆帝曾下令文武大臣和封疆大吏各捐造金佛一尊，大金佛一百八十八兩八錢，小金佛五十八兩，也都含「八」字。這些金佛均被八國聯軍中的日本軍隊搶奪得一乾二淨。萬佛樓「鳥來鳥去山色裏，人歌人哭水聲中」，閱盡人世滄桑。

白塔以東，有座半圓形的磚城，城上建殿堂，城東建牌坊，結構精巧，頗具特色。清乾隆帝書「瓊島春陰」碑立在綠蔭深處。

瓊華島東北、太液池東岸，明代建有船塢兩座，一藏龍舟，一藏鳳舸。龍舟長三十三點八九米，寬九點一七米，上建樓台，結五彩，飾以金。船塢東側有濠濮間和畫舫齋。濠濮間中心為水榭，三面臨水，四周環山。水池上有雕欄九曲石橋，設計極為精巧，富於詩情畫意，是北海園藝中的佳景。濠濮間北面有畫舫齋，建在水上，美麗如畫，似船浮水，真是：「布席只疑天上坐，憑欄何異鏡中游。」（《日下舊聞考》卷二十七）所以稱作畫舫齋。

整個西苑如詩如畫，佳勝萬千，皇城園林以此為冠。

元大都宮城與苑囿的佈局是：「太液為主，宮殿為客。」明則相反：「宮殿為主，太液為客。」究其根因，在於文化：蒙古草原文化，牛羊為衣食之源，牛羊賴草而食，草原則靠水而生，水是草原生命之源。明永樂帝生長在農耕文化的江南水國澤鄉，安全為重，水則次之。草原文化與農耕文化之不同，導致元明宮城與苑囿佈局的主客關係不同。

第六十一講　宮外三堂

事物有陰，必定有陽。西方耶穌會士來華，意在傳佈天主教義，既帶來西方的科技文化，也向西方傳播中華文明，從而在東西之間架起了一座文化交流的橋樑。建於明清北京內城和皇城的四座天主教堂成為歷史的見證。

⌂北京皇宮外面，有四座西方耶穌會士的天主教堂——南堂、北堂、東堂和西堂[1]。這四座天主教堂，都為皇帝敕建，都同宮廷關係密切，也都為中西文化交流的橋樑。皇宮外的四座天主教堂，歷史悠久，至今猶在，發生許多生動故事，我們重點講三——南堂、北堂和東堂。

一 萬曆南堂

南堂是北京最早建立的天主教堂，坐落在北京今西城區宣武門裏，即今前門西大街一四一號。南堂在歷史上有三個人——利瑪竇、湯若望和南懷仁最為著名，也影響最大。

利瑪竇（Matteo Ricci，一五五二～一六一〇年），義大利人，耶穌會士，明萬曆二十九年（一六〇一年）到北京，向萬曆帝進獻自鳴鐘、《坤輿萬國全圖》等，與士大夫交往。他研讀「四書」，同徐光啟著譯《幾何

1 北京天主教西堂，坐落在今北京西城區西直門內大街一三〇號，是天主教北京教區四大教堂中建成最晚的一座教堂。義大利人德理格神父於康熙五十年（一七一一年）到達北京，雍正元年（一七二三年）主持修建西堂，留在宮廷教授皇子西學。西堂幾毀幾建，現存為一九二三年重建。

原本》。萬曆三十三年（一六〇五年），建南堂。堂院內除神父住房外，有天文台、藏書樓、儀器室等。南堂後遭地震、火災，幾毀幾建。利瑪竇死後，御賜墓地，在今北京阜外車公莊大街六號院內。

湯若望（Johann Adam Schall von Bell，一五九一～一六六六年），德意志人，耶穌會士，青年時在羅馬攻讀神學、數學和天文學。東來後，到澳門，學漢語。明天啟三年（一六二三年）到北京，住南堂。與徐光啟等共同編修《崇禎曆書》。他為朝廷製作的天球儀、日晷等，有學者認為現藏於雍和宮。清軍入京後，因多爾袞的一份滿文佈告，使南堂得以保存。故事是這樣的：

清攝政睿親王多爾袞下令，內城居民，限期之內，全遷外城，包括南堂和湯若望。湯若望書寫一份奏疏，略謂：臣自大西洋，航海八里，東來事主，不婚不官，若急遷移，儀器損壞，修整非易。他申請：仍居原寓，照舊虔修。湯若望隨請願人群，到宮門外，跪呈奏書。許多請願者，被官兵用皮鞭趕走，湯若望卻被一位高官接見。這位高官就是大學士范文程。奏疏經范文程呈遞攝政睿親王多爾袞後，被諭准在南堂門外，張貼滿文佈告，無須搬遷，保護南堂。南堂就在內城被保護了下來。

順治七年（一六五〇年）擴建南堂。湯若望任欽天監監正。湯若望治癒順治帝未婚皇后博爾濟吉特氏的病，受到孝莊皇太后褒獎。順治帝曾二十四次到南堂與湯若望神父交談。順治帝十九歲生日就是在南堂湯若望住所過的。康熙三年（一六六四年），湯若望為楊光先所誣陷，被捕下獄。後鰲拜等擬判湯若望凌遲處死。遇北京地震，被免死羈押。經孝莊太皇太后干預，後來獲釋。康熙五年（一六六六年）病死北京，葬車公莊耶穌會士墓地。

南懷仁（Ferdinand Verbiest，一六二三～一六八八年），比利時人，耶穌會士，順治十七年（一六六〇年）到北京，做湯若望的副手，後湯若望遭冤獄，南懷仁受牽連。這時湯若望年邁多病，受審時南懷仁陪他出庭，代為申辯。南懷仁在獄中對湯若望關懷備至，後為他辦理喪事。王公大臣為南懷仁的精神所感動，說：「湯瑪法已擬死罪，他人將趨避之不暇，而懷仁仗義為之辯護，誠忠友也。」（《在華耶穌會士列傳及書目》）湯若望得到平反，南懷仁任欽天監監副。南懷仁的主要貢獻是：

其一，測天象。南懷仁與楊光先、吳明烜在午門前，並在今建國門外觀象台爭辯，康親王傑書、大學士圖海和李霨等二十餘位高官集體觀測，討論曆法問題。測驗項目包括立春、雨水、太陰、火星、木星等天文曆法問題。觀測結果是：「南懷仁所言，逐款皆符；吳明烜所言，逐款皆錯。」（《清聖祖實錄》卷二十八）朝廷摒棄楊光先錯誤曆法，採納南懷仁正確意見。不久，南懷仁被任命為欽天監監副，從此欽天監「節氣占候，悉從南懷仁說」（《清史稿．南懷仁傳》卷二百七十二）。

其二，製儀器。南懷仁等先後製造了黃道經緯儀、赤道經緯儀、地平經儀、地平緯儀、紀限儀、天體儀，並繪圖解説，成《靈台儀象志》，內有精美附圖一百一十七幅。後增製璣衡撫辰儀。中國天文學家利用這些儀器，進行了二百多年的觀測工作，今仍屹立於北京建國門外古觀象台，成為中西文化交流的歷史見證（席澤宗《南懷仁》）。此外，書中介紹了重心、比重，還介紹了槓桿、滑輪、螺旋等簡單機械，以及溫度計、濕度計的原理等。清順治帝孝陵大石碑，由房山運往東陵，怎樣過盧溝橋呢？南懷仁建議用西法建滑車，拉大石碑過盧溝橋，解決了這個運輸難題。後升南懷仁為欽天監監正。《清史稿．南懷仁傳》說：自是欽天監用西洋人，累進為監正、監副，相繼不絕。南懷仁發明製造了一輛汽車，二尺長，四個輪子，中部有火爐和銅製氣鍋。氣鍋頂部有一個噴氣嘴。氣鍋裏的水加熱後，蒸汽從氣嘴噴出，產生的能量，射在渦輪葉片上，推動汽車後輪，驅動汽車行進。這種動力衝動式蒸汽機，對後世產生了深遠影響。南懷仁的相關手稿，在康熙二十六年（一六八七年）後，發表於德國出版的《歐洲天文學》雜誌上，使這一科技成果留存下來。有人說「汽車發明在中國」。這話有一定道理，但遺憾的是沒有形成生產力。

其三，造火炮。平定三藩之亂時，前方失效火炮運回，請求換發新炮。康熙帝命南懷仁負責檢修。他發現多數大炮因銹蝕而不靈，經除鏽後，一百五十門大炮仍可使用。康熙帝又命南懷仁主持製造輕型炮，並親臨盧溝橋觀察新炮試射，效果良好，非常高興。康熙帝又令再造連珠炮。新炮製成後試

南堂（十九世紀80年代）

射，一百發中九十六發，康熙帝把自己身上的貂皮大衣脫下來賞給南懷仁。經南懷仁研發的新型輕裝火炮，近一千尊，送往前線。他撰寫了關於火炮製造和使用的《神威圖說》一書。為表彰其功績，南懷仁被授予工部右侍郎銜[2]（《清聖祖實錄》卷一百二）。

其四，做帝師。在一段時間裏，南懷仁給康熙帝講授幾何學和天文學，還將《幾何原本》譯成滿文。康熙帝「日召懷仁入內廷，如是凡五月。輒留之終日，使之講授數學、天文」，有時還學習哲學及音樂，康熙帝也命人教授南懷仁滿語、滿文。他還陪伴康熙帝東巡，沿途觀天測地。康熙二十一年（一六八二年），康熙帝東巡，帶上南懷仁，命他測量盛京北極高度，並表示讚賞。南懷仁說：「皇帝對我表示異乎尋常的好感，確如他自己所說的那樣，如同他信賴友人一般，盼我不離開他的身邊。」在返回京師的途中，一天，康熙帝自然是先上了船，他讓隨行王公貴族暫且等候，而招呼南懷仁上船，與他一道渡河。

南懷仁居住的南堂，史書記載：「京師天主堂，建於明萬曆間，本朝一再修之，御題額曰「通微佳境」，

2 《清史稿·南懷仁傳》：「南懷仁官監正久，累加至工部侍郎。」查《清代職官年表》工部侍郎中沒有南懷仁，當為工部侍郎銜。「實錄」可以為證：加「南懷仁工部右侍郎銜」（《清聖祖實錄》卷一百二）。

又曰「密合天行」。……左右兩磚樓，夾堂而立。左貯天琴，午時樓門自啟，琴自作聲，移時琴止，而門亦閉矣。……別有沙漏、遠鏡、龍尾車之屬，以資測驗。」（《清稗類鈔．京師天主堂》頁一九五七）康熙二十七年（一六八八年），南懷仁在北京病逝，年六十六，也葬於今阜外車公莊利瑪竇、湯若望墓地。

南懷仁死後，天主教北堂與宮廷的關係，日益密切，日顯重要。

二 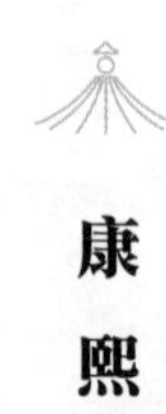 康熙北堂

在皇宮西北的天主教堂，俗稱「北堂」。北堂在今北京西城區西什庫大街三十三號。既有南堂，為什麼還要建北堂呢？這要從康熙大帝與路易十四及傳教士之間的故事說起。康熙一朝，來到中國的法國耶穌會士至少有五十位之多，其中以康熙年間來華的白晉、張誠、洪若翰、劉應、李明五人最為重要。這裏我着重介紹其中的白晉和張誠。

白晉（Joachim Bouvet，一六五六～一七三〇年），耶穌會士，法國人。法國國王路易十四，頒詔派遣白晉、張誠、洪若翰、劉應、李明等一行，以「國王數學家」名義，提供資費，乘船東渡，於康熙二十六年（一六八七年）到寧波，次年到北京。他們到京住南堂後，向康熙帝進獻禮物，有三十餘箱儀器，受到接見，並在乾清宮受到宴請。白晉與張誠學會滿、漢語後，與徐日昇（葡萄牙人）等向康熙帝講授數學，如幾何與代數，每天進講兩三個小時，講前要準備滿文教案。白晉和張誠先後用滿文編寫了二十幾種教科書，包括《幾何原理》等。康熙帝就

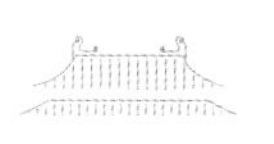

讓他們在宮裏進講天文學、幾何學以及儀器用法，徐日昇編寫漢語教材，進講西方音樂理論及樂器演奏。白晉還奉旨編纂人體解剖學，並翻譯成滿文。

白晉受康熙帝派遣，往歐洲覲見法王路易十四，帶去四十九冊精美線裝圖書，四年後到達法國，使「路易十四歡喜而又驚奇」。白晉進獻用法文書寫介紹康熙皇帝的報告，就是後來出版的《康熙帝傳》，這是第一次向西方介紹中國康熙大帝。他還帶去《滿漢服裝圖冊》，並製成銅版畫四十六幅。白晉返京時，帶來路易十四給康熙帝的書信。他帶來的亞洲地圖，在中俄尼布楚談判中起了參考作用。白晉還選了五位具有科學背景的耶穌會士帶到中國，後來他們在清宮造辦處工作。他帶回巴多明、雷孝思等，參與大地測繪，用時九年，後編繪成康熙帝主編的《皇輿全覽

蚕池口北堂（1901 年）

圖》。而李明的《中國近事報導》對歐人了解中國產生了深遠的影響。

張誠（Jean Francois Gerbillon，一六五四～一七〇七年），耶穌會士，法國人。康熙三十二年（一六九三年），康熙帝患瘧疾，御醫治療無效，法國傳教士白晉和張誠等獻上西藥「金雞納霜」（奎寧），治好了康熙帝的病。康熙帝為此賞給他們今中南海紫光閣西蠶池口地方（今文津街國家圖書館分館斜對面）建造教堂。法國耶穌會士原住南堂，苦於沒有自己的教堂。受賜新址後，張誠主持了北堂的建設。北堂動工四年後於康熙四十二年（一七〇三年）建成，康熙帝御題「萬有真原」橫匾及長聯，命名為救世堂，還建成天象台和圖書館，是為第一座北堂。道光七年（一八二七年），清廷沒收北堂，將大堂拆除，土地變賣。咸豐十年（一八六〇年）《北京條約》簽訂後，歸還北堂並重新修建。同治四年（一八六五年），北堂重新建成，是為第二座北堂。北堂長五十米，寬二十一點三米，鐘樓高約二十五米，新堂比舊堂更高大。堂內創建了動植物博物館（又稱百鳥堂），陳列珍禽標本八百餘種，還有

3

路易十四寫給康熙帝的書信：

至高無上、偉大的王子，最親愛的朋友，願神以美好成果使您更顯尊榮。獲知在陛下身邊與國度中有眾多飽學之士傾力投入歐洲科學，我們在多年前決定派送我們的子民，六位數學家，以為陛下帶來我們巴黎城內著名的皇家科學院中最新奇的科學和天文觀察新知。但海路之遙不僅分隔您我兩國，亦充滿意外的危險，因此為了能滿足陛下，我們計劃派送同樣是耶穌會士，即我們的數學家們，以及敘利伯爵，以最短與較不具危險的陸路途徑以便能率先抵達您身邊，作為我們崇敬與友誼之表徵，且待最忠誠見證者敘利返回之際能發表您一生非凡的作為。為此，願神以美好的成果使您更顯尊榮。

一七八八年八月七日寫於馬利

您最親愛之好友　路易

蝴蝶和動物標本。光緒十二年（一八八六年），開始整修西苑三海，以準備光緒帝親政後供慈禧皇太后頤養之用。於是，將中海西北處的蠶池口天主教堂（北堂）遷到西安門內西什庫重建。

光緒十三年（一八八七年），北堂在西什庫新址建成，是為第三座北堂。北堂正中尖拱形大門上方，木匾書「敕建天主堂　光緒十三年」。新北堂及所屬建築面積很大，東到東夾道，西至西黃城根，南鄰西安門大街，北到今北京醫學院，包括修道院、圖書館、後花園、印刷廠、孤兒院、醫院，以及神甫宿舍等。北堂的大堂建築面積約二千二百平方米，高十六點五米，鐘樓塔尖高約三十一米。堂前有月台，圍以漢白玉石欄杆。大堂正門兩旁，有中國式建築碑亭兩座，亭內分別立光緒十四年（一八八八年）天主教堂遷建諭旨碑和滿漢文天主堂碑。大堂正門內建有唱經樓，堂屬哥特式（使用尖拱以使房屋直聳而上）建築形式。

如果說南堂主要折射出西方文化透過耶穌會士對中國的影響，那麼，北堂則更多地體現出中國傳統文化傳播到歐洲的巨大影響。如：

（一）路易十三在做王子的時候，就用來自中國的瓷碗喝湯。路易十三的首相黎世留樞機主教，曾在他的官邸展示自己收藏的中國漆屏風、漆床以及四百多件中國瓷器。

（二）白晉於康熙三十二年（一六九三年）帶着康熙帝為法王路易十四所準備的禮物，如人參、絲綢、瓷器以及漢文、滿文線裝書籍等前往法國。白晉到達巴黎後，受到路易十四的召見。路易十四回贈康熙皇帝書信[3]和禮物。白晉後在巴黎出版了《康熙帝傳》，書裏附有他親自為康熙帝繪製的畫像，以呈送給法王路易十四。

（三）路易十四耗資千萬改建凡爾賽宮，用當時來自中國的珍貴文物進行裝飾。路易十四喜歡使用中國家具或是法國工匠仿製的中國式家具，中國青花瓷罐，以及仿中國圖樣的法國內維爾陶罐。瑪麗皇后也有全套的中國家具。歐洲各國王公貴族也爭相模仿，建造各式中國風格的亭台樓閣，引以為榮，蔚然成風。

（四）路易十四在凡爾賽宮西邊興建一座小型城堡，城堡花園內仿中國南京瓷塔，建造了一座瓷屋。瓷屋裝飾主要是青花瓷瓶、青花圖案。房間與大廳都以中國風格裝飾，使用的家具也都以中國式為主，尤其是瓷器佈滿整個房間。

（五）康熙三十九年（一七〇〇年）在法國巴黎馬利宮舉行名為「中國皇帝」的新年舞會，文獻記載：「這位『中國皇帝』乘着大轎，由三十多個人在前做前導，樂隊奏着樂。」很多貴族出席了路易十四舉辦的宮廷宴會，還觀摩了筷子的用法，後又展出了中國的絲綢和繪畫。當時「中國風」風行整個法國上層社會，人們談話題材多圍繞着中國、中國人及中國文化。中國式藝術風尚在歐洲普遍流行，影響了整個歐洲。

（六）回法耶穌會士向路易十四呈獻了「四書」中的《論語》、《大學》、《中庸》，由漢文經滿文翻譯成拉丁文，後將「五經」也由漢文經滿文翻譯成拉丁文。被譽為當時世界上準確度最高的地圖《皇輿全覽圖》，其參與測繪的耶穌會士十人中，七人為法國耶穌會士。他們將《皇輿全覽圖》帶回歐洲，製成四十一幅銅版圖，後又送回清廷。法國地理學家唐維爾據《皇輿全覽圖》製作法文版的中國地圖，影響了整個歐洲。

三 乾隆東堂

位於皇宮東面的天主教堂，俗稱「東堂」，坐落在今東城區王府井大街七十四號。清順治十二年（一六五五年），皇家賜給耶穌會士利類思、安文思一所宅院和空地，修建教堂。後遭康熙地震、嘉慶火災、庚子被焚等自然與社會的損毀。光緒三十年（一九〇四年）再重建，即今天主教東堂。堂內曾有郎世寧所繪多幅聖像。

郎世寧（Joseph Castiglione，一六八八～一七六六年），義大利米蘭人，康熙五十四年（一七一五年）到北京，在內務府造辦處如意館供奉繪畫。後受雍正帝召，用西洋畫法，繪《聚瑞圖》等，注重寫實，筆法細膩，受到稱讚。乾隆帝時，除為皇帝畫肖像外，還為清宮畫了不少戰

東堂（二十世紀 40 年代）

圖，也畫花鳥、犬馬，尤長畫馬。《百駿圖》是郎世寧名作之一。郎世寧畫肖像、宮女，筆法細膩，惟妙惟肖。相傳有一天，乾隆帝與他的八位妃子在一起，命郎世寧將自己認為最美麗的一位畫出來。郎世寧明白，不能這樣做。第二天，乾隆帝問他選中哪位妃子，他回答道：我沒有看她們一眼。乾隆帝問他在看什麼。郎世寧說：我在數陛下門外殿頂上的瓦。乾隆帝說：那麼，瓦有多少塊？郎世寧回奏：三十塊！乾隆帝命太監去數，果然是三十塊。從此，乾隆帝不再出類似的難題。以繪畫表現大歷史事件，是郎世寧等的一項貢獻。如《乾隆平定準部回部戰功圖》十六幅圖，《紫光閣賜宴》一圖，畫中有五十位功臣像。乾隆三十一年（一七六六年），乾隆帝命將畫卷送到法國，鐫刻銅版，印刷了一百多套，其中大多運回中國，其餘的在法國收藏並流傳。郎世寧還參與圓明園「西洋樓」等建築的設計和督造。在清宮的其他西洋畫家如艾啟蒙、王致誠等，都留下了作品。

中西繪畫交流，尤其值得一提。西洋畫在着重寫實、處理透視與光線明暗等方面，與中國傳統畫法不同。清宮廷畫家鄒一桂稱：「其畫於陰陽遠近，不差錙黍；所畫人物屋樹，皆有日影。其用顏色，與中華絕異。布影由闊而狹，以三角量之。畫宮室於牆壁，令人幾欲走進。」但郎世寧等在繪西洋畫時，能汲取中國畫法之長；宮廷畫家焦秉貞、冷枚等在繪中國畫時，也能兼取西洋畫法之長，如畫面焦點集中，畫房屋有透視，畫屋柱加光暗。自明末西洋畫傳入中國以後，中國畫吸收了西洋畫的營養，按照自己的傳統向前發展。郎世寧兼收西洋畫和中國畫的不同風格，創立了他獨特的「新體繪畫」。有時他還與中國畫家合作卷軸山水畫——他畫人物頭臉，中國畫家畫山石花木，可謂中西合璧。雍正年間隨郎世寧學畫的中國弟子有十三名，其中有年希堯。年希堯將繪畫描在瓷器上，其督陶時燒製的精美瓷器稱為「年窯」，並出版研究透視畫法的《視學》一書。他對傳播西方繪畫起到了很大作用。

郎世寧的助手王致誠（一七〇二～一七六八年），法國人，來華後為宮廷畫師，參與設計並建造圓明園噴泉（又稱「水法」）。乾隆帝與眾大臣觀賞後，大為稱讚，即命郎世寧攜蔣友仁在長春園東北部，按照西洋式樣設計建造一組建築。這就是後來的西洋樓。王致誠寫信給西方，稱圓明園是「人間天堂」、「萬園之園」，後圓明園享譽歐洲。王致誠寄回法國四十幅有關圓明園等皇家園林的圖畫，影響了英、法、德、意等國家的園林建設。王致誠在清宮服務三十年，擅長畫馬，於乾隆三十三年（一七六八年）在北京病逝，享年六十七歲。故宮博物院藏有他的畫作。

乾隆二十二年（一七五七年），郎世寧七十歲生日時，皇帝為他舉行祝壽儀式，賀壽隊伍由二十四人組成的樂隊做前導，賜品由八人捧着，一路上圍觀的百姓氣氛熱烈。他的住所——東堂，張燈結綵，群賢畢至，相互交談，盛況空前。乾隆三十一年（一七六六年），郎世寧卒於北京，年七十九，加給侍郎銜，並賞銀三百兩，以示優恤。

事物有陰，必定有陽。西方耶穌會士來華，意在傳佈天主教義，既帶來西方的科技文化，也向西方傳播中華文明，從而在東西之間架起了一座文化交流的橋樑。建於明清北京內城和皇城的四座天主教堂成為歷史的見證。

第六十二講　京畿苑囿

清帝圍獵為了騎射習武，八旗鐵騎卻被英艦重炮打敗；疏濬昆明湖為了練水師，北洋水師卻被日本海軍擊敗。英、日都從海上打來，大清卻忽視海洋發展。清帝耗費鉅資興建「三山五園」，卻忽視強固海防——出現了一幕幕歷史悲劇：人為刀俎，我為魚肉。

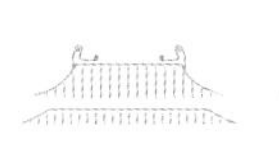

△皇宮之外，京畿地區，苑囿很多，重點講三：京南漁獵、三山五園和清漪頤和。

一 京南漁獵

在紫禁城南面，出永定門外十公里的南苑，又稱「南海子」，元時稱「下馬飛放泊」，是北京最大的園林獵場。蒙古重遊牧，尚騎射。忽必烈遷鼎大都後，將郊外大量民田變作牧場，後逐漸退牧還田。「下馬飛放泊」仍被保留，忽必烈常到這裏狩獵。明永樂帝將南海子拓建，周圍六十公里，其面積約相當於北京城面積的三倍。苑中花木競勝，珍禽異獸繁衍，繞以牆垣，開有四門。後來的明帝多厚文薄武，沉湎酒色，南苑衰落。清朝滿洲，弓馬為本，行獵演武，拓展南苑，增為十三座門。苑內有九十四泉，河溪川流，泉湧水清，林木茂密，蘆蕩遼闊，野草叢生，香獐麋鹿，飛禽走兔，不可勝計。每年春蒐冬狩，行圍習武。行圍時，海戶驅獸，官兵馳射。虎為獸中之王，獵虎是狩獵者最大的樂趣，能考驗一個人的勇敢與智慧、體能與技藝，所以清代有作為的皇帝多喜歡射獵老虎。康熙帝和乾隆帝就是佳例。清還設立六百人的虎槍營，在南苑春蒐時，隨駕巡狩，獵殺猛虎。《彭公案》第二十八回〈劫聖駕打虎成名〉，說的是南苑養的老虎逃竄出來，威脅正騎馬往南苑圍獵的康熙帝，黃三太以飛鏢打虎救駕，受賜黃馬褂的故事。

苑中有晾鷹台（元稱虞仁院，明稱按鷹台），台臨五海子，築七十二橋濟渡。晾鷹台高十九點二米，直徑三八點四米。大閱隆重典禮，在晾鷹台舉行。大閱時，皇帝御晾鷹台，八旗分列左右，八旗都統等各率旗屬，畫角先鳴，吶喊前進。閱操禮畢，皇帝回圓幄，釋甲冑，頒賞賚，搞演出，賜大宴。每旗擺筵五十桌，凡二十四旗，列宴千席，規模壯觀。康熙帝到南海子達五十五次之多。乾隆帝曾在此接見哈薩克、布魯特、塔什罕等使臣，放煙火，舉盛宴。清初定制，大閱三歲一舉，在南苑晾鷹台。後來時不限三年，地也不盡在南苑。康熙中期後，辟建木蘭圍場和避暑山莊，臨幸南苑漸少。但乾隆朝疏濬團河，建團河行宮，今尚存遺址。

帝王圍獵，既有旱圍，也有水圍。春蒐水圍，古已有之。後周太祖郭威於廣順三年（九五三年）正月，幸城南園，臨近水亭，「見雙鳧爭藻，戲於池面，引弓射之，一發而疊貫」（《冊府元龜》卷

南苑行宮（1901年）

四十四）。隨從官員，歡呼拜賀。遼南京（今北京），每年季春，遼主率群臣武士，到京東南延芳淀打水圍。淀方圓數百里，春天鵝鶩群聚。遼帝打水圍時，衛士穿墨綠衣，各持連錘、鷹食、刺錐等，相距五七步，排列在水邊。在上風頭的人擊鼓，鵝受驚後，稍離水面。遼帝親放海東青，抓擒飛鵝。鵝墜落地，獵者沖上，以佩錐刺鵝，急取其腦，飼海東青，「得頭鵝者，例賞銀絹」（《遼史·地理志》卷四十）。據《遼史·本紀》不完全記載，遼帝至少有十五次到各地去「釣魚」。女真人建金，金帝也常「獵於南郊」，也常四處漁獵。

清帝先世，擅長漁獵。康熙帝和乾隆帝，常到白洋淀（清稱「白洋湖」），下馬登舟，網魚獵鳥。據《安新縣志》記載：康熙帝到白洋淀四十六次，其中水圍二十九次，或達三十次之多（劉桂林《清代康熙乾隆的水圍》）；乾隆帝也到白洋淀五次，其中水圍四次。清帝乘水圍之便，觀察風土民情，親歷田野農家。康熙帝詩云：「輕舟十里五里，垂柳千絲萬絲。忽聽農歌起處，滿村紅杏開時。」（玄燁〈水淀雜詩〉）

白洋淀水面，粼光飄渺，一望無際。康熙帝〈白洋湖〉描繪：「遙看白洋水，帆開遠樹從。流平波不動，翠色滿湖中。」白洋淀分東淀和西淀，可選作水圍的有二十一處。康熙帝水圍常在任丘北、雄縣西、安新南的趙北口，登舟水圍，行宮駐蹕。這裏，「長堤虹亙，飛橋連屬，為南北通途」（乾隆《河間府志》卷三）。茫茫碧波上，朗朗天水間，獵船陣陣，旌旗飄飄。皇帝登上御舟，水圍隨即開始。圍獵官兵，乘舟悄行，四面圍合，萬千水鳥，受到驚嚇，飛翔雲集，聚船上空。信號發出，萬箭齊發，槍炮共鳴，鳥落水上。一次，乾隆帝親持火槍發射，竟獲水禽五十餘隻，又用箭射得二十餘隻（乾隆《任丘縣志》卷首）。

京畿皇家苑囿，既有南郊的南苑海子，也有西郊的「三山五園」。

二 三山五園

北京景勝，美在西山。在清全盛時期，自海淀到香山，九十多處皇家離宮、御苑與賜園，連綿分佈，二十餘里，團花簇錦，偉麗壯觀。西山園林精粹，當屬「三山五園」。「三山五園」，指的是香山和靜宜園、玉泉山和靜明園、萬壽山和清漪園（頤和園），還有暢春園和圓明園。「三山五園」，其特點是：

第一，依山臨水，歷史久遠。西山東麓，層巒疊嶂，樹木蔥鬱，湖泊星布，泉水充沛，風光秀麗，是西山風景的自然優勢。如香山靜宜園。早在遼朝，西山建清水院，就是今大覺寺。金元以來，不斷開發，營建行宮別苑，敕建寺宇道觀，在西山地區逐漸建立多處離宮。清康熙帝在香山寺旁建行宮。乾隆帝興工葺治，乾隆十一年（一七四六年）靜宜園成，賜名二十八景[1]並賦詩。如第一景為勤政殿。清在西苑、暢春園、圓明園、靜宜園和避暑山莊等處都建有勤政殿。乾隆帝說：「家法傳勤政，孜孜敢暫忘！」理政閒暇遊園，遊園不忘理政。勤

1 香山靜宜園二十八景是：1、勤政殿；2、麗矚樓；3、綠雲舫；4、虛朗齋；5、瓔珞岩；6、翠微亭；7、青未了；8、馴鹿坡；9、蟾蜍峰；10、棲雲樓；11、知樂濠；12、香山寺；13、聽法松；14、來青軒；15、唳霜皋；16、香嵓室；17、霞標磴；18、玉孔泉；19、絢秋林；20、雨香館；以上為內垣二十景。21、晞陽阿；22、芙蓉坪；23、香霧窟；24、棲月崖；25、重翠崦；26、玉華岫；27、森玉笏；28、隔雲鐘。以上為外垣八景。

2 《京華時報》二〇一二年五月三十日「北京·時事」版載，香山靜宜園二十八景，已復建六處，正復建勤政殿一處，其餘計劃復建。

3 二〇一二年九月二十六日，世界名山協會接納香山為世界名山，並頒發世界名山的稱號和標牌。

4 玉泉山靜明園十六景是：1、廓然大公；2、芙蓉

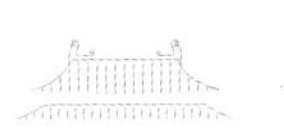

《三山五園外三營地理全圖》

政殿在英法聯軍入侵時被焚，現正在復建[2]。又如香山寺，佔地約五萬五千平方米，形成「前街、中寺、後苑」的格局，現也在復建。昭廟，為藏傳佛教建築。東有琉璃牌坊，華麗壯觀；西有七層琉璃塔，秀麗雄峻。其他已毀景點，多在逐步復建。香山的「西山晴雪」為燕京八景之一。香山晚秋，層林盡染，紅葉漫山，景色誘人！香山香爐峰（鬼見愁）海拔五百五十七米，但「山不在高」，因其歷史內涵與秀麗景色，與泰山、黃山、廬山、峨眉山都入選為世界名山[3]。

第二，皇家園林，清幽景深。如玉泉山靜明園，在玉泉山之陽，背山面泉。泉水趵突，晶瑩如玉，故稱玉泉，山也因泉得名。山麓遼建芙蓉殿（今已無存）。清康熙十九年（一六八〇年），在玉泉山南麓建行宮，名為「澄心園」，風景清幽，山泉靈秀。乾隆十五年（一七五〇年）擴建玉泉山靜明園，並修建了靜明園十六景，後增十六景，共三十二景[4]。如有田園風光的溪田課耕、翠雲嘉蔭，有山石洞窟的採香雲徑、清涼禪窟，有殿宇館閣的廓然大公、竹壚山房，有清泉溪池的芙蓉清照、峽雪琴音，有山水美色的玉峰塔影、裂帛湖光。其中「玉泉趵突」為燕京八景之一。乾隆帝讚靜明園的美景是「一時之會，前後迥異，一步之移，方向頓殊」，名勝景觀至今仍引起人們極大的興趣。

第三，多種功能，融為一體。如暢春園。康熙二十三年（一六八四年），以明萬曆帝外祖父李偉的清華園（不是清華大學的清華園）廢址，建成康熙帝暢春園，成為他在北京西郊第一處常年居住、理政的離宮。暢春園分為中、東、西三路，是康熙帝在西郊聽政和居住的地方。其中的蒙養齋，被西方譽為中國皇家科學院。蒙養齋有教學、編書和研究三種功能。於教學，選八旗子弟和有特長者，包括大學者何國宗、梅瑴成、明安圖等，研習傳統曆算，學習西方科學，包括幾何、對數、三角函數、天文等，由耶穌會士講課；於編書，主要編纂三部書，就是《曆象考成》、《數理精蘊》和《律呂正義》，合為《律曆淵源》，共一百卷；於研究，將數學、天文、曆法中西結合，推進到帝制時代的最高峰。

第四，南秀北雄，匯貫中西。如圓明園。初為雍親王賜園。雍正帝繼位後，對圓明園進行全面修建，增添了許多建築，將其面積由三百畝擴大到約三千畝。乾隆帝六下江南，命模仿江南名園勝景，大規模營建，東面增修了長春園，又修成綺春園（萬春園），形成著名的

晴照；3、玉泉趵突；4、竹罏山房；5、聖因綜繪；6、繡壁詩態；7、溪田課耕；8、清涼禪窟；9、採香雲徑；10、峽雪琴音；11、玉峰塔影；12、風篁清聽；13、鏡影涵虛；14、裂帛湖光；15、雲外鐘聲；16、翠雲嘉蔭。

5 圓明園四十景是：1、正大光明；2、勤政親賢；3、九州清晏；4、鏤月開雲；5、天然圖畫；6、碧桐書院；7、慈雲普護；8、上下天光；9、杏花春館；10、坦坦蕩蕩；11、茹古涵今；12、長春仙館；13、萬方安和；14、武陵春色；15、山高水長；16、月地雲居；17、鴻慈永祜；18、彙芳書院；19、日天琳宇；20、澹泊寧靜；21、映水蘭香；22、水木明瑟；23、濂溪樂處；24、多稼如雲；25、魚躍鳶飛；26、北遠山村；27、西峰秀色；28、四宜書屋；29、方壺勝境；30、澡身浴德；31、平湖秋月；32、蓬島瑤嶼；33、接

圓明三園，但統稱為圓明園。全園建築面積與紫禁城全部建築面積相當，水面面積約等於昆明湖。既有北國雄奇，又具南國雋美。清暉閣內壁上掛着圓明園全景畫圖。圓明園「四十景」[5]中的萬方安和殿，坐落在湖中台上，四面臨水，呈「卍」字形，設計精巧，造型美觀。山高水長殿分上下兩層，後擁連崗，前環小溪，溪前有寬闊場地。乾隆帝每逢元宵佳節，常率后妃等在樓上觀燈。殿前排列五千人舞燈，亭榭樓閣，燈光閃耀，舞燈起伏，如夢如幻，形成一個燈火輝煌的世界。而後施放焰火，煙火騰空，歌舞伴和，五彩繽紛，奇葩萬朵。圓明園有一巨大湖泊，叫福海，四周有十島環抱，中為蓬萊、瀛洲、方丈三島。

長春園，因乾隆帝即位前被賜居園中長春仙館，即位後便以「長春」命此園名。園中淳化軒，因乾隆帝重刻宋名帖《淳化閣帖》而命其名。園東北隅的獅子林，仿蘇州獅子林而建。園北部有「西洋樓」和噴泉等西式園林建築。它包括諧奇趣、養雀籠、方外觀、海晏堂、蓄水樓、萬花陣等。這些建築主要由耶穌會士郎士寧、蔣友仁等設計，中國工匠建造。其中的觀水法（噴泉），池旁建一座蓄水樓，噴池中銅鑄十二生肖，即鼠、牛、虎、兔、龍、蛇、馬、羊、猴、雞、狗、豬，每隔兩小時，有一屬相動物從口中湧射噴泉，一晝夜輪一周。另如萬花陣，模仿當時流行於歐洲的園林迷宮。清帝曾命太監們在裏面捉迷藏，自己觀賞取樂。又建方河，河畔築「線法山」，河中放置威尼斯模型。清帝坐在「線法山」上，覽賞河中「威尼斯的旖麗風光」。

綺春園，即萬春園，建成於乾隆中期，是由幾座小園林合併而成。綺春園被毀後，同治年間加以重修，改名為萬春園。

圓明三園周圍十公里，圓明園有四十景，後增八景，長春園有三十景，萬春園也有三十景，三園共有一百零八處景區。全園除綺麗風光和壯麗建築外，還有歷代珍藏的名人字畫、秘府典籍、鐘鼎寶器、陶瓷古物、青銅鼎盉、珠寶金銀、江寧雲錦、蘇杭絲綢、揚州漆器、名木家具等，集中了中國古代文化的精華。圓明園繼承中國兩千多年的優秀造園傳統，借鑒江南風景與園林精華，並汲取西方古典造園藝術手法，建成清代最宏偉、最優美的皇家園林。圓明園被世界譽為「萬園之園」。清廷依恃國家統一，政局穩定，財力富厚，物資充裕，役使全國能工巧匠，前後經過康、雍、乾一百五十餘年的精心營建，使圓明園成為中國園林史上最輝煌的傑作。但是，圓明園於咸豐十年（一八六〇年），文物被劫掠，建築遭焚毀。

著名「三山五園」，經過歷史洗禮，三山猶在，五園殘存。我重點介紹清漪園（頤和園）。

三　清漪頤和

「三山五園」的清漪園即頤和園，二百多年，歷經風雨。為什麼要修這個園子呢？乾隆帝的〈萬壽山昆明湖記〉說，目的有三：一是整修水利，二是操練水師，

三是為慶賀皇太后六十大壽。乾隆十四年（一七四九年），乾隆帝興建清漪園，改甕山為萬壽山，改西湖為昆明湖。又拓展湖面，使原在東堤上的龍王廟，置於南湖島上。在今佛香閣的位置上建有九層寶塔，後湖沿岸一帶建有仿照江南蘇州水鄉的街市房屋，後山興建喇嘛廟和藏式碉樓。又全面地整理西北郊的水道，引湖水出閘，沿長河入城。清帝可以乘輦出宮，到西直門外高梁橋附近的倚虹橋，棄輦登舟，溯長河至清漪園遊幸。疏濬整理長河水道，是清代北京除治理永定河之外的一大水利工程業績。經過乾隆時期的修整，清漪園暨昆明湖的景色更為秀麗：「何處燕山最暢情，無雙風月屬昆明。」

但是，英法聯軍入侵，清漪園遭焚掠，出現一幕悲劇：

玉泉悲咽昆明塞，唯有銅犀守荊棘。
青芝岫裏狐夜啼，繡綺橋下魚空泣。

後到光緒年間，慈禧皇太后為慶賀自己生日，重新修園，有各式建築三千餘間，改名為頤和園。慈禧皇太

《崇慶皇太后萬壽圖》中的清漪園正宮區

后修頤和園花了多少白銀呢？有人説三千萬兩，也有人説八千萬兩。無論哪個數字準確，耗費都是極驚人的。

我們展開頤和園地圖，全園可分為五部分：

第一是宮殿區。以東宮門為正門，仁壽殿為正殿。殿為灰瓦卷棚頂，沒用黃色琉璃瓦。庭院中點綴松石，構築花台，使它和園林風格協調。仁壽殿正中設寶座，慈禧皇太后開始聽政時坐在寶座後面，後坐在寶座正中，光緒帝坐在寶座右邊。慈禧皇太后，獨御寶座，君臨天下。

第二是內廷區。由樂壽堂、玉瀾堂等院落組成，用五六十間遊廊加以連通。樂壽堂南臨昆明湖，北倚萬壽山，東有德和園戲樓，西為長廊與前山景區相連接。慈禧皇太后每年農曆四月初到十月初住在這裏。堂內東暖閣是慈禧用膳和休息的地方，西暖閣是慈禧的臥室，鳳床、帳幔、黃枕、被褥，至今仍保持當年的樣子。室內懸掛着五彩玻璃吊燈，光緒二十九年（一九〇三年）換成電燈。

第三是前山區。北依萬壽山，南臨昆明湖，臨湖長廊二百七十三間，長七百二十八米，每個開間，都繪有彩畫，共一萬四千餘幅，步移景異，絢麗多彩，是中國園林建築中最長的畫廊。經排雲門、排雲殿，通往佛香閣，直到山頂的眾香界、智慧海，從下到上，金碧輝煌，組成了一幅壯觀的畫景。牌樓前面的碼頭，是端陽、中秋等節日湖上筵宴上下龍船的碼頭。慈禧皇太后曾在排雲殿內接受百官朝賀。慈禧皇太后享盡人間的威權風光，卻沒有盡到歷史責任。殿上佛香閣八面三層四重簷，高四十米，是園內最高大的建築物。閣內用八根鐵梨木做擎天柱，結構複雜，巍然聳立。閣西山坡上的寶雲閣，又稱「銅亭」，重簷屋頂，上有寶剎。銅亭高七點五五米，重二十萬七千公斤，與武當山金殿都是世界文化珍品。萬壽山上的眾香界，正中建琉

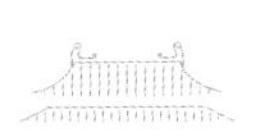

璃閣，名為「智慧海」，沒有梁枋，壁嵌佛像，雄踞全園最高處。據統計，園內共有佛像一萬五千一百二十尊。兩側山坡上有聽鸝館等二十餘處亭台樓閣。聽鸝館原是戲園，這裏後為慈禧皇太后看戲之處。

說到佛香閣，有一個故事。原佛香閣供奉着一尊千手觀音銅佛，英法聯軍侵入後失蹤。慈禧皇太后重修時，尊造泥塑佛像。年久已毀。一九八九年大修佛香閣時，得知北京西城一所寺廟夾壁牆裏，發現一尊巨大佛像，與記載中的佛香閣觀音像相似。幾經周折，這尊高五米，有十二面二十四臂，重達萬斤的銅塑大佛，終於安放於佛香閣。大佛高閣，珠聯璧合。但觀音佛像頂部還應該有一尊小佛，叫作化佛，其時已失，只剩底座。這時有人想起在頤和園庫房裏還保存着一尊小銅佛，那是在昆明湖底清淤時發現的。工作人員將這尊小佛像安放在大佛頭頂的底座上，完全吻合，天衣無縫。這段雙佛百年奇緣，成為頤和園的文物佳話。

第四是南湖區。從空中俯瞰，昆明湖像一個壽桃。傳說乾隆帝以湖為蟠桃，為皇母祝壽。湖中南湖島上有龍王廟。南湖島和東堤之間，有仿盧溝橋的石橋，橋長一百五十米，寬八米，十七個券洞，俗稱「十七孔橋」，橋上石獅五百四十四隻（比盧溝橋石獅多五十九隻）。橋東有一銅牛，工藝精美，生動逼真。湖西的西堤和六橋，是仿杭州西湖蘇堤及六橋修造的。園內的諧趣園，是仿無錫寄暢園而建造的。諧趣園以池為中心，環池「一堂一軒一樓一齋一亭一橋一徑一洞」的「八一景觀」，也都是借鑒的江南園林景致。

第五是後山區。沿山北麓，種植花木，點綴山石，使後山後湖一帶景色幽麗寧靜。開闢一條蘇州河（後湖），沿河一條買賣街，俗稱蘇州街，設立各種店鋪，每當帝后遊幸時，由太監們裝扮成商人和顧客，砍價買賣，異常喧鬧，以博得帝后的歡心。

頤和園依山臨水，園外借景，自然與建築、宮殿與園林，巧妙結合，妙趣天成。園中殿堂樓閣，廳館軒榭，亭台廊坊，橋塔寺廟，名花異木，奇峰怪石——這座京城僅存的最大的皇家宮殿園林，集中了中國古代建築藝術之精華，也成為世界園林藝術之傑作，被列為「世界文化遺產」。

關於清漪園和頤和園，我講三個故事。

第一個故事。乾隆帝不在清漪園過夜。據記載，他到園共一百三十二次。但是，乾隆帝一夜也沒有在園裏住過。為什麼呢？乾隆帝曾説過，修園勞民傷財，他卻修了清漪園。為此，他自責：「園雖成，過辰而往，逮午而返，未嘗度宵，猶初志也，或亦有以諒予矣。」就是説，每次早上去，過午返回，不曾在園裏過夜，以此自律和反思，或可得到天下對自己的諒解。

第二個故事。樂壽堂東側的玉瀾堂，原是光緒帝的寢宮。但「戊戌政變」後，慈禧皇太后住頤和園時，將光緒帝囚禁在玉瀾堂。為防光緒帝逃逸，命在堂外，構築高牆，嚴加防守；堂內砌牆，隔斷窗戶；皇后住後院，不能來往。玉瀾堂成為一座頂級的囚籠。這只是慈禧的

6 正據張田《老北京戲樓的前世今生》統計，清皇家宮苑的大戲樓有：紫禁城寧壽宮暢音閣大戲樓、頤和園德和樓大戲樓、圓明園同樂園大戲樓（已無存）、避暑山莊清音閣大戲樓（已無存）和壽安宮大戲樓（已無存）。還有紫禁城重華宮漱芳齋的宮中最大單層戲台和後殿風雅存小戲台，長春宮戲台和怡情書史小戲台，儲秀宮麗景軒小戲台，寧壽宮景祺閣室內小戲台，乾隆花園倦勤齋戲台、如亭小戲台，頤和園聽鸝館戲樓，西苑中南海內頤年殿戲台和純一齋戲台（均修繕），北海晴欄花韻戲台（現為仿膳飯莊餐廳）。並有南府（升平署）戲樓（在原北京六中和二十八中院內）等。故宮內的漱芳齋戲樓，從清嘉慶到宣統的百年間，演出過多齣折子戲和宮廷連台本戲，宮外的民間藝人和民間戲班也多次進宮在此演出，直到溥儀大婚後梅蘭芳還在這裏演出過《遊園驚夢》。

「頤」，而不是母子的「和」。所以我說是「頤和不和」。

第三個故事。慈禧皇太后是個戲迷。清廷專門設立皇家戲班——升平署，先是演昆曲，後來演京戲。在乾隆五十五年（一七九〇年），外地戲班進京獻藝，後汲取其他戲劇之長，形成唱念做打並重的新劇種——京戲。在紫禁城建暢音閣戲樓，在圓明園建同樂園戲樓，在避暑山莊建清音閣戲樓，又在頤和園建德和園戲樓[6]。德和園戲樓同暢音閣戲樓一樣，都是三層，設有天井地井，演鬼神戲時，鬼魅從地下鑽出，神仙由天上而降，慈禧皇太后就坐在戲樓對面的頤樂殿看戲。慈禧皇太后每到頤和園的第二天就開戲。她過生日時，要連演九天大戲。她五十歲生日時，僅製備戲衣就耗銀十一萬兩。慈禧有穿戲裝的照片，可見她愛戲確實是着了迷。她還講穿，僅收藏在頤和園內她穿戴的珍寶服飾就有三千多箱。然而，慈禧皇太后動用軍費，恣意揮霍，其結果呢？既加深了中華民族的災難，也加速了大清皇朝的滅亡。

清帝圍獵為了騎射習武，八旗鐵騎卻被英艦重炮打敗；疏濬昆明湖為了練水師，北洋水師卻被日本海軍擊敗。英、法、日等國軍隊，都從海上打來，大清卻忽視海洋發展。清帝耗費鉅資興建「三山五園」，卻忽視強固海防——出現了一幕幕歷史悲劇：人為刀俎，我為魚肉。

第六十三講　避暑山莊

一座避暑山莊，一部清朝歷史。木蘭圍場、避暑山莊暨外八廟，既是清朝興起騎射習武的記憶，也是清朝強盛民族融合的象徵，還是清朝衰落貪逸覆亡的戒碑。

△ 清朝在塞外的宮苑，有避暑山莊、外八廟和木蘭圍場。拆開來，寫三點：一是木蘭圍場，二是避暑山莊，三是莊外八廟。以營建時間為序，從木蘭圍場說起。

一 木蘭圍場

木蘭圍場[1]，位於今河北省東北部灤河上游地域，今承德市圍場滿族蒙古族自治縣境內，與內蒙古草原接壤。

「木蘭圍場」、「木蘭秋獮」是什麼意思呢？「木蘭」是滿語音譯，漢譯是「哨鹿」的意思；「哨鹿」是打獵時扮鹿人頭頂鹿角，身披鹿皮，偽裝成鹿，隱藏在樹林裏，扛着木製長哨，模仿公鹿「呦呦」鳴叫，引誘求偶母鹿出動，以便圍獵；「秋獮」出自《左傳》《禮記》等書，是指在秋天進行打獵；「圍場」是哨鹿合圍打獵的場所。所以，「木蘭圍場」、「木蘭秋獮」就是清帝

1 木蘭圍場今包括：森林、草原、濕地、泡子等。其中塞罕壩國家森林公園總面積四十一萬畝，內森林景觀一百零六萬畝，草原景觀二十萬畝，有高等植物八十一科三百一十二屬六百五十九種，有狍子等獸類十一科二十五種，有鳥類二十七科八十八種。御道口景區，面積一千平方公里，海拔一千二百三十公尺至一千八百二十公尺，有原始草原七十萬畝，濕地二十萬畝，天然次生林五十萬畝，天然淡水湖二十一個，泉水四十七處，河流十三條，有植物五十科六百五十九種，野生動物一百多種，山野珍品幾十種。紅松窪景區，面積七千三百公頃，該區最高氣溫一般不超過攝氏二十五度。紅松窪面積一百一十萬畝，草原面積二十萬畝，河流湖泊，星羅棋布，森林草原，優美壯觀。景區內有陸生野生動物三百一十七種，

在秋天，率領王公貴族、朝廷大臣、八旗官兵等，到木蘭圍場哨鹿圍獵。

早在遼代，這裏是遼帝的狩獵之地。女真建金，也沿襲狩獵的文化傳統。清初在關外，努爾哈赤和皇太極等有多處狩獵的場地，如吉林圍場、盛京圍場等。圍獵，是滿洲的重要習俗。清太祖創建八旗，是以圍獵時的牛錄為基礎：「滿洲人出獵開圍之際，各出箭一枝，十人中立一總領，屬九人而行，各照方向不許錯亂，此總領呼為牛錄額真，於是以牛錄額真為官名。」（《滿洲實錄》卷三）後來不斷演變與完善，就成為八旗制度。

清遷都北京後，沿襲圍獵習武的森林文化傳統。清康熙十六年（一六七七年），康熙帝首次北巡塞外，看上了這塊「萬里山河通遠徼，九邊形勝抱神京」的地方。康熙二十年（一六八一年）四月，康熙帝第二次來到這裏，以「喀喇沁、敖漢、翁牛特諸旗敬獻牧場」的名義，劃定南北二百餘里、東西三百餘里、周圍一千三百餘里，面積一萬四千多平方公里的圍獵場（《欽定熱河志》卷四十五）。這是世界上迄今為止規模最大的皇家獵苑。清早中期皇帝每年都要率王公大臣、八旗官兵到木蘭圍

昆蟲九百七十種。其中國家一級保護動物五種，分別是黑鸛、金雕、白頭鶴、大鴇、金錢豹；國家二級保護動物四十種。

場習武射獵，稱為「木蘭秋獮」。

為什麼選在這裏呢？因為：

其區位，木蘭圍場南近京師，北接蒙古，左連喀喇沁，右鄰察哈爾，地處漠南蒙古諸部之中。在這裏設置圍場，皇帝可以就近接見、設宴、封爵、賞賚少數民族王公貴族，並編班行圍。王公大臣也隨駕赴圍場處理政務，皇帝「駐營蒞政，接見臣下，一如宮中」。

其範圍，包括今河北省圍場滿族蒙古族自治縣（全部）和隆化縣、豐寧滿族自治縣，內蒙古自治區克什克騰旗、喀喇沁旗、多倫縣部分地域等，面積約一點三萬平方公里。其中圍場滿族、蒙古族自治縣面積，經實測為九千零六十二平方公里，是為圍場的主要、核心區域。

其地理，有高山、高原、丘陵、峽谷、森林、草原、山泉、河流、泡子、平甸，林木蔥鬱，水草豐沛，動物繁多，野鹿成

木蘭圍場卜克圍（王志偉攝）

群，飛禽走獸，不計其數。至今還有獸禽類一百多種，包括黑琴雞、天鵝等珍稀動物，被譽為「萬靈萃集，高接上穹，群山分幹，眾壑朝宗，物產富饒，牲畜蕃育」（顒琰《木蘭記》）的靈囿勝地。

其文化，這裏為八旗將士和皇子皇孫行圍習武提供了合適的場所。當時行圍打獵，對於八旗官兵來說，相當於現在的「野營拉練」。

其族群，處於漠南蒙古的中心地帶。清人魏源說：「本朝綏服蒙古之典，以木蘭秋獮為最盛。」（《聖武記》卷三）這有利於促進滿蒙聯盟，安定北部疆場。

其氣候，距承德一百五十三公里、北京三百八十四公里，比東北溫暖，比京師涼爽，夏秋清爽，適宜避暑。

木蘭圍場，分設獵區，共有七十二個圍（獵區）。清制規定：每次秋獮只選十餘圍，圍場輪番使用，以便動物生息；不過獵，不濫獵，「遇母鹿幼獸一律放生」，設圍時留有缺口，方便年輕力壯之獸得以逃生。

圍獵怎樣進行？大致分為六步：

一是布圍。黎明前，先以數百人，分獵圍場山林，選定方圓數十里大圈，布下圍點。

二是撒圍。用蒙古一千二百五十人為獵卒，由王公大臣統領，以黃纛為中軍，分左右兩翼，撒成一個對狩獵動物的包圍圈。頭戴鹿角面具的哨鹿手，隱藏在圍內密林深處，吹響木製長哨，發出模仿雄鹿求偶的聲音，雌鹿聞聲尋偶而來，其他野獸則為食鹿而聚攏。

三是合圍。圍獵之人，漸促漸近，逐漸緊縮，群獸密集，及至適度範圍，形成合圍局勢。

四是蒞圍。皇帝御幄，為黃幔城，外加黃色網城，結黃繩，高六尺。皇帝入圍，佩戴弓矢，策馬齊驅，親蒞圍所。

五是射獵。皇帝策騎首獵，皇子、皇孫隨從，王公大臣、侍衛官兵等隨駕；圍圈縮到最小，皇帝首射，其他隨射——皇子、皇孫隨射，然後其他王公貴族騎射，最後是大規模的圍射。如一次乾隆帝射虎，先鳴槍驚虎，誘虎出山洞，虎出之後，咆哮跳躍，瞄準虎射獵，虎中槍而死。

六是罷圍，獵畢，收場，回營，歡宴。一天的行圍，像一天的戰鬥。晚間，群星在天，點燃篝火，千百火光，天地呼應，燒烤獵物，載歌載舞，飲酒歡歌。

《塞宴四事圖》描繪了清代圍獵的壯觀情景。

每次圍獵，一般要進行二十幾天。圍獵結束以後，飲酒歌舞，摔跤比武，並宴請蒙古等王公，按軍功大小，予以獎賞。顯然，夏秋季，離開炎熱的北京到涼爽的塞外壩上，避暑行圍，空氣清新，水草豐美，無暑清涼，雲山勝地，鹿鳴鳥叫，多麼愜意。這既是戰鬥，又是體育，還是娛樂，更是敦誼，融習武、體育、娛樂、聯誼於一體。樂人奏樂唱歌，以伴酒食，並進行「塞宴四事」即：一是舉行詐馬（賽馬）、二是演奏什榜（奏樂）、三是比賽相撲（摔跤）、四是表演教駣（套馬）——由騎馬高手，手執套馬杆，馳入野馬群，將四奔的野馬套住，並從原騎馬上跳到被套馬上，將其套上籠頭，日後對生馬調訓。這些都是具有蒙古草原文化特色的體育娛樂活動。

從康熙二十年（一六八一年）到嘉慶二十五年（一八二〇年）的一百四十年間，康熙、乾隆、嘉慶三帝先後蒞臨木蘭圍場九十次，舉行「木蘭秋獮」大典八十八次（張學軍主編《中國木蘭圍場史》）。雍正帝做皇子時去過木蘭圍場，在位十三年間，沒到過圍場，但他在遺囑裏說：「後世子孫，當遵皇考所行，習武木蘭，毋忘家法。」木蘭圍場經始者康熙帝，除康熙二十一年（一六八二年）準備同俄國進行雅克薩自衛反擊戰，康熙三十五年（一六九六年）親征噶爾

《弘曆塞宴四事橫軸——詐馬》

《弘曆塞宴四事橫軸——什榜》

《弘曆塞宴四事橫軸—— 相撲》

《弘曆塞宴四事橫軸—— 教駣》

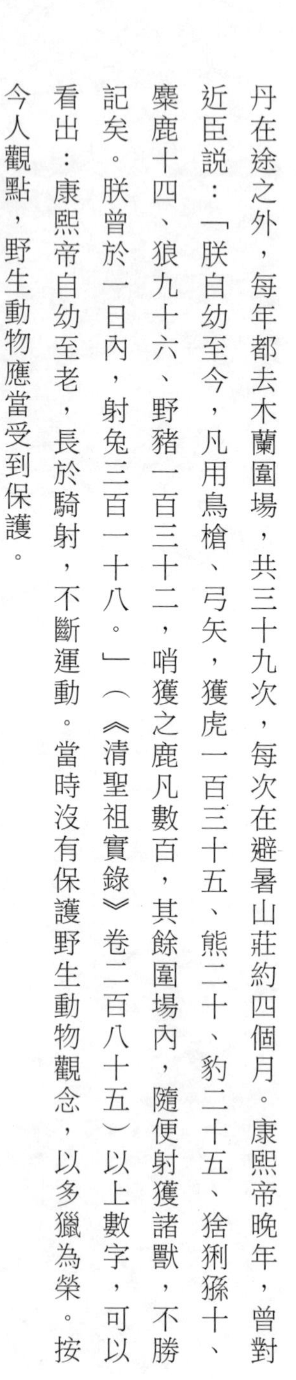

丹在途之外，每年都去木蘭圍場，共三十九次，每次在避暑山莊約四個月。康熙帝晚年，曾對近臣說：「朕自幼至今，凡用鳥槍、弓矢，獲虎一百三十五、熊二十、豹二十五、猞猁猻十、麋鹿十四、狼九十六、野豬一百三十二，哨獲之鹿凡數百，其餘圍場內，隨便射獲諸獸，不勝記矣。朕曾於一日內，射兔三百一十八。」（《清聖祖實錄》卷二百八十五）以上數字，可以看出：康熙帝自幼至老，長於騎射，不斷運動。當時沒有保護野生動物觀念，以多獵為榮。按今人觀點，野生動物應當受到保護。

現圍場還保留着東廟宮、乾隆打虎洞和石刻等文物古跡。

木蘭興則清朝盛，木蘭廢則清朝衰。道光帝繼位後，秋獮之制廢止。三年後，木蘭圍場開圍，允許百姓入圍墾荒。到了晚清，宮廷下令，對木蘭圍場原始森林進行砍伐，原始森林被砍伐殆盡。

清帝到木蘭圍場圍獵，要有個落腳點，這就是避暑山莊的由來。

二 避暑山莊

避暑山莊又稱熱河行宮，始建於康熙四十二年（一七〇三年），竣工於乾隆五十七年（一七九二年），總面積約為五百六十四萬平方米，是康熙、乾隆二帝苦心經營的皇家離宮別苑，也是我國現存最大的皇家宮殿園林。

避暑山莊在今河北省承德市。避暑山莊選在這裏是因為：

一是地理形勝。左接遼瀋，右連蒙古，南距京師，北到圍場，遠近適度，交通便捷；「群山迴合，清流縈繞，形勢融結，蔚然深秀」。

二是氣候適宜。滿洲人進關後，不適應北京盛夏溽暑酷熱的氣候，要找一個避暑之地，這裏水土、風物皆佳，風清氣爽，水甘土肥，樹草茂密，風景秀麗，適宜帝王養身頤神避喧理政。北國雄奇，江南清幽，南北美景，兼而有之。

三是民族之需。蒙古族、維吾爾族、藏族等王公朝覲，未出痘的王公貴族，在避暑山莊更為合宜。

四是軍政形勢。康熙初年，北方相繼出現察哈爾蒙古布林尼叛亂和厄魯特蒙古噶爾丹東犯，東進的沙俄也屢犯邊境。為抵禦侵略和推行「綏懷蒙古，以構築塞上藩屏」的政策，急需於塞外接近蒙古的地方，營造一個清帝北巡視察基地，便於皇帝「理政

避暑山莊煙雨樓（王志偉攝）

視事」，利於邊疆各民族上層人物朝見清帝，實現清帝「察民瘼，備邊防，合內外之心，成鞏固之業」的雄圖大略。

五是騎射傳統。避暑山莊南距京師六百里，北達木蘭圍場四百里，木蘭秋獮，騎射習武，是為佳勝。

六是居民稀少。熱河地區，人煙稀少，興建行宮，省去搬遷，不致擾民。

避暑山莊的勝園美景，分為宮殿區、湖泊區、平原區和山巒區。

宮殿區　山莊南部，麗正門裏，是清帝理政、寢居的宮殿所在。至今珍藏着兩萬餘件皇帝的陳設品和生活用品。如澹泊敬誠殿，是清帝在避暑山莊期間親理朝政、舉行慶典、接見官員、會見使臣的重要殿堂。殿用楠木構建，俗稱「楠木殿」，雖顯樸拙，卻極昂貴。宮殿區有座四知書屋，乾隆帝依古訓「知微、知彰、知柔、知剛」，題寫屋名。乾隆帝在這裏接見過哲布尊丹巴呼圖克圖、章嘉呼圖克圖、六世班禪和土爾扈特部首領渥巴錫等重要民族領袖。還有煙波致爽殿，咸豐帝在英法聯軍侵入北京時，逃到這裏避難，卻死在這裏。嘉慶帝也死在這裏。慈禧、慈安和奕訢著名的「辛酉政變」，就密謀在煙波致爽殿。殿裏懸掛咸豐帝書寫的「戒急用忍」匾，本來是康熙帝告誡皇四子胤禛的，卻被咸豐帝用來面對英法侵略者。

湖泊區　山莊東部，湖面洲島羅列，亭台樓榭，風景秀美。康熙帝和乾隆帝都曾六下江南，將南方名園美景，擇其優者，因地制宜，移到山莊。避暑山莊的湖區，就是依杭州蘇堤、白堤的樣式，將湖泊分割成大小八個湖面，如上湖、下湖、鏡湖、銀湖、半月湖等，湖面與洲嶼之間，堤岸相通，虹橋橫臥，湖岸曲折，洲島錯落，曲徑通幽，意境如畫。營造小景，佈置亭台，展現「山重水複疑無路，柳暗花明又一村」的意境，呈現江南水鄉的秀美景色。如煙雨樓仿嘉興煙雨樓，金山寺借鑒鎮江金山寺，獅子林仿蘇州獅子林而建。

平原區 山莊北部是一片片草地和樹林，著名的萬樹園就在這裏。萬樹園是皇帝舉行賽馬活動的場地，也是避暑山莊內重要的政治活動中心之一。這裏設大蒙古包，乾隆帝在此接見六世班禪，賜宴、看戲，觀馬術、相撲等表演。乾隆帝在這裏接見英王特使馬戛爾尼，因為糾纏於接見禮儀——馬戛爾尼是單腿跪，還是雙腿跪，錯過了一次清朝對外開放的機會。乾隆帝還在此接見少數民族的王公貴族等。

山巒區 山莊西北部，佔全園森林面積的五分之四。從西北部高峰到東南部湖沼，群峰環繞，溝壑縱橫，清泉湧流，密林幽深，沿着地勢，建了多處著名寺廟。

外八廟之須彌福壽之廟（王志偉攝）

康熙時有避暑山莊三十六景，乾隆時又有三十六景，共七十二景。沈瑜的《避暑山莊三十六景圖》，郎世寧等的《萬樹園觀馬術圖》（又稱《萬樹園賜宴圖》），形象生動，歷史實錄。

避暑山莊既以自然之美與人為之美相融合，又將各地風景名勝融於一園，達到「南秀北雄」的勝境，是中國古典園林藝術的輝煌傑作。一九九四年避暑山莊被列入世界文化遺產名錄。二〇一〇年以來，國家投入六億元人民幣，避暑山莊及外八廟保護工程全面展開，為中國古代造園與建築藝術之傑作益增光彩。

三 莊外八廟

清朝在避暑山莊外，從康熙五十二年（一七一三年）到乾隆四十五年（一七八〇年）近六十年間，先後興建了十二座廟宇，其中最著名的有八座，這就是避暑山莊外八廟——溥仁寺、溥善寺、普寧寺、安遠廟、普樂寺、普陀宗乘之廟、殊像寺和須彌福壽之廟[2]。這些寺廟以眾

2 另四座廟宇為普佑寺、羅漢堂、廣安寺和廣緣寺。

星捧月之勢，環列在避暑山莊的周邊，總佔地面積約四十七萬平方米，成為舉世聞名的避暑山莊外八廟。其金碧輝煌的建築，氣勢宏偉的組群，融匯了漢、滿、蒙、藏、維等多民族的建築特色，堪稱中國古代建築的傑作，也體現清廷「合內外之心，成鞏固之業」的治國理念。

每一座寺廟，都有一串故事，都像一部壯麗的史詩。如：

溥仁寺、溥善寺——為康熙六十壽辰，蒙古各部獻銀二十萬兩修建；

普寧寺——乾隆二十年（一七五五年），為紀念平定蒙古準噶爾部達瓦齊叛亂，解決明初四百年來的邊患，仿西藏桑耶寺而建，其大乘之閣內大佛像，經近年科學實測：須彌座高一點二二米，佛像高二二點二九米，共高二三點五一米，相當於八層樓高，被譽為世界現存最大金漆木雕佛像，俗稱大佛寺。寺名「普寧」，寓意「普天之下，永遠安寧」；

普樂寺——乾隆三十一年（一七六六年），為紀念新疆南北兩路的杜爾伯特等歸順而建，突出圓亭式建築，俗稱圓亭子。寺名寓意為「普天之下，安樂太平」；

殊像寺——乾隆三十九年（一七七四年）建，寺的殿堂樓閣，仿照五臺山的殊像寺。寶相閣內供奉的文殊菩薩像，相傳是按照乾隆帝的形象塑造的，他駐蹕山莊時，常到此廟拈香，被稱作「乾隆皇帝家廟」；

安遠廟——乾隆二十九年（一七六四年）為紀念蒙古準噶爾部達什達瓦率領全部，不招自來，遷居熱河，仿其故鄉伊黎河畔的固爾扎廟而建。廟重簷歇山頂，三層黑色琉璃瓦，背群山，頂藍天，俯草原，安定遠方諸部；

須彌福壽之廟——為六世班禪前來熱河朝見乾隆皇帝、講經、居住而修；

普陀宗乘之廟——乾隆三十二年（一七六七年）始建，乾隆三十六年（一七七一年）竣工，

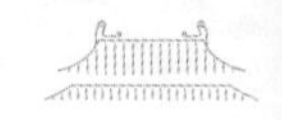

為乾隆帝六十大壽及其母八十五大壽而建。寺名「普陀宗乘」為藏語「布達拉」的漢譯，因仿西藏布達拉宮而建，又稱「小布達拉宮」。建前乾隆帝派官員和畫師、測繪師到拉薩布達拉宮臨摹、繪圖。普陀宗乘之廟是外八廟中規模最大的一座寺廟，佔地二十二萬平方米。寺建成適逢蒙古土爾扈特部萬里回歸祖國，在這裏有個渥巴錫的故事。

避暑山莊和普陀宗乘之廟，記述着土爾扈特部渥巴錫的英雄故事。早在明末，天山以北塔爾巴哈台（今新疆塔城）地帶，厄魯特蒙古的土爾扈特部，因受準噶爾部欺凌，於崇禎初，向西遷徙，到額濟勒河（今伏爾加河）下游、裏海之濱一帶，開拓家園，勞動生息。沙俄誘迫他們脱離中國、歸順俄國，但他們沒有屈從。俄國便縮減其遊牧地，強制其改信東正教，逼迫其青壯年同土耳其作戰——既借他們擴張領土，又借刀殘殺他們。殘酷戰爭，二十一年，部眾牧民，犧牲太大。清朝建立後，土爾扈特部多次納貢，向康熙帝表達對祖國的嚮往，康熙帝也派官員前往撫慰。因難以忍受沙俄的奴役，土爾扈特部首領渥巴錫，舉行絕密會議，決定東歸故土，莊嚴宣誓：返回祖國去！乾隆三十五年（一七七〇年）初，消息走漏，凌晨集合，寒風凜冽，緊急啟行。渥巴錫破釜沉舟，點燃木製宮殿，各地也燃起熊熊烈火。伏爾加河右岸三萬三千多戶土爾扈特人，扶老攜幼，出發到太陽升起的地方去！渥巴錫率領一萬名戰士斷後，急速穿過伏爾加河和烏拉爾河之間的草原。俄國女皇葉卡捷琳娜二世得知消息後，立派哥薩克騎兵追趕。由於土爾扈特攜帶家眷、趕着牲畜，行進緩慢，被哥薩克騎兵追上，九千名土爾扈特人犧牲。行到奧琴峽谷山口時，隘口被哥薩克騎兵搶先佔據。渥巴錫指揮駱駝兵從正面發起進攻，派槍隊從後面加以包抄，將哥薩克騎兵幾乎全殲，為九千犧牲同胞報了仇。土爾扈特人面對傷亡、疾病、饑餓、勞累、寒冷、風雨，人口大減，艱難前進。在最困難的時刻，渥巴錫召開會議，鼓舞士氣——「我們寧死也不能回頭！」土爾扈特人，歷經八個月，行程萬里，既戰勝俄軍圍追堵截，又克服嚴寒、瘟疫和饑餓的困擾，浴血奮戰，義無反顧，付出巨大犧牲，實現東歸壯舉，終於回到伊黎河畔，與清朝派來迎接的軍隊相會。據清宮檔案《滿文錄副奏摺》記載，離開伏爾加草原的十七萬土爾扈特人，「其至伊犁者，僅以半計」，出發時十七萬人僅剩下七萬人。乾隆三十六年（一七七一年）三月，乾隆帝諭旨：迎接土爾扈特部回歸。在金秋時節，土爾扈特部首領渥巴錫等十三人及其隨從四十四人，到避暑山莊覲見乾隆帝。其時恰逢普陀宗乘之廟落成，舉行盛大法會。乾隆帝在避暑山莊接見渥巴錫等，下令在普陀宗乘之廟豎起兩塊巨大的石碑，用滿、漢、蒙、藏四種文字銘刻御撰〈土爾扈特全部歸順記〉和〈優恤土爾扈特部眾記〉。清政府撥專款採辦牲畜、皮衣、茶葉、糧米，接濟土爾扈特人，幫助他們渡過難關，並勘查水草豐美之地，將巴音布魯克、烏蘇、科布多等地劃給土爾扈特人做牧場，讓他們能夠安居樂業。避暑山莊、普陀宗乘之廟及其兩通石碑，成為土爾扈特回歸這一英雄史詩的見證。

避暑山莊外八廟的興建，運用我國佛教建築中的漢式、藏式和漢藏結合的藝術手法，見證了我國多民族統一國家最後形成的過程，是一座民族團結的歷史豐碑。

一座避暑山莊，一部清朝歷史。木蘭圍場、避暑山莊暨外八廟，既是清朝興起騎射習武的記憶，也是清朝強盛民族融合的象徵，還是清朝衰落貪逸覆亡的戒碑。

第六十四講　瀋陽故宮

乾隆帝在〈盛京賦〉裏說：「以父母之心為心者，天下無不友之兄弟；以祖宗之心為心者，天下無不睦之族人；以天地之心為心者，天下無不愛之民物。」這就要「思開創之維艱，知守成之不易，兢兢業業，畏天愛人。」清朝是這樣，歷朝也是這樣。敬祖愛民，國運維新。

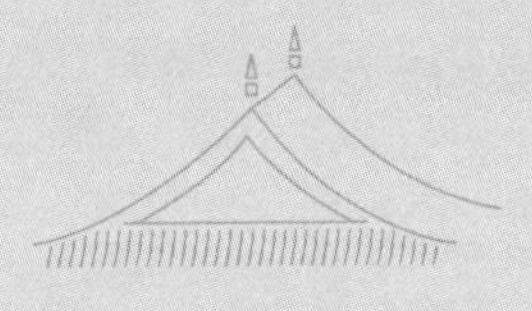

⌂ 瀋陽是清朝留都（陪都），瀋陽故宮是「大故宮」姻系中最北邊的一座皇家宮殿。瀋陽故宮在民國初年，一度為故宮博物院瀋陽分院，後又改為瀋陽故宮博物院。講盛京瀋陽故宮，從清初三宮說起。

一  清初三宮

清初在山海關外，有三組宮殿，就是興京汗王宮殿、東京後金宮殿和盛京清初宮殿，依次展現清初歷史演進中的三個時代座標。

第一，興京汗王宮殿。明萬曆十一年（一五八三年），努爾哈赤以「十三副遺甲」起兵後，經過二十多年的征戰和兼併，女真各部基本統一。明萬曆四十四年即後金天命元年（一六一六年），努爾哈赤黃衣稱朕，建元立國，史稱後金，年號天命。清太祖努爾哈赤的第一座宮殿在赫圖阿拉，就是今遼寧省撫順市新賓滿族自治縣永陵鎮赫圖阿拉村。赫圖阿拉城山環水繞，建在略呈橢圓形的橫崗上，崗為平頂，高十餘米，有內外兩重城垣。城內有汗王殿、衙門、民居、佛寺、玉皇廟等。時屬草昧，宮殿初具。殿頂沒有琉璃瓦，城牆也沒有城磚包砌，而是用石、土、木混合構築，因陋就簡，堅固實用。貝勒宴會，沒有椅子，席地而坐，喝酒吃肉。

第二，東京後金宮殿。明天啟元年即後金天命六年（一六二一年）三月，努爾哈赤勢力擴大，軍力日強，率軍連續攻佔明朝遼東重鎮瀋陽和遼東首府遼陽。第二年三月，努爾哈赤決定遷都

遼陽。他命在遼陽城東五里太子河邊，動員軍民，大興土木，另建新城、新宮。史載：「創建宮室，遷居之，名曰東京。」（《清太祖實錄》卷八）於是，努爾哈赤建成後金第一座位於平原、形狀方正、磚石砌城、宮殿兼備的宮城。從此，遼陽成為後金的第二個都城。「女真多山城」，遼陽東京新城是滿洲第一座在平原上建立的都城和宮殿。宮殿已經開始用海城燒製的琉璃瓦。遼陽老城漢人居住，遼陽新城滿人居住，從此開啟清朝滿漢分城居住的先例。

第三，盛京清初宮殿。明天啟五年即後金天命十年（一六二五年），遼陽新城新宮建後不久，努爾哈赤又要遷都瀋陽。貝勒大臣都不同意。努爾哈赤耐心地講了長篇道理，貝勒大臣沒被說服。努爾哈赤生氣了，帶着侍衛，乘月夜行，駐虎皮驛，翌日兼程，來到瀋陽。諸貝勒一看大汗走了，沒有辦法，也跟着到瀋陽，於是遷都瀋陽。努爾哈赤到瀋陽後，住在叫「汗王宮」的四合院裏。他開始興建瀋陽宮殿，後經多年經營，形成今見規模。皇太極於崇德元年（一六三六年），改年號為崇德，改國號為大清，並改瀋陽為「盛京」，遼陽為「東京」，發祥地赫圖阿拉為「興京」，這就是清初關外的三京。盛京宮殿大體分為東、中、西三路：

東路，乾隆帝〈盛京賦〉說：「大政當陽，十亭雁行。」（《清高宗實錄》卷二百零二）以大政殿為主，十王亭為輔，一首兩翼，八字展開。大政殿建於後金天命十年（一六二五年），是清太祖努爾哈赤遷都瀋陽後的議政大殿，俗稱八角殿、大衙門。皇太極稱帝確定宮殿名稱時，命名為「篤恭殿」，後改稱大政殿。宮中的大典和大宴，多在大政殿（篤恭殿）舉行。清朝入關後，清帝東巡時也在這裏舉行慶典和賜宴等活動。

大政殿（篤恭殿）的建築和佈局，滿洲特色非常顯著：其一，大政殿為八角重簷攢尖頂式建築，為中國歷朝宮中正殿所僅見。其平面呈正八角形，坐落在一點五米高的須彌座台基上。

其二，殿頂採用黃琉璃瓦鑲綠色剪邊，正面廊柱盤踞兩條金龍。這種風格融合滿、漢、蒙、藏文化及建築技法，成為瀋陽故宮東路建築之魂，也是瀋陽宮殿中最具民族特色的一座建築。其三，殿前十王亭，左右各五，東西對稱，是八旗旗主貝勒和左、右翼王處理政事、辦理旗務的亭式殿。說到這裏，有人問道：為什麼大政殿的殿頂不是全黃色，而是黃琉璃瓦綠剪邊呢？當時文字沒有記載，眾多學者各作解釋。我認為：大政殿頂黃瓦綠剪邊是中原農耕文化（黃土）和東北森林文化（綠樹），兩種文化在宮殿建築色彩上相結合的產物。東路建築主要是努爾哈赤時奠定的基礎。

中路，大清門內，主要有崇政殿（理政殿堂）、鳳凰樓、清寧宮（帝后寢宮）。皇太極有「一後四妃」——皇后住清寧宮，四妃分別住東配宮的關雎宮（宸妃海蘭珠，莊妃姐姐）和衍慶宮（淑妃，林丹汗遺孀），

瀋陽故宮大政殿

西配宮的麟趾宮（大貴妃，林丹汗遺孀，博穆博果爾生母）和永福宮（莊妃布木布泰，順治帝生母），她們都姓博爾濟吉特氏。著名的莊妃就住在永福宮，並在這裏生育了皇九子福臨（順治帝）。其西院有崇謨閣，著名文獻《滿文老檔》、《玉牒》、《聖訓》等儲藏在閣內。中路建築主要是皇太極時奠定的基礎。

清朝四帝先後十次東巡祭祖[1]，其中康熙帝三次、乾隆帝四次、嘉慶帝兩次、道光帝一次。他們從北京出發，過山海關，經瀋陽，到興京（今遼寧撫順新賓滿族自治縣），往返路程四千里。康熙帝第二次東巡，遠到吉林烏拉（今吉林省吉林市），騎馬遠行，長途跋涉，活動筋骨，有益健康。康熙帝這次東巡，在關外六十七天，射虎三十九隻，最多一天射虎五隻（《清聖祖實錄》卷一〇〇）。乾隆帝東巡，興建西路，作為行宮。

西路，為乾隆帝東巡時所增建，有戲台、嘉蔭堂、文溯閣等，其中文溯閣是專為儲藏《四庫全書》而建的，同文淵閣、文津閣所存《四庫全書》，是現存三部完整的《四庫全書》。文溯閣本《四庫全書》現存甘肅省圖書館新館（蘭州）。

1 清朝四帝十次東巡分別是：康熙帝於康熙十年（一六七一年）、二十一年（一六八二年）、三十七年（一六九八年），乾隆帝於乾隆八年（一七四三年）、十九年（一七五四年）、四十三年（一七七八年）、四十八年（一七八三年），嘉慶帝於嘉慶十年（一八〇五年）、二十三年（一八一八年），道光帝於道光九年（一八二九年）。

在盛京皇宮裏，發生過著名的「三案」。

二 清宮三案

瀋陽故宮的人物、故事和事件，數以百計，生動有趣。選擇三個，略加介紹。

其一，清太宗死因疑案。野史說清太宗皇太極夜裏睡覺時被暗殺。暗殺皇太極的人，被演繹成多種版本。這種說法，沒有史據。清末民初，一些文人出於反滿的文化需要，編撰一些荒誕的故事。皇太極為什麼會突然死亡呢？皇太極身體肥胖，常吃肥肉，用今人的話說，就是「三高」——高血壓、高血脂、高血糖。舉出一個證據。皇太極於崇德八年（一六四三年）八月初九日病故：「是夜，亥刻，上無疾，端坐而崩。」年五十有二（《清太宗實錄》卷六十五）。用現代

《皇太極半身像》

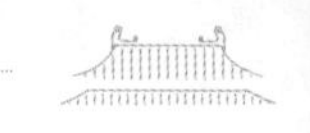

醫學術語說，就是死於腦卒中或心梗。此前一日，皇太極以皇五女下嫁，在崇政殿接受滿蒙王公大臣朝賀，並出席大禮儀和大宴會。當天，皇太極偕后妃等召固倫公主暨額駙親眷等，在崇政殿頒賞（《清太宗實錄》卷六十五）。皇太極過度興奮和勞累，猝然病故，留下遺位爭奪的歷史懸案。

其二，順治繼位疑案。皇太極突然病故，由誰接班，未做交代。時親王、郡王有七人：禮親王代善、鄭親王濟爾哈朗、睿親王多爾袞、肅親王豪格、英郡王阿濟格、豫郡王多鐸和穎郡王阿達禮，在崇政殿舉行秘密會議，商討皇位繼承大政。當時最有希望的是兩個人：皇太極的長子豪格與皇太極的十四弟多爾袞。皇太極的長兄代善提出：豪格是「帝之長子，當承大統」。以代善的地位和兩紅旗的支持，豪格以為大局已定，說：「福少德薄，非所堪當！」謙恭辭讓，等待勸進。多鐸又提出立自己，多爾袞說還有大哥（代善）呢！多鐸又說：「不立我，當立禮親王。」禮親王代善說自己年老。而鄭親王濟爾哈朗則屬於旁支。多鐸馬上提出多爾袞，豪格退出會場。會議陷入僵局。經會下磋商後復會。濟爾哈朗提出由六歲的皇子福臨繼位，又由叔王攝政。聰睿的多爾袞提出肅王既然退讓，「無繼統之意」，那就立先帝之子福臨，不過他年齡還小，我和濟爾哈朗左右輔政，待幼君年長之後，當即歸政（《沈館錄》卷六）。最後達成共識：由六歲的皇子福臨繼位，由濟爾哈朗和多爾袞輔政。這樣，八旗滿洲的兩黃、兩紅、兩藍與兩白共八個旗達成一致意見。八旗初期，類似股份制，共八個股，也就是共八票。每票後面都是一股巨大的軍事與政治的集團利益所在。有人說順治繼位是因他母親孝莊太后與多爾袞的關係，當時皇后還在，另三位妃子也在，怎麼會由一個女人（莊妃）左右政局呢！

其三，莊妃下嫁疑案。瀋陽故宮中路的永福宮，流傳莊妃下嫁多爾袞的故事。儘管電視劇、電影、小說演繹得生動有趣，但至今沒有一條經過考證、可信的史料，證明「太后下嫁」。我在《正說清朝十二帝》和《大故宮．清宮太后》裏，詳細做了分析和闡述，這裏不再多說。

三 清宮三寶

瀋陽故宮珍藏大量文物，重要文物有兩萬多件，內有十件文物被譽為「鎮館之寶」[2]。這十件國寶是：後金天命雲版、皇太極腰刀、金代交龍鈕大鐘、清郎世寧設色《竹蔭西狑圖》、清王翬等設色《康熙南巡圖》、清雍正款青花紅龍大盤、清乾隆款嵌琺瑯纏枝花卉缽，還有下面要介紹的三件國寶。

第一件，努爾哈赤寶劍。清太祖御用寶劍，是極珍貴的努爾哈赤傳世實物，舉世無雙，彌足珍貴。這件寶劍的劍刃為鋼製，全長八十點五釐米，刃長五十八點三釐米、刃寬三點一釐米，柄長十九釐米、柄首寬八點三釐米，鐔[3]長三點二釐米、格寬九點九釐米。劍身鋼製，

2 瀋陽故宮「十大鎮館之寶」，資料來源於瀋陽故宮博物院，由楊小東副院長提供，謹此致謝。

3 鐔，劍柄末端與劍身連接處兩旁突出部分，又稱劍鼻、劍珥。

雙刃。劍柄為銅製，柄首為銅質呈海棠形，開光內鏨刻天官、鹿、鶴圖案，柄身包以黑牛角；劍鐔為銅製，中間開光內鏨有玉兔、祥雲圖案，鐔兩端龍首、魚身紋飾。劍鞘外包銅皮和鯊魚皮面，有七道銅箍，中間兩側另包以鯊魚皮，並鑲嵌螭虎、花卉紋鎏金銅片。從劍柄、劍鐔紋飾圖案看，有「加官進祿」、「玉兔呈祥」等寓意。鞘表面另鑲有銅質鍍金螭虎紋和菱形花卉紋飾。清乾隆年間曾為此劍佩以皮條，上面用滿文、漢文書寫「太祖高皇帝御用劍一把，原在盛京尊藏」等字樣。該劍做工精良、紋飾豐彩，具有極濃的漢族文化氣息。這把寶劍的來源，同龍虎將軍有關。

龍虎將軍有個故事。努爾哈赤自六世祖猛哥帖木兒，世代任明朝邊官，為大明守邊。當時女真諸部首領，對明廷態度不一：有的製造事端，有的左右逢源，有的效忠明朝。努爾哈赤祖、父、己三代，一向忠於明朝。女真有個小部首領叫克五十，屢次騷擾，殺人搶掠，努爾哈赤率兵「斬木札

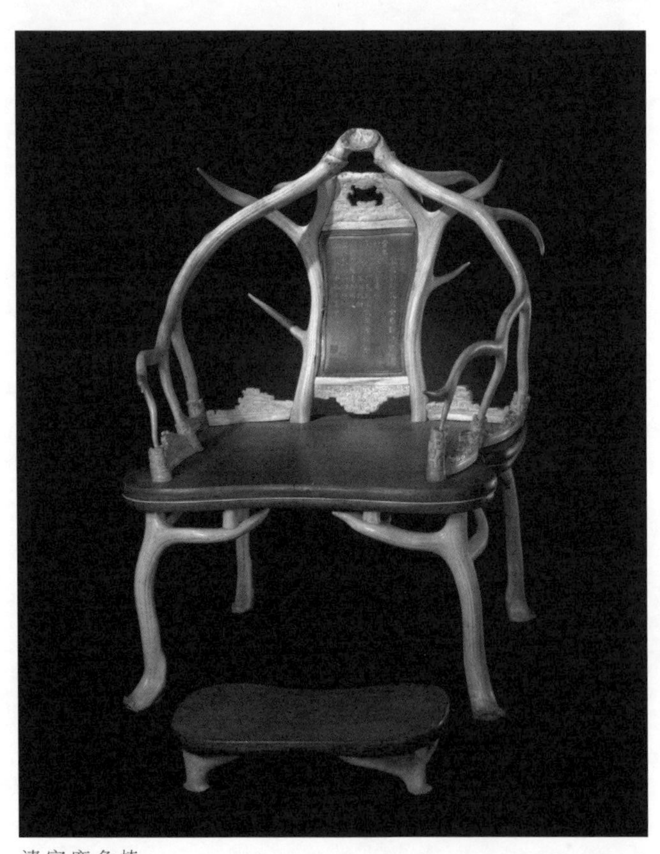
清宮鹿角椅

河部頭人克五十以獻」（茅瑞徵《東夷考略》）。努爾哈赤「忠順學好，看邊效力」，明萬曆二十三年（一五九五年），努爾哈赤到北京朝貢，萬曆帝加升他為龍虎將軍（《明神宗實錄》內閣文庫本，第三六卷）。明朝官制，武職兵部尚書為正二品，侍郎為正三品。這龍虎將軍為散階正二品（《明史·職官志一》卷七十二），整個明朝只有女真哈達部首領王台和建州部首領努爾哈赤兩人獲此殊榮。這把寶劍，女真、後金是製造不出來的。所以，根據明萬曆二十三年（一五九五年）明廷敕封努爾哈赤為龍虎將軍一事，有關專家學者推斷該劍即為明朝敕封努爾哈赤的「龍虎將軍劍」，或是努爾哈赤到京向萬曆帝進貢時被賜授的。這是民族文化交流的一段佳話。

第二件，皇太極御用鹿角椅。清太宗皇太極御用鹿角椅，是清初極少數傳世文物之一。清入關後，各代皇帝多按此椅製作本朝鹿角椅，以示遵祖崇武之制。這把鹿角椅為鹿角、木結構。椅上部以鹿角製成靠背形狀，鹿角共十二支叉，四叉作為與椅交合的支柱，八叉以靠背為中心向外分開，左右各四叉，八叉鹿角勻稱地向四下張開；椅下部為木製，椅面呈長方形，椅心以棕繩編織；椅下四腿外加罩護板並浮雕花卉圖案，塗以金紅色漆面，椅腿下部為四足托泥式；椅前下部有木製腳踏。全椅通高一百一十九點二釐米，靠背長六十三點二釐米，鹿角圍長一百八十四點五釐米，左角長九十三點五釐米，右角長九十一釐米，椅座高五十七釐米，椅面長八十二點八釐米、寬五十二點七釐米。椅背正中刻有乾隆十九年（一七五四年）乾隆帝御製詩：「彎弓曾逐鹿，製器擬乘龍。七寶何須羨，八叉良足供。庫藏常古質，山養勝新茸。那敢端然坐，千秋示儉恭。」後題「敬詠太宗文皇帝所製鹿角椅一律，乾隆甲戌秋九月御筆」，款下方刻有「乾」「隆」圓、方連珠印。該椅為清太宗皇太極御製，後又為清高宗乾隆帝修飾並雕以御製詩文，更增添了此椅的歷史信息和帝王氣象。

滿族是重狩獵的民族，將狩獵視為國魂。一次，有一大鹿自東來，奔入御營，捕獲之（《清太宗實錄》卷九）。又一次，皇太極行獵，適有二黃羊並行，皇太極一矢貫之（《清太宗實錄》卷十一）。另一次，皇太極出獵二十餘天，射殪（死或仆）虎四，鹿、野豕共一百二十有八（《清太宗實錄》卷二十六）。再一次，皇太極行獵凡二十三日，殪虎四，射野豬、鹿、狍、黃羊一百五十有九（《清太宗實錄》卷三九）。皇太極把自己或王公所射大鹿的鹿角，用來做鹿角椅，以顯示皇威。

第三件，乾隆帝御筆「紫氣東來」匾。這是一方木雕、銅字宮殿陳設式掛匾，由清乾隆帝御筆題寫。匾為木製長方形，四周為寬邊浮雕金漆雲龍紋飾，共有九條雕龍——上沿正中為一條正龍，兩側各有一條行龍，下沿中間為二龍戲珠紋，兩側各有一條行龍，左、右邊框各有一條升龍，龍首均為圓雕製成，並安有金屬絲龍鬚。匾內沿為深紅色，匾心為洋藍色平面，中間鑲有銅製乾隆帝御筆行書「紫氣東來」四字，題字上部中央有陽文篆書「乾隆御筆之寶」璽印。匾長二百一十七釐米，高八十七釐米，厚十六釐米，現懸掛於瀋陽故宮鳳凰樓下大門上方。

「紫氣東來」也有故事。《史記．老子韓非列傳》「索隱」引《列仙傳》說：「老子西遊，關令尹喜望見其有紫氣浮關，而老子果乘青牛而過也。」這裏只說「紫氣」，沒說「東來」。上文的「關」，有説指散關，有説指函谷關。宋璟〈迎駕詩〉：「洛上黃雲送，關中紫氣迎。」洛陽在函穀關東面，暗含紫氣從東面來，但沒有點明。杜甫〈秋興詩〉説「西望瑤池降王母，東來紫氣滿函關」，則點明老子出關，紫氣東來。紫氣，是祥瑞之氣，是福祿之氣，是康寧之氣，也是太平之氣。乾隆帝「紫氣東來」用典，更蘊含政治元素。滿洲興起東方，西進京師，底定中原，一統華夏，所以紫氣是東方來的。今人揚其政治外殼，取其文化內核，企盼祥瑞、福祿、康寧、太平！

此處又讓人想起乾隆帝的〈盛京賦〉，該賦作於乾隆八年（一七四三年）之秋，洋洋千言，文采四溢，內容博大。凡四蹄雙羽之族，長林豐草之眾，海產百魚之屬，山珍參菇之類，莫不述及，鮮有遺漏，是一部瀋陽地區動植物的百科全書。乾隆帝的賦，意在敬祖，也在思新：「維新皇運，膺靈佑之。」他只提出，而未踐行。

跟盛京宮殿有關的「關外三陵」，就是努爾哈赤在瀋陽的福陵（俗稱東陵）、皇太極在瀋陽的昭陵（俗稱北陵）和其先祖在新賓的永陵（今新賓永陵鎮）。

乾隆帝在〈盛京賦〉裏說：「以父母之心為心者，天下無不友之兄弟；以祖宗之心為心者，天下無不睦之族人；以天地之心為心者，天下無不愛之民物。」這就要「思開創之維艱，知守成之不易，兢兢業業，畏天愛人。」清朝是這樣，歷朝也是這樣。敬天愛民，尊祖睦人，兢兢業業，國運維新。

第六十五講　國寶南遷

故宮文物，原合為一。滄海變遷，時局動盪，現分藏於兩岸。《三國演義》開篇曰：「天下大勢，分久必合。」分開來說，都是大故宮的一部分；合起來說，全都是大故宮的文物——總之，共同典守中華五千年的文明之寶。

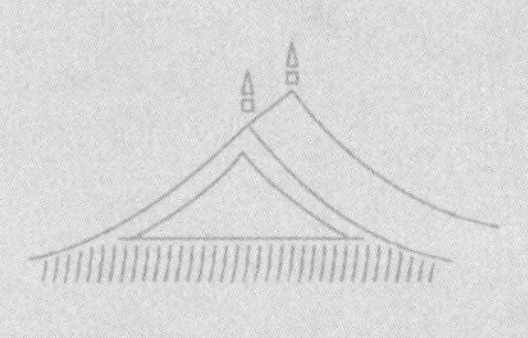

⌂中華國寶，文明精粹，滄桑巨變，歷經磨難。有人問：北京故宮博物院的國寶，為什麼會到台北故宮博物院了呢？這要從國寶南遷說起，分作三題——從宮到院，從北到南，從分到合。

一 從宮到院

中華國寶，薈萃皇宮；文物精品，天府永藏[1]。但是，辛亥鼎革，清朝滅亡；民國建立，歷經艱難。從清朝皇宮演變為故宮博物院，紫禁城所收藏的寶物，成為博物院的藏品，從而成為真正屬於人民的國寶。從「宮」到「院」，這條道路，走了百年。

中國故宮文物，有着歷史傳承。元大都宮殿，承襲金中都和南宋臨安宮殿的文物。元亡明興，明亡清興，宮廷文物，前後連續。清亡以後，清宮文物，遭受三次大的浩劫[2]，國寶流失。清遜帝溥儀在內廷十三年中，文物損失嚴重。辛亥革命後，根據〈關於大清皇帝辭位之

1 本講參考鄭欣淼先生《天府永藏》、歐陽道達先生《故宮文物避寇記》、那志良先生《典守故宮國寶七十年》等著作。

2 清朝三次重大文物損失：第一次是清咸豐十年（一八六〇年），英法聯軍對圓明園等的劫掠和焚毀。僅大英博物館就收藏有三萬多件中國文物，其中直接從圓明園掠奪的文物達二萬多件，如唐人所摹晉代著名畫家顧愷之的《女史箴圖》；法國楓丹白露宮中國館收藏圓明園文物達三萬多件。第二次是光緒二十六年（一九〇〇年），八國聯軍對皇室財寶的搶劫與破壞。經過這兩場浩劫，「中國自元明以來之積蓄，上自典章文物，下至國家珍奇，掃地遂盡」（柴萼《庚辛紀事》）。第三次則是遜帝溥儀出宮之前。

後優待條件〉，遜帝溥儀仍「暫居宮禁」，就是外朝歸民國政府，內廷暫歸遜帝溥儀。宮裏文物珍寶，仍由皇室佔有。因此，「這些財寶每一分鐘都在被贈送、出售或典押，甚至被偷竊」（莊士敦《紫禁城的黃昏》）。從一九二二年七月十三日到十二月十二日，僅五個月時間，大量名貴字畫、古董就被運出宮外，其中有王羲之、王獻之父子的《曹娥碑》等，有鍾繇、懷素、歐陽詢、宋高宗趙構、米芾、趙孟頫、董其昌等人的真跡，有司馬光《資治通鑒》原稿，有唐王維的人物畫、宋張擇端的《清明上河圖》等，字畫總數約有一千多件。又將乾清宮昭仁殿的全部宋版、明版書運走，約有二百餘種。在地安門大街兩側，太監和內務府官員新開了一家又一家古玩店，賣內府古玩秘籍。幸虧，因遜帝溥儀出宮，事情發生了變化。

溥儀出宮。一九二四年十月二十二日夜，馮玉祥倒戈，密回北京，發動「北京政變」。他們修正〈清室優待條件〉，決定「清室即日移出宮禁」，並由京畿警衛總司令鹿鍾麟等負責執行。十一月五日上午，鹿鍾麟等到紫禁城隆宗門外，與內務府總管大臣紹英等交涉。當兩位太妃聞知限她們三個小時內搬走時，又哭又鬧，堅決不肯走。這時醇親王載灃急忙進宮，與溥儀商量，經過權衡，作出決定，即刻出宮。交出了傳國璽、宮殿，遣散部分太監、宮女。下午四時十分，溥儀及其妻妾，載灃等在前，紹英、太監、宮女等在後，由御花園走出，登上國民軍開到順貞門前的五輛汽車，駛出神武門，到了後海北岸的醇親王府（今宋慶齡故居）。

十一月七日，臨時執政府發佈命令：清理原宮內公產私產，昭示大眾。善後委員會由政府和清室雙方人士組成。點查清宮物品，以宮殿為單位，逐件編號，依序登錄。將各宮殿按「千字文」編號，如乾清宮為「天」、坤寧宮為「地」、南書房為「元」、上書房為「黃」等。經過五年多時間，清宮物品清點結束，隨後出版《清宮物品點查報告》，共六編二十八冊，載錄每一文物的編號、品名、件數，以及參點人員、監視人員的姓名。清宮遺留物品，有一百一十七萬件之多，留下完整記錄。這些文物就成為一九二五年成立故宮博物院的藏品（鄭欣淼《天府永藏》）。

故宮博物院成立。一九二五年十月十日，故宮博物院成立，在乾清宮前舉行隆重典禮。這一天，神武門上鑲嵌李煜瀛手書顏體大字「故宮博物院」青石匾額。當天故宮正式開放。自永樂建宮五百多年來，人們第一次可以遊覽故宮中路三大殿和後三宮，以及西六宮、養心殿、壽安宮、文淵閣、樂壽堂等處。兩天內前來參觀的多達五萬人。同時，籌建故宮博物院兩館一處——古物館、圖書館和文獻處。

當然，故宮博物院的成立，不是一步到位，而是經過由「宮」向「院」轉化的三個階段：

一是宮所並存。辛亥革命以後，原故宮一分為二，就是後宮仍為皇家禁地，前廷於一九一四年二月四日，成立國家古物陳列

故宮博物院成立時，李煜瀛手書顏體「故宮博物院」匾額（1925 年）

所，主要收存瀋陽故宮和避暑山莊等處文物，並利用武英殿西配殿開放。從一九一三年十一月一九一四年十月，避暑山莊等文物由灤河水路運到灤州，再轉火車運載到北京，前後運送七次，共計一千九百四十九箱，文物十一萬七千七百餘件。一九一四年一月開始，起運瀋陽故宮文物，到三月二十四日結束，前後運送六次，計一千二百零一箱，文物約共十一萬四千六百餘件。以上文物均暫存於武英殿等處。

二是院所館並存。故宮博物院成立後，原故宮一分為三，就是後宮部分為故宮博物院，前朝部分為古物陳列所，午門外兩廡及端門為國立歷史博物館。避暑山莊文物交故宮博物院，瀋陽故宮文物仍移交故宮博物院瀋陽分院（現為瀋陽故宮博物院）。

三是院館並存。故宮合而為一，就是古物陳列所併入故宮博物院，午門外兩廡及端門建築也交故宮博物院。這樣，端門內及紫禁城都統一歸故宮博物院。故宮博物院與歷史博物館並存。這項分割與合併，直到二〇〇八年才算結束。

二　從北到南

一九三一年「九一八」事變，日寇侵略，佔我東北，平津危急。為了守護國寶，決定將文物南遷。國寶南遷避寇，歷時十五年（一九三三～一九四七年），分為南遷、西遷與東歸三個階段。

先說南遷。日寇倡狂，北平告急。文物選遷籌措，已經大致就緒，南遷上海，租庫儲藏。

規定期限，分為五批，通過鐵路——平漢、隴海、津浦、京滬等路，遷往上海，達一萬八千九百七十箱。

一九三三年二月五日夜，故宮博物院在市政當局協助下，連夜將第一批南運古物二千一百一十八箱裝上板車，集中到太和門前。天黑以後，運出午門，到前門火車站西站，路經之處，一律戒嚴。六日晨，這批古物共裝十八節車皮運出北平。啟行前，行政院密令沿途軍警派員保護，交通部令沿線各鐵路局為故宮古物專列讓路，運往上海。

不久，上海危急，這批文物又從上海轉運南京，藏於朝天宮等處庫房，並改為故宮博物院南京分院。

再說西遷。日寇南侵，滬寧震撼，南京分院庫存文物，有遭日寇焚掠之虞。經過研究，決定西遷。首批西遷文物，於一九三七年八月十四日，就是在「淞滬抗

故宮博物院將文物裝箱待運（1933 年）

戰」[3]開始的第二天，離開南京運往湖南長沙，旋由長沙轉貴州貴陽、安順，四川巴縣。第二、三兩批，溯江先運至湖北漢口，尋轉湖北宜昌，四川重慶、宜賓，而終遷於四川樂山安谷鄉。第四批渡江陸運，經津浦路，在徐州轉隴海路，經鄭州、西安，直達寶雞；繼遷南鄭、成都，而終遷於四川峨眉。以箱件與麻包並計，西遷文物，四批綜合數為一萬六千六百九十七箱；以時計之，遷湘者最早，但到一九四四年十二月十八日，始遷到四川巴縣，比樂山，峨眉為最後。全部文物西遷，由起運而底定，實際為七年零四個月。西遷國寶，過程漫長，事跡紛繁，歷時十年，地衮萬里，分為三路——南路、中路、北路。

南路始於遷湘，中經貴州、貴陽、安順，終至四川巴縣。一九三七年八月十四日，裝船離開南京；溯江而上，十六日抵漢口。先擬水運，因時局緊張，輪運遲緩，或有不虞，改為陸運。十八日裝車，由武昌開；十九日，到長沙；二十一日，運入湖南大學圖書館。是為南路的一遷。

存湘期間，慮及空襲，曾依嶽麓山勢設計掘鑿石窟，

3 淞滬抗戰，又稱「八一三事變」。一九三七年七月七日「盧溝橋事變」後，日軍侵佔平津。於八月十三日大舉進攻上海。中國第九集團軍在張治中率領下奮起抵抗。中國方面陸續調集六個集團軍七十餘萬人參加會戰，日軍也逐次增加到總兵力九個師團二十二萬餘人。十一月五日，日軍從杭州灣登陸，迂迴守軍側後，合圍上海。守軍被迫撤退。十二日，淞滬陷落（參見《辭海》「淞滬抗戰」條）。

開闢石室，務求萬全，且防潮濕。石室工事，如期完成。將要入窟儲藏，因日寇侵逼，威脅兩湖，又定轉遷貴州。是時，湘境交通工具，已經徵發一空。經月餘時間，奔走呼籲，始獲成議：分批分段轉運——每批分兩段配車：長沙到桂林段，由湖南公路局撥長途客車三輛，湖南郵政撥載重卡車一輛；桂林到貴陽段，由廣西公路局撥車或租車五輛。首批裝文物三十六箱，於一九三八年一月十二日離湘，十五日抵桂林，二十七日易車前行，三十一日達貴陽；次批裝文物四十四箱，於一月二十四日離湘，二十九日抵桂林，二月五日易車前行，十日達貴陽。文物全部運達，暫存於城北官邸。之前，貴州省府曾指定城外仙人洞、觀音洞兩處。經履勘發現觀音洞隘小，箱不能入，終年滴水，異常潮濕；仙人洞位於山巔，登山路險，移運艱難，不夠容納——儲藏文物，均不適用。最後，找到民房十餘間，暫且租用。遂於四月二日將文物遷入儲藏。是為南路的二遷。

遷黔未久，密議再遷。時敵機肆虐，又議遷雲南。遷滇之議，因故作罷。再議遷到安順縣。幾經履勘，以安順縣境南門外華嚴洞尤為安全。洞距縣城一公里許，距省城九十五公里。洞既選定，即於洞內搭蓋板房，以瓦頂瀉滴水，以板地隔潮蒸，而期典守周密。工竣，遷儲。自一九三九年一月十八日到二十三日而完成。是為南路的三遷。

一九四四年秋，日寇猖獗，佔領桂林，貴陽告急。十二月十五日，將安順的八十箱文物，於十八日啟程，再轉遷到距重慶約五十公里的四川巴縣南鄉，時距抗戰勝利僅八個月。是為南路的四遷。

中路開始於一九三七年十一月初，淞滬前線，突然失利。故宮博物院南京分院備遷文物，分路運離南京。中路水運兩批：首批，於十一月十九日從招商局江安輪辟出一部分艙位，裝運

四千零八十一箱，二十二日抵漢口；第二批，由英商黃浦輪續裝運五千二百五十箱，於十二月三日解纜上駛，五日抵漢口：兩批遷漢文物共九千三百三十一箱。此外，尚有其他四十七箱等，存英商平和央行倉庫。西遷的文物，存漢口未久，先後承運宜昌。自十二月二十四日到一九三八年一月六日，陸續運清，綜計九千三百八十六箱。是為一遷宜昌。

文物由漢遷渝，宜昌為轉運站。但宜昌以西，長江上游，水淺船小，遷運不易。首批於一九三八年一月九日啟運，然經十九批，歷時四個月，到五月二十二日，末批文物始運到重慶。遷渝文物，分存七庫：一、二庫，為法商吉利洋行堆棧；三、四、五、六庫，為瑞典商安達生洋行堆棧；七庫，為川康平民銀行倉庫。是為二遷重慶。

遷存重慶文物，再遷樂山安谷鄉。重慶到樂山，水路五百七十六公里。安谷鄉在縣城西南，距城約九公里。一再勘查，擇定一寺、六祠為遷儲倉庫。這批文物，又轉宜賓，溯江而西，遷到樂山。為避敵機轟炸，時間格外緊迫。雇用輪船裝運，兼雇民用木船，星夜裝船，陸續西遷。

安容氣候潮濕，鼠蟻齧蝕。選在祠堂離地高、不畏潮的戲台、後台、兩廂，儲存書畫、古籍、檔案。為防潮、防蛀、防火，安設格窗，以利通風；如為泥地，鋪設木炭、石灰，以減潮、殺蟲；各庫消防，安設滅火機，並備有射水器、蓄水缸，以及拉鈎、警鑼、沙簍，一一齊備。守護人員，日夜守護，檢潮曬晾，晴朗之日，未嘗間斷。西遷文物未受潮損，一因箱內樟腦丸存置充足，牛皮紙襯墊覆蓋周密；二因勤查勤曬，不使書畫、古籍有積潮氣蒸的機會。是為三遷安谷。

北路自一九三七年十一月，由南京始沿津浦路北行到徐州，轉隴海路西遷，經河南鄭州，到陝西寶雞，再南行轉徙，存於成都，終定峨眉。在寶雞車站，穿過路軌，兩車相撞，致車中公字第六五三號（寧一〇六〇號）黃瓷大碗一箱與第二五四〇號（和一三五號）鐘錶、玻璃罩一箱，因震破碎。這是文物避寇期間不幸遭遇之一。還有眉山大火。一九四三年，縣城一家鴉片煙館，不小心起火。火勢蔓延，一個小廟道士被燒死，危及庫房。經拆掉臨近房子隔火，文物庫房，幸獲保全。

國寶南遷，除經常守護、核查、晾曬、防火外，其間在寧、滬、渝、蓉、蘇等地舉辦展覽。在樂山，地方文士苦於缺少書籍，派人抄錄善本書，如集部《眉庵集》、《頤山詩話》、《荊川集》、《李文公集》等。又抄錄文淵閣本《四庫全書》（部分）。

國寶南遷中的愛國精神，可歌可泣，令人感動。選其三，做介紹。

朱學侃（一九〇七～一九三九年），安徽涇縣人，故宮文獻館工作人員。一九三七年十一月隨中路文物西遷，輾轉到重慶。一九三九年春，他奉令護送文物向樂山轉移，在玄壇廟裝運文物時，視察艙位，佈置搬運，時天已晚，船艙昏暗，心切佈置，失足踏虛，身墜艙底，重傷腦部，急送醫院，不及營救，氣絕而殉，是為護送國寶獻身的第一人，年僅三十二歲。葬於江南岸獅子山，為立碑，做紀念。

歐陽道達（一八九三～一九七六年），安徽黟縣漁亭鎮人，一九一九年北京大學哲學系畢業，留校任教。後參與點查故宮文物並在故宮工作，前後四十六年。參與故宮文物南遷的全過程。他在戰亂與動盪中，無法照顧妻子。妻子回安徽鄉里時，在破廟裏生下兒子。後隨南遷文物輾轉到四川樂山安谷，長住八年，才接來妻子團聚。妻子生育時沒有醫生，他在家裏用剪子消毒後剪下新生兒臍帶接生。他有十個子女，生活艱辛，孤守文物，久客思鄉，日機轟炸，動盪不安。一次日機轟炸時他正在路上，炸彈在其附近爆炸。還有一次，所在樓房被炸，他躲在屋內桌子下面。僥倖躲過人生兩劫。道達先生體現出故宮人的精神：「國寶到哪裏，故宮人到哪裏，故宮人的家就到哪裏。」一直到抗戰勝利，全家隨西遷文物同返南京。他獲得國民政府頒發的「抗戰勝利勳章」，但從未向家人道及。先後任故宮博物院南京分院辦事處主任、故宮博物院檔案館主任。一九五〇年撰寫《故宮文物避寇記》，毛筆小楷，書寫工整，敘述清晰，八萬餘字，體現出「視文物國寶為生命」的故宮人情懷。先生文稿塵封近六十年，鄭欣淼院長在二〇〇九年見到這卷檔案後，「既驚又喜」，當即決定出版，並寫序言贊稱：「歐陽道達先生的著作可填補國寶遷徙史之空白，是一部最好的文物南遷史料性作品。」此書為本講主要參考文獻。

那志良（一九〇八～一九九八年），滿族，北京人，一九二五年進故宮工作，一九三三年押運國寶南遷，後隨文物遷台並在台灣定居，勤奮研究，著作等身。於古器物（二十三本）暨玉器（十四本）的研究和鑒賞，是國內外公認的權威，家裏卻沒有任何文物藏品。著有《典守故宮國寶七十年》。二〇〇五年，子女將其生前保存的有關故宮文物南遷的文書、印章、照片等一百五十多件珍貴史料，捐贈給北京故宮博物院，彌補了故宮院史有關文物南遷的資料空白。先生曾以元人曹伯啟〈南鄉子〉詞自慰：

> 蜀道古來難，數日驅馳興已闌，石棧天梯三百尺，危欄。應被旁人畫裏看。
> 兩握不曾乾，俯瞰飛流過石灘，到晚才知身是我，平安。孤館清燈夜更寒。

這是國寶南遷的文物專家和工作人員，艱辛經歷與精誠品格的形象詩喻和真實寫照。當地鄉民，也為國寶的轉運、保護做出可貴的貢獻。然而，故宮的國寶，合而有分，分而必合。

三　從分到合

抗戰勝利，國寶東歸。文物避寇，三路西遷，幾經轉徙，倖免劫燹，最後分別遷定於四川的巴縣、樂山、峨眉。文物回歸，三處集中，會於重慶，歷時一年。於一九四七年五月始，首批文物，從重慶啟運東歸，水陸兼行，合計十批；十二月八日，末批南遷國寶，運抵南京入庫。

三地合一。巴縣、樂山、峨眉三處文物東歸，不求迅急，只計安全，首先匯集重慶。集中的次序，首巴縣，次峨眉，次樂山。集中倉庫的分配，在重慶向家坡，房屋依山勢建築，按上、中、下三層，分成甲、乙、丙三組。甲組倉庫，由前巴縣辦事處保管；乙組倉庫，由前樂山辦事處保管；丙組倉庫，由前峨眉辦事處保管。倉庫修繕告竣，集中工作立即開始。遇到的困難是如何匯集——水路運輸，洪水期，時間短，輪船小，容量低，按五個月期限難以做到；常水期，僅通木船，危險性大。鐵路運輸，來回轉撥，費時費力容易破損。汽車運輸較為方便。於是決定先將巴縣、樂山、峨眉三處文物用汽車運集於重慶，然後以登陸艇載運，隨大江順流東歸南京。

巴縣文物，一九四七年一月二十一日啟運，共八十箱，行二十公里，經時八天，運到重慶。三個月後，峨眉文物，於五月十五日，先以一輛輕車編特號前發，沿途實地履勘；履勘所得，且經一月商討，始定車運全程為由峨眉，循樂西（西昌）公路，徑達樂山，轉由樂（樂山）內（內江）、成（成都）渝（重慶）兩公路而直抵重慶。僱用商車，又加公車，分二十一批，九千四百四十七箱，運達重慶。又後，樂山文物則在峨眉文物集中結束之日啟運，而樂山、安谷間，猶須賴水運。故運輸全程，因客觀條件所限，自成為兩階段：安谷—樂山之間，水程轉駁；樂山—重慶之間，陸程車運。樂山庫存文物移運程式，先許祠，次土主祠，終以武廟。許祠與土主祠，距樂西公路一華里許，田埂狹隘，難以通車，遂於公路旁設臨時站，以備裝載。裝成之車，次第集於新南門外縣立圖書館門前廣場，結隊待發。文物轉駁，分兩期進行。初期自一九四六年九月十日到三十日，中間因下雨停工五日，計轉駁十六天。當時以陸程車輛稀少，轉運不及銜接，致臨時轉運站倉庫存箱塞滿，而暫停水程轉駁。次期，自同年十一月二十二日到二十九日，中間因雨停工三日，計轉駁五日。所有遷儲安谷鄉六庫文物，分三十三批七千二百八十六箱，最後運達重慶[4]。巴縣、樂山、峨眉三地文物，都已集中重慶，再向南京集結。

集結南京。巴縣、樂山、峨眉三地避寇國寶，共一萬六千八百一十五箱，東歸南京。國寶避寇，萬里輾轉，幾度驚險，安然回歸，來去離合，恰為十年。在文物集結的過程中，路經風雨，有驚無恙。如首次轉駁的文物，恰逢中秋佳節，明月東升，天氣清爽。各筏均經覆蓋竹

4 巴縣、樂山、峨眉三處所藏文物統計，據歐陽道達《故宮文物避寇記》，因其間略有變化，故數字少有差異，只供參考。

篷、油布。時過午夜，天氣驟變，狂風暴雨，天亮方停。所有員工，初聞風雨，互相喚起，率同筏工，冒雨在各筏加蓋油布。天明復查，有的受濕。當即卸運入庫，開箱逐一檢視。經查內有一二箱文物部分受濕，立即曬晾，待乾重裝。但是，拆箱一看，文物無恙，僅襯草、棉花、紙張受潮，隨時更換重裝。經查凡是未滲濕的箱件，都因箱內襯墊蒙蓋的牛皮紙阻水。實不幸中的大幸。

故宮博物院南京分院的文物庫，敵偽時期被充作武器庫和傷兵醫院。原庫內文物二千九百五十四箱，分存於北極閣等四處。一九四五年抗戰勝利，迅速辦理收復文物保存庫及散存文物。於一九四六年一月二十一日後，進行文物清點接收工作。全體人員，分成七組，遂於一月二十五日清點接收封存北極閣文物。其餘三處，相繼點收，至五月十日而完成。四川由巴縣、樂山、峨眉三處集中到重慶的國寶，也安全完好地集結到南京收藏[5]。

文物再分。國寶西遷，屢經險厄：如翻車，如雨淋，如觸礁，如炸彈，千辛萬苦，備嘗艱危，終於東歸，由十年分散，而一朝合聚。但是，文物遷回南京後，國內戰事，日趨緊張，有關決定，國寶遷台。遷台國寶，分為三批：

5 在第二次世界大戰中，英國博物館在一九三九年九月三日正式宣戰前，多數藏品就抵達指定隱匿地點；九月五日，所有重要物品都撤離疏散。美國在日本偷襲珍珠港後，最有價值的收藏品，大都會博物館等館藏藝術品被轉移隱蔽。

第一批三百二十箱，第二批一千六百八十箱，第三批九百七十二箱，共二千九百七十二箱（那志良《典守故宮國寶七十年》）。這約佔南遷文物總數一萬八千九百七十箱的百分之十五點六，當然，其中大多是精品。

遷台過程，也有故事。第一批文物，用海軍軍艦運送，海軍人員家屬，聞訊趕來，拖兒帶女，攜帶行李，擠滿了船。怎麼勸説，也不下船。請來桂永清司令，百般勸慰，許願另派船，才都下了船。第二批是商船，還算簡單。第三批又是軍艦，船一開到，海軍官兵眷屬，就擠滿了艙位。箱件運上了船，物人混在一起。押運人又請來桂司令。他向大家開導，希望諸位下船。官兵眷屬哀求説：希望老長官，幫他們的忙——男女老幼，哭成一片。那種淒慘的場面，桂司令也落了淚，只有准許他們隨船。據當事人回憶，海浪拍船，狗在狂吠，風聲濤聲，孩子哭聲，似末日來臨（那志良《典守故宮國寶七十年》）。這船不是專運文物的，沿途港口，都要停靠，一九四九年一月二十九日開出，二月二十二日才到基隆。不久文物轉到台中，先暫借存於糖廠倉庫，後轉到台中霧峰北溝庫房和地庫。我曾在一九九七年有幸參觀了這座簡陋並已廢棄的地庫。

一九六五年十一月，台北故宮博物院新館落成，位於台北市士林外雙溪。遷台國寶，經過點查，保管良好，概無損失，這是因為「保管人員能以古物為生命之一部分」。後鑿山洞，修建地庫。一九九二年我有幸應邀參觀了台北故宮博物院文物庫，特別是山洞裏的國寶地庫。庫藏文物，如珍藏的瓷器，裹以絲綢，塞以棉花，放在鐵皮木箱裏，用絲綿或棉紙等物，層層包裹，密密充塞，防火防盜，恒溫恒濕，保存完好，令人讚歎。現台北故宮博物院藏文物約六十五萬件，分為器物、書畫、文獻與檔案三大類（包括後來徵集的文物藏品）。

國寶避寇南遷、西遷，抗戰勝利，文物回歸。後主要分藏狀況是：其一，運遷並現存台北故宮博物院二千九百七十二箱六十餘萬件。其二，存南京博物院南遷文物二千一百七十六箱十萬四千七百三十五件。其三，故宮博物院南京分院所存一萬一千一百七十八箱，絕大部分於一九五〇年、一九五三年、一九五八年三次返回北京故宮博物院收藏。這三處是南遷文物回歸後分藏的概況。

故宮文物，原合為一。滄海變遷，時局動盪，故宮國寶現分藏於兩岸。《三國演義》開篇曰：「天下大勢，分久必合。」分開來說，都是大故宮的一部分；合起來說，全都是大故宮的文物：都是我們共同典守的中華五千年的文明之寶。

第六十六講　大哉故宮

公眾創造了大故宮，大故宮為公眾共享。於創造，大故宮是中華五千年各族文化的集萃，薪火相傳，永世不熄；於共享，讓海內外公眾盡情觀賞大故宮的華美，享受藝術，熱愛中華。

⌂「大故宮」的「大」是如何大？其外在時間與空間格局之博大，我在《大故宮》開篇做了交代。「大故宮」的「大」是為何大？我在《大故宮》結尾試做回答——「大故宮」就縱向來說，是中華五千年文明的一脈相承；就橫向來說，是百川歸海，五種文化形態融合，是盛清一千四百萬平方公里土地、當今五十六個民族近十四億人口的融合；就總合來說，「大故宮」是珍藏與展示中華傳統文化之筋骨、血肉、靈魂和生命的聖殿。

一 一脈相承

中華文化，一脈相承。在元明清盛時的中華大地上，主要有五大文化板塊：中原農耕文化、西北草原文化、東北森林文化、西南高原文化和沿海暨島嶼海洋文化。其中，高原文化和海洋文化，雖特別重要，但在歷史上沒有成為主導或主體文化。中國自甲骨文以來三千多年有文字記載的歷史，只有農耕、草原、森林三種文化，或長或短地成為中華文明的主體文化或主導文化。而農耕、草原、森林三大文化的衝突與融合的特點是：三個千年，三大變局，文化姻系，一脈相承。

第一個千年，主要是商周時期，地域集中在黃河中下游和渭河中下游流域。西周東遷，裂變為春秋和戰國。北方的齊魯、燕趙、秦晉、河洛等，南方的吳越、楚湘、巴蜀、兩粵等，各個地域，各個集團，爭戰、廝殺、興替、分合，為此而付出慘烈的代價。僅秦將白起，先後斬殺八十九萬餘人，其中秦趙長平之戰，坑殺四十五萬人！白起引劍自刎前歎道：「長平之戰，趙卒降者數十萬人，我詐而盡坑之，是足以死。」（《史記．白起列傳》卷七十三）白起也以自殺為時代付出了生命的代價。春秋五霸，戰國七雄，國都紛呈，多個中心。歷史的結局是，秦始皇統一六國，「六王畢，四海一」，出現「車同軌，書同文」的局面，中原地域實現中華文化的第一次大融合。但是，秦祚短暫，劉漢取代嬴秦。人們把這個融合後的中原民族，稱為漢族。

在這個千年裏，殷商甲骨文，周朝鐘鼎文，商周青銅器，西周石鼓文等，都是這個時期的文物珍寶。孔子的《論語》，老子的《道德經》，《詩經》的情志，《周易》的智慧，《孫子兵法》，屈原《離騷》，諸子百家，競相爭鳴，思想精華令人驚歎！這不僅在中國，而且在世界，都放射出文明的燦爛光輝。這個千年留下珍貴的文物典籍，世代相傳，至今還有許多通過明清皇宮，珍藏在故宮博物院和其他博物館裏。

第二個千年，從秦初到唐末，大數算也是千年。這個時期，除中原地區農耕文化內部繼續融合外，又注入新的文化元素，就是西北草原文化。漢高祖平城被圍，衛青、霍去病等西征匈奴，唐太宗大戰突厥，原六國長城連接成萬里長城等，都是這場文化衝突與融合的表像。漢、唐兩大帝國出現在世界東方，是中原農耕文化與西北草原文化融合的結果。這個時期，政治中心，東西擺動，以西安為重心。當然，文化融合也會付出慘重代價。蘇武牧羊，昭君出塞，蔡文姬〈胡笳十八拍〉，花木蘭代父去從軍……歡歌而又哀泣，淒美而又悲涼！

這個千年，文化繁榮，氣勢博大，世人震撼。秦陵兵馬俑，漢墓馬王堆，司馬遷的《史記》，司馬相如的漢賦，王羲之的書法，閻立本的繪畫，李杜的詩篇，大唐的宮殿，敦煌壁畫，龍門

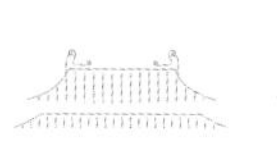

石窟等，都向世界展示：中華文化，盛大光明。這個千年留下珍貴的文物典籍，也是世代相傳，至今還有許多通過明清皇宮，珍藏在故宮博物院和其他博物館等處。

第三個千年，從兩宋到明清。北宋、遼、南宋、金、西夏、元、明、清，歷經八代九十帝。中原農耕文化、西北草原文化繼續融合，東北森林文化登上中原歷史舞台。先是契丹、女真，佔有半壁山河，而後蒙古入主中原，鐵騎勁旅，馳騁歐亞。滿洲定鼎燕京，則是這次文化大碰撞的集中展現。這個時期，政治中心南北擺動，以北京為重心。大碰撞、大融合、大拼搏、大發展，也為此付出了沉重的代價。楊家將之故事，岳武穆之精忠，文天祥之丹心，朱元璋之義旗，袁崇煥之磔死，史可法之壯烈，顧炎武之氣節，張煌言之英魂，以及「揚州十日」、「嘉定三屠」之悲劇，還有《桃花扇》之血淚，都是這段悲壯歷史的實錄。當今海峽兩岸故宮博物院的藏品，多為此期文物的精粹。元青花瓷，明宣德爐，清琺瑯彩瓷器等，《冊府元龜》、《永樂大典》、《古今圖書集成》、《四庫全書》，爭奇鬥豔，競放異彩。

中國到康雍乾時代，出現農耕文化、草原文化、森林文化、高原文化和海洋文化的中華文化空前大融合。在明清盛時，中原農耕文化核心地區面積約三百多萬平方公里，而草原文化、森林文化、高原文化其面積也各約三百萬平方公里。再加上沿海地區及島嶼，還有其他地區，展現了總面積達一千四百萬平方公里的大中華版圖。中華文化以強大的包容性，融匯了上述五種文化形態，「你中有我，我中有你」，既保證了中華文化綿延五千年而未中斷，也為與世界其他文明交流儲存了足夠的文化能量。自強不息，厚德載物——中華文化將多種文化的江河，滙聚成為中華文明的海洋。「大故宮」所講述、詮釋、展示、播散的，主要是這種大中華文化的奇葩和精粹。中華文化五千年精粹最集中的珍存和展現，就是大哉故宮！

二 百川歸海

《大故宮》最直觀的物質載體，是紫禁宮殿。紫禁城宮殿既依靠中華文化養育，又成為中華文化寶庫。

中華文化的一個特點是「容」，包容的「容」。《説文解字》説：「容，盛也。從宀（房屋）、谷。」房屋和山谷都為虛空，是能容納的。具體説，包括溶化、融合——溶化，如糖溶化在水裏，糖還存在，變成糖水；融合，則是糖和水溶合為一體。這種融合，一方面，紫禁城作為皇家宮苑，傳承了中華文化的精華；另一方面，紫禁城打上遼金元明清時期（即第三個千年）多元文化的烙印。中華文化，百川歸海，文物精粹匯聚故宮。民居為室，帝居為宮。這種滙聚與融合，從宋宮到元宮、元宮到明宮、明宮到清宮，分開剖面來做分析。

從宋宮到元宮。中國歷朝帝王都重視文物的搜集和珍藏。殷商文物多集中於宮廷和宗廟。周朝文物珍品收藏於「天府」、「玉府」。秦朝阿房宮匯聚戰國七雄的珍寶。漢朝「天祿」、「石渠」，則是漢宮貯藏珍貴文物及圖書之所。到宋徽宗時，收藏尤為豐富。北京故宮的直接收藏，可以上溯到北宋汴梁，曲折歷程，已有千年。宋代宮廷收藏豐富，靖康之亂，典籍寶器，悉歸於金；宋高宗遷都臨安，又廣泛收藏。蒙元興起，先滅金朝，再滅南宋。南宋滅亡，宮廷收藏，轉入元上都（今內蒙正藍旗），元鼎遷到大都（今北京），這批文物也運到大都。

從元宮到明宮。忽必烈遷鼎大都後，興建大都宮殿。明永樂帝在大都宮殿基礎上，規劃營建紫禁城宮殿。例如：

其一，大都宮城與苑囿的格局，體現草原文化以水為重的理念：太液為主，宮殿為客。明朝以農耕文化為重的理念，與其相反：宮殿為主，太液為客。兩種文化，相互融合。

其二，宮殿佈局，兼取其長。大都大內（皇宮），延續元上都圍帳式建築，就是大汗的御帳居中，其他王公貴胄帷帳分列左右。明皇宮前三殿與後三宮的東西兩側，不是用圍牆區隔，而是用廊廡殿閣來圍合。這是汲取蒙古圍帳形制在宮殿佈局上的運用。

其三，宮殿內裝飾「四壁冒以素絹」，顯然牆壁像蒙古包；殿閣的丹陛，「丹陛皆植青松」（蕭洵《故宮遺錄》），殿外就像是綠色樹林或草原。明宮殿則引入地毯。

其四，元大都的隆福宮和興聖宮，明朝則變成西苑，正德帝的豹房，嘉靖帝的西宮，就是將宮殿與苑囿結合在一起。

其五，明興元亡，明大將徐達將元朝內府所藏，運到南京；永樂帝遷都北京，這些寶物又由南京運到北京。

從明宮到清宮。清遷鼎北京後，對故明宮殿「因勝國之舊而斟酌損益之」（《日下舊聞考》卷九）。就是清朝對原明朝宮殿，既沿襲其原狀，又做增減改建。例如：

其一，坤寧宮既如明朝作為皇后正宮，又改作薩滿祭祀的殿堂。薩滿文化，古代普遍流行於森林與草原兩大文化的廣泛地域，西起天山南北，南界大體以長城為限，北達貝加爾湖，東到庫頁島（今薩哈林島）。紫禁城子午線即中軸線上的祭祀只有兩處：一是永樂建的敬奉道教的欽安殿，另一是清敬奉薩滿的坤寧宮。這是典型的農耕、草原、森林三種文化在紫禁城的碰撞與融合。

其二，藏傳佛教進入宮廷，雨花閣、佛日樓、梵華樓、雍和宮等，將藏傳佛教引入宮廷，則是藏、蒙、滿一次大的文化融合。

其三，「三山五園」、避暑山莊暨外八廟、木蘭圍場等，都是清朝滿、漢、藏、蒙、維、回等民族，農耕、草原、森林、高原等文化，彼此融合的典型苑景。

其四，滿、漢、蒙三種文體的《大清歷朝皇帝實錄》，清宮雕刻的《滿文大藏經》、《藏文龍藏經》等，滿、漢、蒙、藏四體文字的石碑，以及滿、漢、蒙、藏、維五種文字彙編的《五體清文鑒》等，都是農耕、森林、草原、高原文化相融合的產物。

其五，明亡清興，明朝宮廷藏品，又為清廷所有。所以，清宮承接的文物，是中國歷代宮廷收藏的總匯。

從文物層面說，這些文化的物質與非物質的表現，是中國獨特的文化符號，如：語言、文字、書法、繪畫、瓷器、金石、琺瑯、音樂、文學、戲劇、舞蹈、典籍、檔案、建築、園林、文玩、家具、服飾、烹飪、絲綢、刺繡、茶道、雕刻、工藝、雕塑、珠寶、武備、唐卡等，這些傳統物質與非物質的文化遺產，其精華在紫禁宮殿都有集中的展現。在故宮博物院文物中，論時代，上自新石器時代，下至宋元明清；論地域，囊括了古代中國各個地域的文明精華；論人文，包容了漢族和古代許多少數民族的藝術精粹；論類別，包含了中國古代藝術品的幾乎所有門類。如書法，故宮藏品從甲骨文、鐘鼎文，直至晉朝開始形成的書畫藝術。此後，歷朝名家名作，幾乎一應俱全。如陶瓷，從新石器時代的黑陶、彩陶，經兩宋五大名窯，元青花瓷，明彩瓷，到清粉彩和琺瑯彩等，無不收藏。中華民族綿延不斷的歷史文化，在故宮各類文物藏品中——現在故宮博物院分為二十六類，都得到了充分映現。清代帝王特別是乾隆皇帝，更使宮廷收藏達到了帝制時代的頂峰。

從精神層面說，這些文化的精神表現，也是碰撞融合的必然結果，如：忽必烈建大都城的恢宏胸懷，永樂帝治理帝國的雄才大略，康熙帝「皇輿全覽」的博大氣魄等。農耕、草原、森林、高原文化融合，才有了北京城，也才有了紫禁宮殿。

元代沒有中斷中國傳統文化，漢族語言、文字都保留下來。清朝也沒有在漢人中強力推行滿語、滿文，漢族語言、文字得以保留下來。所以，在世界四大文明古國中，一種語言、一種文字，為主體文化，延續五千年，連綿不斷，起伏演進，只有中華民族，也只有中華文明。

因此，明清皇宮及其文物，是中華多民族、多元文化融合的集中體現。一脈相承，百川歸海，是「大故宮」最突出的文化特色，也是大故宮之所以「大」的內在原因。

《詩經．小雅．北山》云：「溥天之下，莫非王土；率土之濱，莫非王臣。」在古代中國，掌握着至高權力的帝王，必然是全社會中最高端、最精美、最稀缺、最珍貴物品的擁有者、收藏者、享用者。經過歷代傳承和融滙，這些國寶最終為國家所有、民眾共享。

三 兆民共享

宮廷文物，歷盡滄桑，幾散幾聚，留傳至今。故宮博物院的成立，象徵着宮廷文物從君有到民有、從君愛到民愛、從君享到民享的劃時代的轉變。

從君有到民有。原為宮廷秘寶，變為民眾國寶。「大故宮」文物知多少？百年以來，各地分藏，不斷核查，也在變化，大致統計如下：

（一）北京故宮博物院現藏品一百八十萬七千五百五十八件（套），其中包括宮中舊藏、後來政府撥交、社會收購和私人捐贈的文物；

（二）台北故宮博物院藏品有器物、書畫、典籍和檔案等約六十五萬件（套）；

（三）原故宮博物院、現歸中國第一歷史檔案館藏的明清歷史檔案一千餘萬件，滿文檔案二百餘萬件；

（四）南京博物院存南遷文物藏品二千一百七十六箱、十萬四千七百三十五件（套）；

（五）瀋陽故宮博物院藏品二萬餘件（套）；

（六）其他如國家博物館、國家圖書館、遼寧省博物館、史語所圖書館等單位也收藏部分故宮的珍寶、檔案和典籍；

（七）天壇、頤和園、避暑山莊、雍和宮、先農壇（北京古代建築博物館）等約近二十家單位的明清文物藏品；

（八）其他單位和個人的收藏等。

以上諸項，大體上反映出明清大故宮文物的概貌。

「大故宮」集歷史、建築、人物、文物、事件而為一，古建築與博物院等現代管理模式結合，就是「宮」與「院」一體，不能分離，服務社會，服務公眾。二〇〇二年十月十七日，故宮開始百年來最大規模的修繕，這將使故宮重現盛清時期莊嚴肅穆、博大輝煌的原貌。

從君愛到民愛。百年以來，幾代中國人，對故宮古建和文物的守護、利用與研究，都做出了各自的重大貢獻。

院藏文物清理中的新發現。故宮博物院僅一九四九年以來，就先後進行過四次文物清理[1]，有許多重大發現。一如宋徽宗趙佶的《聽琴圖》，商代三羊尊，過去認為是偽作，經過鑒定，實為真品。二如瓷器，在弘德殿物品中，發現賬上沒號的瓷器不少是宋哥窯、官窯、龍泉窯的珍品，如哥窯葵瓣洗、龍泉窯青釉弦紋爐等。三如金銀器，保和殿東廡存有一批印匣，發現其中有十個金印匣，重的八斤多，輕的四斤多，共重七十三斤（鄭欣淼《天府永藏》）。這些有的是溥儀出宮前，被清室人員藏在天棚、屋角、椅墊或枕頭裏，伺機盜出而未能得手的。這些新發現，體現了故宮人對文物的愛，無疑帶給人們莫大的驚喜和感歎。

散失文物收集的新收穫。以溥儀出宮文物的回收為例。清遜帝溥儀退位後留居紫禁城十三年，通過賞賜、偷盜、攜帶等手段，使故宮文物大量流出宮外，這些文物有的抵押給銀行。抗戰勝利後，中國海關便將德國德孚洋行、德華銀行非法所集的中國文物三十一箱計一千一百三十六件予以扣留，又將原美國華語學校非法所集的文物十九箱計二萬一千七百四十九件予以沒收，兩項共計五十箱、二萬二千八百八十五件。這些文物後撥交故宮博物院。

1 一九四九年以來，故宮文物藏品的清理，重要的有四次：第一次，一九五四至一九六五年，主要是清理、核查、分級和排架。第二次，一九七八至一九八〇年末，主要是進一步清理核查。第三次，一九九一至二〇〇一年，主要是文物大部由地上搬移到地庫，同時進行複查和調整。第四次，二〇〇四至二〇一〇年，主要是徹查弄清藏品「家底」，包括點核、整理、鑒定、評級等工作，完成九十餘萬件文物的帳、卡、物「三核對」，把館藏善本列為文物等，藏品總數達到一百八十萬件之多。（鄭欣淼《天府永藏》）。

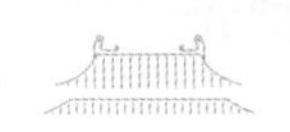

一九四五年八月，溥儀等攜帶大量珠寶書畫出逃，後被收繳。這批文物，有一百餘卷法書名畫，包括晉、唐、五代、宋時的名家名作，大多數是《石渠寶笈》所著錄的乾隆帝鑒賞的名品，其餘珠寶玉翠之類，也都是宮中的上乘珍寶，如晉王獻之《中秋帖》、唐閻立本《步輦圖》、唐歐陽詢《行書千字文》，宋張擇端《清明上河圖》等。還有乾隆帝御用田黃三聯閒章——寶。乾隆帝的這組閒章，先被人從宮中盜出，溥儀在偽滿過生日時，有人贈送給他。乾隆帝的金首飾錶盒，原是外國人贈送給乾隆帝的禮物，後歸慈禧皇太后，又傳隆裕皇太后，再歸榮惠皇太妃，溥儀出宮時帶出。這些珍貴文物全都交給國家，後來不少都回到了故宮博物院，有的被其他博物館收藏。

散落民間文物的新回歸。不少社會賢達，以愛文物、愛國家之心，從文物市場以重金購買文物，捐獻給國家。

張伯駒（一八九八～一九八二年），曾以重金購藏被溥儀攜帶出宮的西晉陸機《平復帖》、隋展子虔《遊春圖》、趙孟頫草書《千字文卷》收藏。《平復帖》是我國傳世最早的一件名人墨蹟，他愛同身家性命，抗日戰爭中曾把此帖縫在隨身穿的棉襖裏避難。隋展子虔《遊春圖》是我國現存卷軸山水畫中最古老的

肅穆莊嚴的太和殿廣場

一幅，張伯駒變賣房產並搭上夫人的首飾才將其買來。後張先生將《平復帖》、《遊春圖》和《千字文卷》等書畫巨品，無償地捐獻給國家，成為故宮博物院藏品。

馬衡（一八八一～一九五五年），曾任故宮博物院院長達十九年，先後捐贈故宮博物院唐代石造像一尊，四川出土瓷器十三件，以及珍藏的宋拓唐刻顏真卿《痲姑仙壇記》卷和甲骨、碑帖等四百多件。他去世後，子女遵其遺願，又把一萬四千餘件（冊）文物捐給故宮博物院，有印章、甲骨、碑帖、書籍以及書畫、陶瓷等，種類眾多，數量驚人。

此外，陳叔通（一八七六～一九六六年），於一九五三年捐獻《百家畫梅》，凡一百〇二家、一百〇九幅，有唐寅及揚州八怪等明清諸家的傑作。孫瀛洲（一八九三～一九六六年），將家藏三千多件各類文物捐贈給故宮博物院，其中二十五件被定為國家一級文物，以明成化斗彩三秋杯尤為珍貴。因杯上繪畫秋天鄉居野景，秋天三個月，有三秋之稱，而以三秋名杯。相傳成化帝命專為愛妃燒製，共燒成五對，選出這一對後，將其餘的毀掉，並處死燒製的工匠，其燒製工藝失傳，因而這對瓷杯就成為傳世孤品。韓槐准（一八九二～一九七〇年），僑居新加坡，將所藏瓷器二百七十六件，包括明嘉靖、萬曆及清康熙、雍正時期的青花、五彩及粉彩瓷器，捐獻給故宮博物院。葉義（一九二一～一九八四年），是香港著名醫生、收藏家、鑒賞家，將他畢生收藏的八十一件犀角雕刻捐給了故宮博物院，而清宮舊藏犀角雕刻品不過百餘件。到二〇〇七年底，故宮博物院接受捐贈文物、典籍等約三萬三千九百件（套），捐贈者達七百二十八人次。故宮博物院在景仁宮特設景仁榜，將捐獻者姓名鐫刻於牆上，並出版《捐獻銘記》，以做永久紀念。

從君享到民享。昔日民眾不能涉足的皇家紫禁城，已成為今天民眾可以暢遊的故宮博物院，故宮和故宮博物院受到國人和世人的空前關注和熱愛。參觀故宮，共用故宮，這個現象日趨鮮明。

以二〇一一年巴黎盧浮宮和北京故宮博物院為例，盧浮宮全年接待遊客總數為八百六十萬人次，故宮博物院全年參觀人數為一千四百一十一萬二千三百八十四人，約近盧浮宮參觀人數的兩倍。二〇一二年十月二日，故宮博物院遊客達到十八萬二千一百二十三人，創下故宮遊客單日歷史最高數。據估計，二〇一二年全年故宮遊客達到一千五百二十萬人。這個單日和全年的客流統計數字表明，北京故宮博物院是北京，是中國，是亞洲，也是世界博物館參觀人數最多的。《京華時報》評論說：「故宮成為迄今世界上參觀人數最多的博物院。」

故宮博物院於一九八七年被列入世界文化遺產。世界遺產組織評價故宮的歷史與文化價值是：「紫禁城是中國五個多世紀以來的最高權力中心，它以園林景觀和容納了家具及工藝品的九千個房間的龐大建築群，成為明清時代中國文明無價的歷史見證。」大故宮，不僅是明清時代中華文明無價的歷史見證，而且是綿延五千年、融合多民族多種文化形態的中華文明無價的歷史見證。

公眾創造了大故宮，大故宮為公眾共享。於創造，大故宮是中華五千年各族文化的集萃，薪火相傳，永世不熄；於共享，讓海內外公眾盡情觀賞大故宮的華美，享受藝術，熱愛中華。

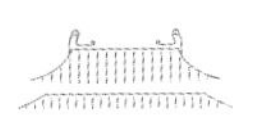

明朝皇帝簡表

	年號	廟號	姓名	在位時間	元年	即位年齡	生卒年	享年
1	洪武	明太祖	朱元璋	三十一年	一三六八	四十一歲	一三二八至一三九八	七十一歲
2	建文	明惠帝	朱允炆	四年	一三九九	二十二歲	一三七七至？	？歲
3	永樂	明成祖	朱　棣	二十二年	一四〇三	四十三歲	一三六〇至一四二四	六十五歲
4	洪熙	明仁宗	朱高熾	一年	一四二五	四十七歲	一三七八至一四二五	四十八歲
5	宣德	明宣宗	朱瞻基	十年	一四二六	二十八歲	一三九八至一四三五	三十八歲
6	正統 天順	明英宗	朱祁鎮	十四年 八年	一四三六 一四五七	九歲 三十一歲	一四二七至一四六四	三十八歲
7	景泰	明代宗	朱祁鈺	八年	一四五〇	二十二歲	一四二八至一四五七	三十歲
8	成化	明憲宗	朱見深	二十三年	一四六五	十八歲	一四四七至一四八七	四十一歲
9	弘治	明孝宗	朱佑樘	十八年	一四八八	十八歲	一四七〇至一五〇五	三十六歲
10	正德	明武宗	朱厚照	十六年	一五〇六	十五歲	一四九一至一五二一	三十一歲
11	嘉靖	明世宗	朱厚熜	四十五年	一五二二	十五歲	一五〇七至一五六六	六十歲
12	隆慶	明穆宗	朱載垕	六年	一五六七	三十歲	一五三七至一五七二	三十六歲
13	萬曆	明神宗	朱翊鈞	四十八年	一五七三	十歲	一五六三至一六二〇	五十八歲

〔接上表〕

	年號	廟號	姓名	在位時間	元年	即位年齡	生卒年	享年
14	泰昌	明光宗	朱常洛	一個月	一六二〇	三十九歲	一五八二至一六二〇	三十九歲
15	天啟	明熹宗	朱由校	七年	一六二一	十六歲	一六〇五至一六二七	二十三歲
16	崇禎	明毅宗	朱由檢	十七年	一六二八	十七歲	一六一一至一六四四	三十四歲

清朝皇帝簡表

	年號	廟號	姓名	在位時間	元年	即位年齡	生卒年	享年
1	天命	清太祖	努爾哈赤	十一年	一六一六	五十八歲	一五五九至一六二六	六十八歲
2	天聰 崇德	清太宗	皇太極	九年 八年	一六二七 一六三六	三十五歲	一五九二至一六四三	五十二歲
3	順治	清世祖	福臨	十八年	一六四四	六歲	一六三八至一六六一	二十四歲
4	康熙	清聖祖	玄燁	六十一年	一六六二	八歲	一六五四至一七二二	六十九歲
5	雍正	清世宗	胤禛	十三年	一七二三	四十五歲	一六七八至一七三五	五十八歲
6	乾隆	清高宗	弘曆	六十年	一七三六	二十五歲	一七一一至一七九九	八十九歲

〔接上表〕

	年號	廟號	姓名	在位時間	元年	即位年齡	生卒年	享年
7	嘉慶	清仁宗	顒琰	二十五年	一七九六	三十七歲	一七六〇至一八二〇	六十一歲
8	道光	清宣宗	旻寧	三十年	一八二一	三十九歲	一七八二至一八五〇	六十九歲
9	咸豐	清文宗	奕詝	十一年	一八五一	二十歲	一八三一至一八六一	三十一歲
10	同治	清穆宗	載淳	十三年	一八六二	六歲	一八五六至一八七四	十九歲
11	光緒	清德宗	載湉	三十四年	一八七五	四歲	一八七一至一九〇八	三十八歲
12	宣統	（無）	溥儀	三年	一九〇九	三歲	一九〇六至一九六七	六十二歲

紫禁城相關宮殿門名簡表

宮殿門名	曾用名	備註
中華門	大明門，大順門，大清門	原名大明門，李自成稱大順門，清稱大清門，民國稱中華門。
天安門	承天門	原名承天門，清順治改稱天安門。
太和門	奉天門，皇極門	原名奉天門，嘉靖初稱大朝門，後改稱皇極門，清順治稱太和門。
協和門	左順門，會極門	原名左順門，明嘉靖稱會極門，清順治稱協和門。

〔接上表〕

宮殿門名	曾用名	備註
熙和門	右順門，歸極門，雍和門	原名右順門，明嘉靖稱歸極門，清順治稱雍和門，乾隆稱熙和門。
昭德門	東角門，弘政門	原名東角門，明嘉靖稱弘政門，清順治稱昭德門。
貞度門	西角門，宣治門	原名西角門，明嘉靖稱宣治門，清順治稱貞度門。
太和殿	奉天殿，皇極殿	原名奉天殿，明嘉靖稱皇極殿，清順治稱太和殿。
中和殿	華蓋殿，中極殿	原名華蓋殿，明嘉靖稱中極殿，清順治稱中和殿。
保和殿	謹身殿，建極殿，位育宮，清寧宮	原名謹身殿，明嘉靖稱建極殿，清順治稱保和殿。（順治曾稱位育宮。康熙曾稱清寧宮。）
體仁閣	文樓，文昭閣	原名文樓，明嘉靖稱文昭閣，清稱體仁閣。
弘義閣	武樓，武成閣	原名武樓，明嘉靖稱武成閣，清順治稱弘義閣。
神武門	玄武門	原名玄武門，清康熙稱神武門。
景仁宮	長安宮	原名長安宮，明嘉靖稱景仁宮。
承乾宮	永寧宮	原名永寧宮，明嘉靖稱承乾宮。
鍾粹宮	咸陽宮	原名咸陽宮，明嘉靖稱鍾粹宮。
延禧宮	長壽宮，延祺宮	原名長壽宮，明嘉靖稱延祺宮，清稱延禧宮。

〔接上表〕

宮殿門名	曾用名	備註
永和宮	永安宮	原名永安宮，明嘉靖稱永和宮。
景陽宮	長陽宮	原名長陽宮，明嘉靖稱景陽宮。
永壽宮	長樂宮，毓德宮	原名長樂宮，明嘉靖稱毓德宮，萬曆稱永壽宮。
翊坤宮	萬安宮	原名萬安宮，明嘉靖稱翊坤宮。
儲秀宮	壽昌宮	原名壽昌宮，明嘉靖稱儲秀宮。
太極殿	未央宮，啟祥宮	原名長樂宮，明嘉靖稱啟祥宮，清稱太極殿。
長春宮	永寧宮	原名永寧宮，明嘉靖稱長春宮。
咸福宮	壽安宮	原名壽安宮，明嘉靖稱咸福宮。
咸安宮	咸熙宮	原名咸熙宮，明嘉靖稱咸安宮。
咸熙門	咸寧門	原名咸寧門，清乾隆稱咸熙門。
地安門	北安門	原名北安門，清順治稱地安門。

參考書目

（一）《從「文物保護」走向「文化遺產保護」》（單霽翔著），天津大學出版社，二〇〇八年。
（二）《春明夢餘錄》（孫承澤著），江蘇廣陵古籍刊印社，一九九〇年。
（三）《典守故宮國寶七十年》（那志良著），紫禁城出版社，二〇〇四年。
（四）《大明會典》（萬曆朝重修本），中華書局，一九八九年。
（五）《故宮滄桑》（劉北汜著），紫禁城出版社，二〇〇四年。
（六）《故宮與故宮學》（鄭欣淼著），紫禁城出版社，二〇〇九年。
（七）《故宮文物避寇記》（歐陽道達著），紫禁城出版社，二〇一〇年。
（八）《故宮博物院院刊》（一～二一二期），紫禁城出版社、故宮出版社一九五八～二〇一九年。
（九）《故宮經典》（多卷本），紫禁城出版社、故宮出版社，二〇〇七～二〇一二年。
（十）《故宮志》（萬依主編），北京出版社，二〇〇五年。
（十一）《故宮辭典》（萬依主編），文匯出版社，一九九六年。
（十二）《故宮遺錄》（蕭洵著），北京古籍出版社，一九八〇年。
（十三）《國朝宮史》，北京古籍出版社，一九八七年。
（十四）《國朝耆獻類徵》，光緒十六年（一八九〇年）刻本。
（十五）《精彩一〇〇國寶總動員》，台北故宮博物院出版，二〇一一年。

（十六）《康熙朝滿文朱批奏摺全譯》（中國第一歷史檔案館編），中國社會科學出版社，一九九六年。
（十七）《李朝實錄》，日本學習院東洋文化研究所，一九五九年。
（十八）《歷史檔案》（一～一五六期），歷史檔案雜誌社，一九八一～二〇一九年。
（十九）《明實錄》，台北中研院歷史語言研究所校勘本，一九六二年。
（二十）《明史》，中華書局校點本，一九七四年。
（二十一）《明會要》（龍文彬編），中華書局，一九五六年。
（二十二）《明史紀事本末》（谷應泰編），中華書局，一九七七年。
（二十三）《明清史論著集刊》（孟森著），中華書局，一九五九年。
（二十四）《明代帝王系列傳記》（十一冊），遼寧教育出版社，一九九三年。
（二十五）《明代宮廷建築大事史料長編·洪武建文朝卷》（晉宏逵主編），中國紫禁城學會編纂，故宮出版社，二〇一二年。
（二十六）《欽定八旗通志初集》，東北師範大學出版社，一九八五年。
（二十七）《欽定宮中現行則例》，清光緒五年（一八九七年）刊本。
（二十八）《欽定八旗通志》，吉林文史出版社，二〇〇二年。
（二十九）《欽定大清會典事例》，石印本，光緒二十五年（一八九九年）。
（三十）《清史列傳》，中華書局標點本，一九八七年。
（三十一）《清史稿》，中華書局標點本，一九七七年。
（三十二）《清國史》，中華書局影印嘉業堂鈔本，一九九三年。

（三十三）《清史稿校注》，台灣商務印書館，一九九九年。
（三十四）《清實錄》，中華書局影印本，一九八五～一九八七年。
（三十五）《清宮述聞》（初續編合編本），紫禁城出版社，二〇〇九年。
（三十六）《清代起居注冊．康熙朝》，中華書局、聯經出版公司，二〇〇九年。
（三十七）《清帝列傳》（十四冊），吉林文史出版社，一九九三年。
（三十八）《清朝通史》（十四冊）（朱誠如主編），紫禁城出版社，二〇〇三年。
（三十九）《清史事典》（陳捷先著／主編），遠流出版公司，二〇〇五～二〇〇八年。
（四十）《清宮檔案叢談》（馮明珠著），台北故宮博物院出版，二〇一一年。
（四十一）《日下舊聞考》，北京古籍出版社，一九八一年。
（四十二）《壬辰集》（單霽翔著），《平安故宮．思行文叢》，故宮出版社，二〇一三年。
（四十三）《單士元集．史論叢編》（單士元著），紫禁城出版社，二〇〇九年。
（四十四）《十三經注疏》，中華書局影印本，一九八〇年。
（四十五）《天府永藏》（鄭欣淼著），紫禁城出版社，二〇〇八年。
（四十六）《雍正朝滿文朱批奏摺全譯》（中國第一歷史檔案館編），黃山書社，一九九八年。
（四十七）《酌中志》（劉若愚著），北京古籍出版社，一九九四年。
（四十八）《紫禁城》（一～二九九期），紫禁城出版社、故宮出版社，一九八〇～二〇一九年。
（四十九）《中國古都北京》（閻崇年著），中國民主法制出版社，二〇〇八年。

【附錄】紫禁芳華六百年　閻崇年

北京紫禁城即故宮建成六百年了。這有根據嗎？有。《明太宗實錄》永樂十八年（一四二〇年）十一月初四日記載：「爰自營建以來，天下軍民，樂於趨事，天人協贊，景貺駢臻，今已告成。」以北京皇宮壇廟告成，永樂皇帝在奉天殿（今太和殿）暨殿前廣場，接受朝賀，大宴群臣，以及貢使。這就表明，從故宮建成於一四二〇年，到現在二〇二〇年，整整六百年了。故宮已被聯合國科教文組織定為世界文化遺產，所以北京故宮，既是中國的，又是世界的。北京故宮的六百年，是紫禁芳華的六百年。這是中國文化史、也是世界文化史的一件大事。下分六題，略做介紹。

一　故宮之緣份

許多朋友問我：為什麼研究故宮並寫故宮、講故宮？我從二〇一二年到二〇二〇年，即從七十八歲到八十六歲的八年之間，連續出版了關於故宮的八本書。這就是《大故宮》（一至三冊）、《御窯千年》、《故宮六百年》（上下冊）、《大故宮六百年風雲史》和《故宮疑案》。這八本書，通過電視視頻、網路音訊和圖書文字等形式，講述故宮的歷史、建築、藝術、人物和精神。這是為什麼？佛學有一句話：「一切皆有因緣」。世界萬事萬物，既沒有無因之緣，也沒有無源之水。我與故宮之緣，概括説來，主要有五緣：即情緣、地緣、學緣、人緣和機緣。

情緣：我出生在山東蓬萊一個半山半海的小鄉村。因鄉村地少人多，且土地瘠薄，難以糊口，曾祖父、祖父、父親、兄長先後四代到北京謀生。清代、民國來京打工多不帶家眷，老了落葉歸根。他們每一年或兩年回鄉探親一次，自然要講北京、講皇宮的故事。我的祖母很會講故事、特別會講宮廷的故事。老家有一句民諺：「為人不上京，等於白托生。」兒童少年的我，腦子裏裝了很多北京、宮廷的傳説和故事，引起我濃厚的興趣。一九四九年北平解放之初，我來到北京，父親帶我第一次走進故宮，終於圓了我的一個童年嚮往故宮的夢。

地緣：一九四九年四月我到北京後，又同故宮有了地緣。我家住在北新華街北口，今北京音樂廳旁邊。這裏同故宮、中南海、中山公園（社稷壇）、天安門、勞動人民文化宮（太廟）等南北只有長安街的一街之隔。我上中學在南長街南口的北京市第六中學（現北京一六一中學）。這裏是清朝升平署的舊址。學校同故宮東西只有南長街一街之隔。我們體育課一度就在天安門廣場上，我們還參加了新中國成立的開國大典。課餘時間，我和同學們的腳步，可以説經常徜徉在天安門、故宮、社稷壇、太廟，甚至中南海。我們學校的老校工徐沛霖曾做過皇宮侍衛，學校北邊的會計司胡同裏住着清宮老太監，我曾經多次聽他們講過故宮和清朝的往事。這些都成為後來我研究故宮所特有的地緣。

學緣：學，既指讀萬卷書，也指行萬里路。先是讀書，我學清史，清承明制，也涉獵明史，所看的文獻、檔案、文集、筆記、宮史等，多是有關明清宮廷的記載。故宮是明清皇權的核心、文化的中心、藝術品收藏的中心。所以，研究明清史離不開故宮。因為學術研究的關係，我經常去故宮明清檔案部即後來的第一歷史檔案館，開會、考察、看書、查檔案，總算約有千次之多。我也寫過研究故宮的學術專著和學術論文。再是行路。故宮姻系中的瀋陽故宮、避暑山莊、木蘭圍場、南京明宮遺跡，台北故宮博物院等，我都多次去參觀考察過，並結識許多學界師友。這些都為我「故宮系列」八本書，做了理性與感性的、資料與體驗的準備，打下學術的基礎。

人緣：跟故宮相關聯的學術團體，如北京史研究會、清宮史研究會、北京滿學會、中國紫禁城學會、中國古都學會等，我都在其中任過職務。二十世紀八九十年代，故宮成立紫禁城出版社，恢復《故宮學刊》和《故宮博物院院刊》，創辦《紫禁城》雜誌，成立中國紫禁城學會，編纂《故宮志》和《故宮辭典》，創建清宮史研究室等，我都從朋友那裏先知其事，有的還參與其中。這樣，我在故宮內外，結識了一批多行業、多學科、多單位、多領域的老年專家和青年俊彥，得以對明清皇宮及其外延有更多的、更細微的了解。這些成為我讀故宮、寫故宮難得的友緣因素。

機緣：諸葛亮在赤壁之戰前，萬事俱備，只欠東風。所以有一出京戲叫《借東風》。有了「草船借箭」，又有了「巧借東風」，才有了蜀吳赤壁之戰的勝利，也才有魏、蜀、吳「鼎足而立」的大局面。

第一次寫故宮，是二〇一〇年至二〇一二年，值與央視《百家講壇》和長江文藝出版社合作的機緣。成果是在《百家講壇》開講《大故宮》系列講座，出版了《大故宮》一、二、三部，之後又補充播出和出版了其第四部——《御窯千年》。今年，為紀念故宮六百年，故宮出版社將《大故宮》修訂出版。

第二次寫故宮，是二〇一九年至二〇二〇年，值與網路音頻平台喜馬拉雅和華文出版社、青島出版社合作的機緣。成果是在喜馬拉雅開講《大故宮六百年風雲史》系列講座一百講，出版了文字翔實版《故宮六百年》（上下冊）和簡明版《大故宮六百年風雲史》。

本來，故宮的寫作計劃告一段落，但是庚子年前夕疫情來臨，禁足在家，於是梳理已積累的資料，寫出《故宮疑案》書稿，由中國民主法制出版社付梓。

由上，我與故宮情緣、地緣、學緣、人緣和機緣的統一，促成了「故宮系列」的視頻、音頻、圖書三種形式來再現故宮，並促成我學術生涯中「故宮系列」這件事的實現。

二  故宮之歷史

燕王朱棣從北平（今北京），發動靖難之役，經過三年多時間，奪取南京，佔領皇宮。朱棣登上皇帝寶座，改明年為永樂元年（一四〇三年），改北平為北京。

永樂帝奪取皇位之後，做出一項重大決定，就是遷都北京。從此，北京繼元大都之後，又一次成為中國統一皇朝的首都。

六百年來，北京經過明朝首都（二百四十二年）、李自成大順都城（四十二天）、清朝都城（二百六十八年）、民初都城（十七年）、日據北京（八年）、民國北平（十三年）和新中國首都（七十一年）七個歷史時期，共六百一十八年。

明朝有十六位皇帝，開國皇帝朱元璋、其繼位者建文帝朱允炆，都在南京。從永樂帝遷都北京到崇禎帝，共十四位皇帝，在北京為帝。這是明朝北京皇宮的歷史。崇禎十七年（一六四四

年）三月十九日，李自成佔領北京，治居在紫禁城，到撤離北京，共四十二天。清順治帝派攝政睿親王多爾袞，率領清軍入山海關，隨之李自成率軍從北京撤離，多爾袞進入北京皇宮。多爾袞奏報並獲准，清朝遷都北京。同年，清順治帝從盛京（今瀋陽）來到北京，即皇帝位。清朝共有十二位皇帝，時清太祖努爾哈赤、清太宗皇太極已故，從順治帝遷都到宣統帝退位共十位皇帝，在北京皇宮治居，共二百六十八年。民國初期以北京為首都。民國十七年（一九二八年），民國政府改北京為北平。從一九四九年開始，北京成為中華人民共和國首都。我們說的故宮，經歷了明朝的故宮、李自成在北京稱帝時的故宮、清朝的故宮，民國初年的故宮，以及從民國十四年（一九二五年）成立故宮博物院至今的故宮，這是一段既曲折複雜又波瀾壯闊的歷史。

在元大都的基礎上，明朝重建了北京城暨紫禁城宮殿、壇廟、王府等，實際上建了一個新的北京城和新的北京皇宮。今年是北京故宮建成六百周年，也是明朝北京城建成六百周年。

明朝營建北京皇宮，可分三個重要階段：

一是從永樂元年（一四〇三年）到永樂十八年（一四二〇年），即從永樂決策遷都、選址規劃、籌備物料、施工興築到工程基本告峻，實際花了十八年時間。

二是永樂十九年（一四二一年）四月，剛建成的北京皇宮三大殿，一場雷火全被焚毀；三年後永樂帝駕崩，其子洪熙帝要遷回南京，但在位九個月便死去，工程處於停滯時期。

三是永樂帝之孫宣德帝決定不遷回南京，開始籌措並啟動重建三殿暨其他城建工程，到其重孫朱祁鎮正統六年（一四四一年）九月初一日，「奉天、華蓋、謹身三殿，乾清、坤寧二宮成。」陳政《東井集》詩云：「日月光三殿，乾坤闢兩宮。」同期，建京城九門城樓、月城，砌京城（即內城）內牆以磚石。先是，元大都城牆為土城（雨季用葦蓆苫蓋），永樂時京城外牆包磚、內牆露土。宣德和正統初，把城牆內側也包砌磚石。護城河兩岸砌石，木橋換成石橋。於是，宮城、皇城、京城等營建工程，才告完工。

同年，北京正名為京師，南京諸衙門加「行在」二字。北京城池「煥然金湯鞏固，足以聳萬年之瞻矣」！所以，明朝北京營建三重城池、皇宮壇廟等，實際花了前十八年和後十八年共三十六年時間才算完竣。從此，北京城牆內外包磚，高大雄偉，堅固壯麗。護城河水自西北隅環城而東，穿九橋九閘，從城東南大通橋而出。呈現河清水鏡，煥然一新的壯闊景象。

由上，歷史表明：在當時世界上，明朝北京城池、宮殿、壇廟、府第，雄偉壯麗，輝煌燦爛，氣壯山河，屹立東方。只有偉大的中華文明，才有偉大的北京故宮。十五世紀前半葉的北京宮殿、城池，既是人類文明史上一顆璀璨的明珠，又是中華文明史上一座文化的寶庫。

三　故宮之建築

故宮的建築——宮殿、壇廟、城池、門闕、王府、園囿等，形式各樣，豐富多彩，是一座中國古代建築的博物館。

永樂十八年（一四二〇年）十二月二十九日，《明太宗實錄》記載：

初營建北京，凡廟社、郊祀、壇場、宮殿、門闕，規制悉如南京，而高敞壯麗過之。復於皇城東南建皇太孫宮，東安門外東南建十王邸，通為屋八千三百五十楹。自永樂十五年六月興工，至是成。

從上述記載可以看出：

第一，明朝規劃營建皇宮和京城，是在元大都城舊址基礎上，以南京皇宮、城垣為藍本，而「高敞壯麗過之」。明朝北京皇宮之建築，其理念之深、選址之優、等級之尊、規模之巨、建築之高、體量之大、用材之貴、工藝之精、藝術之美、藏品之多，創中國歷史之最。北京城是一座偉大的都城，皇宮殿宇是一座偉大的建築群。

第二，北京的明朝皇宮，在興建之前，有一個完整雄偉的規劃，這個規劃就是按照中國古代《周禮．考工記》的都城中正型理論，參考南京城和皇宮規劃，按照北京實際，進行規劃，動工興建的。其突出特點是中軸線。京城（即內城）、皇城、宮城和皇宮，從南到北貫穿一條子午線就是中軸線，長約七點八公里。從現在的永定門，沿着前門、天安門、前三殿、後三宮、神武門（原玄武門）、景山、一直到鼓樓、鐘樓。這條中軸線是皇宮和京城整個規劃建設的脊樑和軸線，其他建築都在中軸線的兩側，依次對稱展開。以東西來說，天壇（天地壇）與先農壇（山川壇）、太廟（今北京市勞動人民文化宮）與社稷壇（今中山公園），東華門與西華門、文華殿與武英殿、朝陽門與阜成門等都是左右即東西對稱的。以南北來說，皇宮內午門與神武門（玄武門）、太和門與乾清門、前三殿與後三宮、中和殿與交泰殿等，都是前後即南北對稱的。這個特點，非常重要。

很多外地、海外朋友問我：我們第一次到故宮，應該選擇哪條路線參觀？我建議：先走故宮中軸線看故宮。皇宮正面即南面，有三道大門——午門、端門、天安門。先到天安門前，仰觀城門樓、俯瞰金水七橋和潺潺流水、回看廣場、東觀太廟、西覽社稷壇，如有條件登上天安門城樓；進天安門後，看端門，看午門（如有條件登午門五鳳樓）。午門是紫禁城的正門，同其他城門不同，下開五個門洞，上建五座門樓，如同鳳凰展翅，習稱五鳳樓，以顯示它的權威、莊嚴、博大和氣勢。

上面說到天安門，有朋友問：天安門是皇城的正門，還是宮城即紫禁城的正門？這要歷史地看。在明朝，《大明會典》等記載，承天門（天安門）作為皇城的正門。今人仍看到天安門兩側的紅牆即是皇城的城牆。天安門建在皇城的城牆之上，自然應是皇城的正門。到了清朝乾隆年間，修《國朝宮史》等書，將天安門列為宮城的第一道城門。這更加突出宮城的氣勢和地位。這樣，皇城正面也是三道城門，就是大明門（大清門）、長安左門俗稱東三座門（今文化宮南）、長安右門俗稱西三座門（今中山公園南）。一九四九年十月一日我們參加開國大典遊行，隊伍要通過東三座門和西三座門。所以天安門既是皇城的正門，也是宮城的正門。

進了午門，眼前出現太和門。在午門和太和門之間，是遼闊壯美的太和門廣場，顯示威嚴和壯麗、神秘和高敞。在這裏，要駐足，要細品，欣賞這件偉大的藝術品：舉頭仰望，無邊無際，藍天之下，太和門黃色頂瓦，金光燦然；朱漆門柱鮮豔奪目；兩翼高牆赭色莊重；漢白玉橋凝重雅麗；綠色金水緩緩流過；遍地灰磚平整大氣。我們不僅看到了壯麗的高門大殿，看到了雄偉的宮殿氣勢，還看到了黃、紅、藍、白、赭、綠、灰七種顏色，繪畫出一幅恢弘壯美的油畫，巧奪天工的一個藝術空間。

穿過太和門，漫步走近太和殿——故宮三大殿的第一大殿，為最高規格的重簷廡殿頂覆黃琉璃瓦建築，皇帝寶座就在太和殿內正中，坐落在北京、也坐落在皇宮的中軸線上。這個皇帝寶座，象徵着皇權至高、皇權至尊、皇權至重、皇權至上。太和殿後面是中和殿，為一方形殿，皇帝到太和殿上朝之前，在中和殿稍憩，並接受近臣叩拜。再後是保和殿。有時皇帝在這裏舉行科舉考試最高的殿試（廷試），御筆點中一甲的前三名——狀元、榜眼、探花。

明清殿試鼎甲的狀元、榜眼、探花，享有殊譽，極盡尊榮，就是從太和門、午門、端門、天安門、大明門（大清門）的中門走出；還當即被授予修撰、編修，並免試為庶吉士。而以上五門的中門，除皇帝外，諸王大臣、公侯宰輔、軍機大臣等皆不能走。

保和殿後台階有一塊巨大石雕，初到故宮的人必看，令人讚歎，令人震撼。

乾清門是後宮的正門。門之南，為外朝；門之內，為後宮。王公大臣、王爺駙馬，未經特許是不可以進此門的。康熙帝御門聽政就設在這座門外的門廊裏。門內為乾清宮，是皇帝的正宮。順治帝御書「正大光明」匾，懸掛在寶座上方。乾清宮後為交泰殿，是一座方形殿。其後是坤寧宮，為皇后的正宮。清朝的坤寧宮，既是皇后正宮，帝后新婚的洞房，還是薩滿祭祀的場所。為什麼中和殿與交泰殿是方形的呢？為了天、地、人之間的協合。我實測過，前殿後牆與後殿前牆之間，只有十四米，如建成一座長方形大殿，就顯得擁擠、局促；後加一座方型交泰殿，體型小，留白大。這從藝術哲學看，人與天、人與地，更平衡，更諧美。

其後，就是御花園。御花園裏，嘉靖時建欽安殿，也在中軸線上。最北邊就是皇宮北門，明朝稱玄武門，康熙時因避玄燁名諱而改名神武門。

皇宮的四面，圍以堅城，長三千四百二十八米、高十米；環繞長三千八百米、寬五十二米、深四點一米的護城河。紫禁城四隅，矗立着角樓，平面為曲尺形，屋頂為三重簷——上層簷由四角攢尖頂和歇山式頂組成，四面亮山，巧妙組合；中層簷用抱廈和亮山連結的歇山頂；下層簷用半坡頂腰簷、多角相連屋頂。上覆黃琉璃瓦，中座鎏金寶頂。角樓十面山花，二十八個翼角，五十六個坡面，七十二條屋脊，構思巧妙，結構複雜，工藝精美，藝術雋秀，古今中外，堪稱一絕。此為禁城，所以皇宮也稱作紫禁城。

紫禁城北門即神武門外是景山。景山在元朝時，還不是這個樣子。明朝建皇宮後，覺得宮後，缺座靠山，就堆起一座高四十九米的小山，俗稱煤山，也叫萬歲山，或叫鎮山，鎮住風水——免得元帝復辟。再往北就是鼓樓和鐘樓。再往北為城牆。

這就是故宮的中軸線。故宮的建築佈局具有龐大氣象，前面有三個凸出——顯現前途無限、遠大廣闊。這三個凸出：第一出是午門前到天安門，中間是平直御道，午門、端門、天安門三道大門，兩側伴以左祖、右社；第二出是天安門到前門，中間是平直御道，又是天安、大明、正陽三道大門，兩側配以左文、右武中央衙署；第三出是前門到永定門（嘉靖時建），中間是平直御道，正陽、箭樓、永定還是三道大門，兩側布左天壇、右先農壇（山川壇）等。故宮後有三個靠背——景山、鼓樓和鐘樓，冀望皇權穩固、社稷遼闊、天下安定、江山萬年。

四 故宮之藝術

故宮博物院的收藏，連綿不斷，傳承有續。清宮所藏，源自明朝南京皇宮轉為明北京皇宮

的收藏；明南京宮藏又源自元大都皇宮的收藏；其再源自遼金和宋宮的收藏；其復源自隋唐皇宮的收藏；以及歷代皇宮既傳承前代皇宮的收藏，又豐富了本朝積累的收藏。

故宮是一座偉大的豐富的藝術寶庫，是中華五千年文明所積累的藝術品總匯，而且這些藝術品傳承有序。世界上的大博物館——如法國盧浮宮、英國大英博物館、俄國艾爾米塔什博物館、美國大都會博物館，而中國故宮博物院暨其藏品，列為世界五大博物館之一，是名副其實的。故宮博物院藏品至二〇一六年，經過清點，凡二十五類，共一百八十六萬二千六百九十件（套）。還有原故宮的藏品南運後現藏台北故宮博物院的六十五萬件藏品，又有文物南遷返回後二千一百七十六箱文物暫存南京博物院的藏品，亦有後來移交國家圖書館的諸多珍貴典籍，以及現在珍藏在中國第一歷史檔案館的檔案——一千多萬件（套）明清檔案、二百多萬件（套）滿文檔案等。所以北京故宮博物院的藏品，總數應當是以千萬計。

明清皇宮本身是一件偉大的藝術品，故宮博物院本身則是一座藝術寶庫。諸如玉器、青銅器、璽印、瓷器、書法、繪畫、碑帖、典籍、檔案、金器、漆器、樂器、織繡、家具、文房、輿圖等，其價值之珍貴，其數量之巨大，其種類之繁多，其傳承之有緒，擇其要，選其精，舉數例，共欣賞。

第一，書畫。於書畫，如《平復帖》，西晉陸機書，書風樸拙，行筆挺健，是存世最早書法名品。此帖從清宮流入民間，張伯駒先生花重金將其購買，藏縫在棉襖裏，帶出日據的北京城，後捐獻給故宮博物院收藏。又如《蘭亭序》，馮承素臨摹本，被譽為臨摹最精美之本。《自敍帖》（現存台北故宮博物院），為唐高僧懷素書。懷素被譽為「草聖」，《自敍帖》是其代表作。宋人有蔡襄的《自書詩卷》、蘇軾的《寒食帖》（現存台北故宮博物院）、黃庭堅的精品《送四十九侄詩卷》、米芾的《苕溪詩卷》等，為並列宋四大家的傳世之作。被推為「元朝書法第一」的趙孟頫，其《帝師膽巴碑卷》頗為有名。

於繪畫，東晉顧愷之的《洛神賦圖卷》（宋人摹），取材於曹植的《洛神賦》，體現六朝時期山水人物的畫風。被張彥遠譽為「緊勁聯綿，循環超忽，格調逸易，風趨電疾，意存筆先，畫盡意在，所以全神氣也。」唐閻立本《步輦圖》（宋人摹），表現吐蕃贊普松贊干布遣使長安，拜見唐太宗李世民，迎接文成公主前往與松贊干布成婚的歷史畫卷。唐韓滉的《五牛圖卷》，廣為人知，傳承有緒，但有異議。五代南唐顧閎中《韓熙載夜宴圖》（宋摹本），亦為名畫。還有宋代張擇端的《清明上河圖》（摹本）、宋徽宗的《聽琴圖卷》、王希孟的《千里江山圖卷》，明吳偉的《長江萬里圖卷》、文徵明《惠山茶會圖卷》、清郎世寧的《乾隆皇帝射獵圖》等，卷卷卓異，件件珍品。

第二，瓷器。中國瓷器，唐宋名窯，瓷苑新葩。宋「定、汝、官、哥、鈞」和德化白瓷等，故宮多有收藏。元代青花，開啟了瓷器史的新時期。明清兩代，皇宮在景德鎮設立御窯，以舉國之力發展瓷器，瓷器藝術達到一個高峰期。明朝御窯的永宣青花、成化斗彩、萬曆粉彩等，不斷創新。清朝以康熙郎窯、雍正年窯、乾隆唐窯為代表的御窯瓷器，不斷推陳出新，引領世界藝術風尚。

第三，巨寶。在故宮寶物中，列舉三大巨寶。其一是，保和殿後大石雕，長十六點七五米，寬三點〇七米，厚一點七米，重二百噸，為宮中石雕之最，俗稱「大石雕」。這塊故宮單體最大的石雕藝術品，是紫禁城中軸線上遊客必看的一個景觀。其二是，在故宮寧壽宮樂壽堂內的「大禹治水圖」玉山。玉石原產於新疆葉爾羌密爾岱山，運到北京，設計小樣，再運到揚州雕製而成，最後安放在北京皇宮。這件玉山，高二百二十四釐米，寬九十六釐米，重約五千三百三十公斤，以中國古代「大禹治水」故事圖雕製而成，是宮中整塊玉石雕刻之最。其三是，琺瑯寶塔。故宮的梵華樓和寶相樓，各有六座琺瑯寶塔。每座高約二百三十八釐米，由宮廷造辦處琺瑯作製作。中國的琺瑯工藝，是元代以後由西域和歐洲傳入，又融合中國的傳統文化，以銅、金等金屬為胎，以多種工藝敷塗琺瑯彩料，經烘燒，而成為色彩繽紛、瑩潤華貴的琺瑯器。

第四，典冊。故宮是中國古籍典冊薈萃之所。寫本、善本、孤本、刻本等，天祿琳琅，滿目書香。宮藏最早的古代韻書《刊謬補缺切韻》，唐王仁煦撰、吳彩鸞寫本。特別是清武英殿刻書，尤其是銅活字，精美秀麗，稱為殿本。其卷冊規模最大者，主要列舉六部：

其一，《永樂大典》。姚廣孝、解縉主編，永樂初編纂，收書七八千種，共二萬二千九百三十七卷、一萬一千九百零五冊、三點七億多字。永樂帝為這部新書賜名《永樂大典》，並作序說：「惟有大混一之時，必有一統之製作，所以齊政治而同風俗。序百王之傳，總歷代之典。」這是中國文化史、世界文化史上一件盛事。

其二，《古今圖書集成》。主要由陳夢雷編纂，在康熙帝第三子誠親王允祉支持下，歷時二十餘年，用銅活字印出六十四部。全書「貫穿今古，滙合經史，天文地理，皆有圖記；下至山川草木，百工製造，海西秘法，靡不備具，洵為典籍之大觀。」《古今圖書集成》的出版，又是中國古代印刷史上的大事。乾隆帝譽之為「書城鉅觀，人間罕覯。」英國學者李約瑟說：「我們經常查閱的最大的百科全書是《圖書集成》。」全書一萬零四十卷，五千零二十冊，分裝五百七十六函，約一億七千多萬字，這是中國現存最大的類書，也是世界最大的百科全書。

其三，《四庫全書》。分經、史、子、集四部，其文淵閣本，據林天人先生統計，收書三千四百七十一種，七萬九千零十八卷，裝幀成三萬六千三百八十一冊，匯納為六千一百四十四函，分插一百零三書架，七億九千餘萬字，二百四十餘萬葉。是為其時全國圖書之總匯，既利於文獻之保存和流傳，也弊於思想之禁錮與鉗制。

其四，《明實錄》和《清實錄》。《明實錄》記載明十六朝史事，共三千零六十二卷；《清實錄》記載清十二朝史事，共四千五百四十五卷，還有滿文本、蒙古文本。兩書系統完整地記載明清五百四十四年史事，這在世界史上是前無古人的。

其五，《滿文大藏經》。乾隆時翻譯、雕印，共二千五百三十五卷，刻板四萬八千二百一十一塊（珍存至今），九萬六千四百二十二葉，雙面朱印，總一百零八函。填補了大藏經有漢、藏、蒙文而無滿文大藏經之空白。

此外，古代樂器，如唐玄宗時古琴「大唐遺音」等，至為珍貴，精粹滿目。

五 故宮之人物

故宮的核心是人，有皇帝后妃、王公貴族、太監宮女、文臣武將，也有剛節名宦、清廉官吏、濟濟文士和能工巧匠等。可以說，故宮六百年來，其間歷代名人，幾乎都直接或間接同故宮有關係。僅《明史》和《清史稿》所列傳立名之人，數以十萬計；明清兩朝進士共二百零三科，考中進士五萬一千六百二十四人。（朱保炯、謝沛霖：《明清進士題名碑錄索引》）都是進入皇宮參加殿試而考取的，其中年齡最小者十六歲、最高者一百零三歲（均為虛歲）。名人太多，篇幅有限，茲列六例，以窺全豹。

雄才大略之君。永樂帝朱棣是一位雄才大略之君。他奪取皇位後，遷都北京，興建北京城池宮殿；並四向開拓：他派鄭和先後共七次下西洋，如第一次在永樂三年（一四〇五年）至五年（一四〇七年），鄭和「將士卒二萬七千八百餘人，多齎金幣。造大舶，修四十四丈、廣十八丈者六十二。自蘇州劉家河，泛海至福建，復自福建五虎門揚帆，首達占城，以次遍歷諸番國。」先後歷三十餘國。是為世界航海史上的空前壯舉。他派太監侯顯出使烏斯藏（今西藏），先後「五使絕域，勞績與鄭和亞。」西藏高僧到京師，西藏繼元之後，歸入明朝版圖。他派陳誠等五使西域，遠至哈烈（今阿富汗赫拉特）、撒馬爾罕（今烏茲別克斯坦），往返一次達三萬五千餘里。回朝後，「上《使西域記》，所歷凡十七國，山川、風俗、物產，悉備焉。」他派亦失哈，先後八下奴兒干（黑龍江入海口附近），其中，「永樂九年春，特遣內官亦失哈等，率官軍一千餘人、巨船二十五艘，復至其國，開設奴兒干都司。」並立永寧寺碑、鐫碑記。宣示了明朝對外興安嶺以南和庫頁島等地的主權。總之，永樂時東、南、西、北四向開拓，大明帝國屹立在亞洲東方，出現萬國來朝的大局面。

勇於諫言之官。如海瑞，先自備棺材，諫言嘉靖皇帝；大理評事雒于仁，上《酒色財氣四箴》疏，直指萬曆皇帝。萬曆帝覽疏大怒，召宰輔申時行等於宮，命嚴治雒于仁罪。申時行極力調說，雒于仁未被處死，也未被下獄，而借詞回鄉養老，留下清名傳世。

愈挫愈奮之士。歷史上一些高人，堅定目標，百折不撓，頑強跋涉，愈挫愈奮。如文震孟，曾祖文徵明，屢試不第，改業書畫，成就不凡。文震孟，今蘇州人，自幼聰明，家境又好，還肯用功，就是不順，一連九試，二十七年，全都落榜。但他仍不灰心，十赴會試，考中狀元，年四十九。後官至大學士，入閣預政。但「震孟剛方貞介，有古大臣風，惜三月而斥，未竟其用。」回鄉後病死。

貪佞官宦之尤。在帝制時代，歷朝官宦，不乏佞臣。擇其尤者，列舉嚴嵩。嚴嵩，弘治十八年（一五〇五年）進士，改庶吉士，授編修。回鄉讀書，鈐山十年，長於詩文，頗著清譽。還朝後，官國子監祭酒。查明清國子監祭酒，多學問優醇，亦人品清雅。但嚴嵩為官後，「務為佞悅」、「一意媚上」。嘉靖帝二十多年不上朝，嚴嵩日侍左右，獻青詞，巧逢迎，討帝喜歡，不斷升官：侍郎、尚書、武英殿大學士、入直文淵閣，仍掌禮部事，加太子太傅，累進吏部尚書、謹身殿大學士、少傅兼太子太師，再加華蓋殿大學士。《明史・嚴嵩傳》載：「嵩無他才略，惟一意媚上。」佞臣必貪，物極必反。嚴嵩獨子世蕃被「斬於市，籍其家，黃金可三萬餘兩，白金二百萬餘兩，他珍寶服玩所直又數百萬。」而嚴嵩也落得個「寄食墓舍以死」的悲劇。

淡泊名利之臣。如林則徐，生長在崇尚「梅妻鶴子」的淡泊名利之家。「梅妻鶴子」典故出自《宋史・林逋傳》。林逋遠離名繮利索的官場，而在西湖孤山，以梅為妻，以鶴為子，蕩槳西湖，種田吟詩。林則徐之父林賓日畫「梅妻鶴子圖」，以勵淡泊清白之家風。林則徐官廣東禁煙，建言「每年抽粵海關稅」三千萬兩的十分之一，用來購艦炮、建海軍，遭到拒絕。他抵抗住英軍的侵略卻被流放到新疆伊犁。以「戴罪」之身，帶領兒子，修伊犁、南疆水利，後人稱作「林公渠」，造福至今。他以「苟利國家生死以，豈因禍福避趨之」的詩言志，展示了高尚的精神境界。

賢慧良善之後。宮廷后妃女性，也有賢德之人。張氏，出生於河南永城普通人家。她嫁給燕王朱棣的長子朱高熾為妻。朱元璋冊封朱棣為燕王，其長子高熾被冊為世子，張氏也隨之為燕王世子妃。朱棣登極稱帝後，立高熾為太子，張氏則為太子妃。張氏首要處好同公婆的關係，但這不容易，因為公公是永樂皇帝，婆婆娘家父親是右丞相、大將軍、魏國公徐達。張氏「操婦道至謹，雅得成祖及仁孝皇后歡。」她以謹守婦道而獲得公婆的喜歡。永樂帝幾次想廢掉高熾為太子，因兒媳張氏賢慧而沒有做。永樂帝厭惡高熾太胖，張氏就幫助丈夫「管住嘴、走斷腿」，減肥頗見成效，從而保住了夫君的太子地位。永樂帝駕崩後，朱高熾繼承皇位，張氏做了皇后。高熾在位不到一年駕崩，兒子朱瞻基繼位，是為宣德皇帝，張皇后被尊為太后。宣德帝奉太后去謁陵，回程路過農家，召老婦問生業，賜鈔幣。有獻蔬食酒漿者，張太后取以賜帝，曰：「此田家味也。」並說：「願殿下食此，知民艱。」大學士「三楊」即楊士奇、楊榮、楊溥，得到太后信任，又能忠心輔政。三殿、兩宮、九門城樓等重大工程都是在這個時期告竣的。張太后管教娘家人很嚴，「太后遇外家嚴，弟升至淳謹，然不許預議國事。」宣德帝崩，孫朱祁鎮九歲立，朝臣請太皇太后垂簾聽政，她說：「毋壞祖宗法。第悉罷一切不急務。」她身歷洪武、建文、永樂、洪熙、宣德、正統六朝，在她與政期間，既沒有外戚之害，也沒有宦官之禍，出現被譽為「洪宣之治」的局面。張太皇太后可貴之處在於：「對公婆尊敬孝順，對小叔寬容大度，對丈夫體貼勸慰，對後宮統攝安寧，對兒子教育勖勉，對孫子撐腰輔佐，對大臣信任鼓勵，對娘家規矩嚴格，對百姓愛戴親民，對自己心地良善。」

六 故宮之精神

故宮的建築、器物、書畫、人物等映現的哲思是什麼？是精神，是哲學。司馬遷說：「究天人之際，通古今之變」，打通天、人、古、今的關係，就是哲學。故宮所體現出的精神，是中華傳統文化的精粹，是傳統哲學的理念。

如「中」、「正」、「和」、「安」的理念。北京城和故宮有一條貫穿南北的子午線即中軸線，突出一個「中」字，中軸線上北京城的正陽門突出一個「正」字，乾清宮內寶座上方懸匾御書「正大光明」也突出一個「正」字；皇宮的太和、中和、保和三殿與太和殿前太和、協和、熙和三門，都突出一個「和」字；皇城六門——天安門、長安左門、長安右門、東安門、西安門、地安門，都突出一個「安」字。

中與正——北京城又是按照都城中正型理論建造的。宮城在北京居中，三大殿在宮城又居中。居中與對稱相呼應，北京的宮殿、壇廟等也多是對稱的。這體現儒家文化大中至正的哲學理念。

和與安——就「和」而言：宮城外朝的三大殿，明初分別為奉天殿、華蓋殿、謹身殿，突出「天」，就是皇權神授；明嘉靖重修三大殿後，依次改名為皇極殿、中極殿、建極殿，突出「極」，就是皇權；清初重修三大殿后，依次改名為太和殿、中和殿、保和殿，突出「和」，就是社會協合。這個由神權的「天」，到君權的「極」，再到社會的「和」，前述皇城六門都突出「安」字。這反映出帝制社會雖然發展緩慢，思想理念卻在不斷進步。

「中正和安」——中則正，和則安。這體現了中華優秀傳統文化的精髓與核心。《禮記·中庸》言：「中也者，天下之大本也；和也者，天下之達道也。致中和，天地位焉，萬物育焉。」當然，「中正安和」在帝制時代只能是一種理念、一種期望，實際上是不可能真正完全實現的。

中國傳統文化核心的儒家學說，有過三次高峰。第一次在西漢，經董仲舒、漢武帝，將儒學推成經學。第二次在宋代，「二程」、朱熹建立了理學體系。第三次在明朝弘正年間，形成王陽明的心學。這與明朝皇宮有着密切關係。王陽明出身於書香門第，父親考中狀元，做了弘治帝的老師。他中進士後，官刑部主事。入仕後，因為正直，王陽明受到大太監劉瑾的殘害。正德元年（一五〇六年），劉瑾逮捕御史戴銑等二十餘人。王陽明上疏救援，惹怒了劉瑾，被拖到皇宮午門，遭廷杖四十。後被謫貴州龍場驛，居無一室、食無粒米，生活在極為艱苦的境遇之中。王陽明住居洞穴（後稱陽明洞），堅韌不拔，苦思苦索，終於在「龍場悟道」中，創立「陽明心學」。他著書收徒，廣為傳播，建功立業，忠心報國，臨終之時，依然「此心光明」。在五百年前，王陽明達到了《左傳》提出的「立德、立功、立言」這「三不朽」的境界，推動儒家學說達到第三次高峰。

故宮所體現的哲學，就是創新的哲學；故宮所體現的精神，就是創新的精神。朱熹〈觀書有感〉詩云：

> 半畝方塘一鑒開，天光雲影共徘徊。
> 問渠那得清如許，為有源頭活水來。

詩分四層，因果遞進：因源頭活水，方渠清如許；因渠清如許，才光影徘徊；因光影徘徊，故方塘如鑒。所以，朱熹這首詩的旨趣就是「活水」，也就是「日新」。正如《禮記．大學》

引述湯之《盤銘》所說的「苟日新，日日新，又日新」。

六百年的故宮，為我們充盈哲學理念、修潤精神境界、涵養藝術素質、蘊育高尚品德，提供了可信的路徑、可貴的場所、可看的實物、可鑒的俊傑。故宮既是中華傳統文化的一部偉大的教科書，故宮也是人類文明史上一座偉麗的豐碑。

大故宮·九五之尊

目錄

大故宮 · 有鳳來儀

目錄

大故宮

奉天承運

責任編輯 黃杰華
設計 黃希欣
排版 漢圖
印務 劉漢舉

出版
中華書局（香港）有限公司
香港北角英皇道四九九號北角工業大廈一樓 B
電話：（852）2137 2338
傳真：（852）2713 8202
電子郵件：info@chunghwabook.com.hk
網址：http://www.chunghwabook.com.hk

發行
香港聯合書刊物流有限公司
香港新界荃灣德士古道 220-248 號
荃灣工業中心 16 樓
電話：（852）2150 2100
傳真：（852）2407 3062
電子郵件：info@suplogistics.com.hk

印刷
美雅印刷製本有限公司
香港觀塘榮業街六號海濱工業大廈四樓 A 室

版次
2022 年 6 月初版

規格
16 開（240mm×170mm）

ISBN
978-988-8807-60-4